D0680208

FRANÇOIS MITTERRAND

UN SOCIALISTE GAULLIEN

DU MÊME AUTEUR

L'Amitié judéo-arabe, Bordas.
Cent millions d'Arabes, Elsevier.
Avec les otages du Tchad, Presses de la Cité.
Le martyre du Liban, Plon.
Les rebelles d'aujourd'hui, Presses de la Cité.
La Corse à la dérive, Plon.
La poudre et le pouvoir, Nathan.

THIERRY DESJARDINS

FRANÇOIS MITTERRAND

UN SOCIALISTE GAULLIEN

INTRODUCTION

Le destin de François Mitterrand est à nouveau en suspens. Les semaines et les mois qui viennent pourraient bien décider définitivement de sa carrière politique. S'il ne parvient pas, aujourd'hui ou demain, à revenir dans la réalité après vingt ans d'exil (intérieur), Mitterrand sera sans doute cette fois un homme fini (pour autant qu'on puisse jamais dire d'un homme politique qu'il est fini) et, dans ce cas, il entrera dans l'histoire comme l'homme qui a tout raté. Raté son opposition à de Gaulle, raté la présidence de la République face à Giscard d'Estaing, raté même l'union de la gauche. L'histoire est toujours sévère pour les perdants. Les historiens du XXIe siècle lui consacreront à peine quelques lignes, quand ils évoqueront la France de la deuxième partie du XXe siècle. Il disparaîtra derrière de Gaulle et, face à Pompidou ou à Giscard, il offrira l'image de l'éternel challenger malchanceux. Pire, on le rendra responsable de tous les déboires de la gauche.

Mais s'il réussit à conquérir le pouvoir et à s'imposer, alors l'histoire s'empare de lui comme l'un des grands hommes politiques de notre demi-siècle et, brusquement, sa carrière apparaîtra toute tracée : une longue marche vers le pouvoir, savamment préparée.

Nous n'en sommes pas encore à relire l'histoire, nous l'écrivons en ce moment ; c'est-à-dire que nous hésitons. Cependant, et précisément à cause de ces hésitations, nous sommes en droit de nous poser un certain nombre de questions. Qui peuvent d'ailleurs, très naïvement se résumer en une seule : qui est François Mitterrand ?

Aussi curieux que cela puisse paraître, de tous nos personnages politiques, Mitterrand est certainement celui qu'on connaît le moins bien. Son physique, son tempérament font de lui un personnage réservé, lointain ; son long rôle d'opposant a fait de lui une énigme. On connaît mieux un sous-secrétaire d'État qui se débat, même médiocrement, avec les problèmes qui lui échoient qu'un grand leader de l'opposition qui, par définition, est contraint d'adopter l'attitude que lui imposent ses adversaires. La règle du bipartisme, dans laquelle nous vivons depuis vingt ans, est telle que le challenger n'a guère le choix dans ses prises de position. Il lui faut être le négatif en face du positif. Il n'est pas libre de ses mouvements et on ne peut pas savoir quelle aurait été son attitude s'il avait été au pouvoir.

Cet homme dont dépend peut-être notre destin nous reste donc inconnu.

Il est de bon ton, depuis toujours, d'affirmer que François Mitterrand est un « personnage multiple ». Son portrait en est rendu plus aisé. Lui attribuer « mille facettes » permet de dire n'importe quoi ! Et on ne s'en prive pas, tant chez ses partisans que chez ses adversaires. C'est le portrait fourre-tout.

Les deux ouvrages essentiels — très intéressants par ailleurs — qui lui ont, jusqu'à présent, été consacrés commencent à peu près par la même phrase. Jean-Marie Borzeix ouvre son *Mitterrand lui-même* par cette phrase célèbre de François Mauriac : « C'est un personnage de roman », et Borzeix ajoute : « Un roman du XIXe siècle, bien sûr. » Franz-Olivier Giesbert attaque son *Mitterrand ou la tentation de l'histoire* par : « Cet homme est un mystère : habité par mille personnages (...), il déconcerte ou inquiète. » Bref, c'est Rastignac, Julien Sorel, Lorenzaccio aussi puisqu'on évoquera très rapidement Florence. Qui n'a pas déclaré que Mitterrand était Florentin ? Mais c'est surtout qui on veut...

Le procédé est un peu facile et ces « mille facettes » ne sont guère convaincantes. On aimerait savoir à qui on a affaire ! Et l'électeur moyen — qui départagera les « combattants » — ne peut se contenter de ce « n'importe quoi », si ce n'est « n'importe qui ». Il a déjà montré à maintes reprises qu'il n'appréciait pas ce « flou artistique » que certains, maladroitement, voulaient transformer en aura autour de l'éphémère unificateur de la gauche. Non, c'est une mauvaise image de marque que ces « mille facettes » d'un miroir aux alouettes. Tout homme est un personnage à mille facettes, un personnage de roman. Même Michel Debré, même Alexandre Sanguinetti ou Jean Royer. Non, on ne s'en sortira pas avec cette pirouette.

Certes, Mitterrand est « bourré » de contradictions : il a été un grand résistant et n'a pas été gaulliste; il a été, bien souvent, ministre de la IVe République et a condamné ce régime; il a été partisan de l'Algérie française puis favorable à l'indépendance de l'Algérie, tout comme il avait été « impérialiste » quand il avait été chargé de la France d'Outre-Mer, avant de devenir l'un des pères de l'Afrique indépendante; il est le type même du bourgeois français, par son éducation, son attitude, ses origines, son style et il a « tout de même » réalisé, un temps du moins, l'union de la gauche française.

On pourrait donc dire, en parcourant bien hâtivement sa carrière, qu'il possède bien ces « mille personnages », voire qu'il a été l'une des plus grandes « girouettes » de notre monde politique pourtant si riche en... coqs de clocher. Mais soyons sérieux, le jeu en vaut la chandelle.

Tous les hommes politiques ont évolué au cours de leur carrière et lui pas plus qu'un autre. Tous nos parlementaires, ou presque, ont été pour l'Algérie française, pour l'Indochine française. Guy Mollet, le grand maître de notre socialisme, a envoyé le contingent en Algérie et organisé l'opération absurde de Suez, Debré a été le plus farouche défenseur de l'Algérie française, de Gaulle s'est écrié, on le sait : « Vive l'Algérie française. » Et d'ailleurs, on l'oublie un peu rapidement, le peuple français lui-même a suivi toutes ces volte-face quand il ne les a pas lui-même suggérées à ses élus. Le procès ne tient pas. Pas plus qu'il n'est légitime de reprocher à Mitterrand son origine de petit bourgeois provincial, son éducation catholique, son style d'une autre époque, ses attitudes souvent méprisantes et de dire qu'avec tout cela on ne peut pas être un homme de gauche : Léon Blum, voire Marcel Cachin étaient aussi des bourgeois. Or, à moins d'être encore un adversaire de « l'homme le plus détesté de France », on ne peut refuser à Blum ou à Cachin leur qualité d'homme de gauche.

En fait, quand on pose la question « qui est François Mitterrand ? » on cherche à savoir quel homme sera le leader de la gauche le jour où il pourra être totalement maître de ses actions, c'est-à-dire le jour où il sera au pouvoir. Il faut essayer, à travers sa vie, à travers ses écrits, ses attitudes, de trouver qui il est vraiment, et surtout comment le pouvoir pourrait le transformer, en gardant à l'esprit qu'il s'agit d'un homme public, contraint, pour mener à bien ses ambitions (au sens le plus noble du terme), de dissimuler le fond de sa pensée. Plutôt que de se laisser cahoter au gré des contradictions d'une carrière politique, il nous faudra donc trouver qui est l'homme au-delà de ce qu'il a dû concéder pour tenter de conduire sa barque à bon port, tout en sachant que trente années de contradictions et de concessions ont elles-mêmes quelque peu changé le héros. Lorenzaccio avait fini par être contaminé par le rôle qu'il avait voulu jouer pour dissimuler son ambition.

Tout devient simple dès lors qu'on a refusé clairement de s'en tenir au trop facile « personnage à mille facettes » ou aux peu convaincantes contradictions d'une vie inévitablement remplie d'images. En fait, la question se résume encore mieux ainsi : Mitterrand est-il un homme de gauche ou un homme de droite ? Poser une telle question ne peut qu'être ressenti comme une provocation par ses partisans qui vont immédiatement s'écrier : « Naturellement, on veut encore se lancer dans les calomnies ! » Mais qu'on ne s'y trompe pas. D'abord, il serait pour le moins nécessaire qu'on réponde enfin à cette question. Crime de lèse-majesté ou non. Car notre monde politique ou même intellectuel se divise encore par rapport au « perchoir » du président de l'Assemblée nationale avec sa droite et sa gauche. Ensuite, bien des gens — électeurs, comme les autres — ne sont toujours pas convaincus que Mitterrand soit un « homme de gauche ». Demandez à beaucoup de communistes, à certains anciens socialistes (et qui l'étaient bien avant que François Mitterrand ne trouve enfin sa voie), demandez surtout aux gauchistes français, qui sont, sans doute, les plus représentatifs de la réelle gauche d'aujourd'hui. Ils n'hésiteront jamais à affirmer que Mitterrand n'est pas un homme de gauche. Après tout, eux aussi ont le droit de distribuer des certificats de gauche, au moins autant que les inconditionnels de Mitterrand.

La question mérite donc d'être posée. Elle n'implique pas — les amis de Mitterrand ne le comprennent malheureusement pas toujours — une attitude systématiquement hostile à l'égard de leur grand homme. Si un certain nombre de citoyens prenaient conscience que Mitterrand n'est pas un homme de gauche, ils seraient rassurés et n'hésiteraient plus à se tourner vers lui, enfin persuadés que Mitterrand n'est qu'un « bon Français », comme eux, qui en plus essaie de berner la vraie gauche; alors ils lui feraient confiance. Ce n'est donc pas, contrairement à ce que pense son entourage, une question infamante ou infâme que de demander si Mitterrand est un homme de gauche ou de droite. Elle n'est pas plus facile pour autant.

Cette question liminaire en appelle une seconde, capitale, avec laquelle Mitterrand se débat depuis des années : « Qu'est-ce que la gauche, qu'est-ce que la droite ? » Y répondre est devenu une gageure. Mieux vaudrait placer les parlementaires dans un hémicycle par ordre alphabétique !

Plus personne ne s'avoue de droite, ne se déclare conservateur ; tout le monde est progressiste, ou du moins favorable au progrès, ce qui n'est pas pareil. Certes, la gauche peut qualifier ses adversaires de « gens de droite », de « réactionnaires », mais cette droite qui ne veut pas l'être a beau jeu de sourire : le marxisme tel qu'il est appliqué là où il est appliqué n'apparaît guère comme le symbole de la libération des peuples, c'est le moins qu'on puisse dire. Or la droite s'oppose à la gauche non pas au plan des théories économiques, mais bien à celui des libertés de l'homme. Alors ? Sans ouvrir un débat inutile et pour demeurer sur notre territoire, il faut, avant d'essayer de « placer » Mitterrand, reconnaître que le grand distinguo droite-gauche a été pulvérisé à deux reprises ces dernières années d'abord avec le phénomène de Gaulle, ensuite avec les événements de mai 68. Ce sont des évidences mais dont le rappel est nécessaire, car il semble bien qu'on n'en ait pas assez pris conscience.

Qu'on le veuille ou non et quoiqu'en pense Mitterrand, de Gaulle n'a pas été un homme de droite. Lui aussi était un personnage « à mille facettes ». Lui aussi était un bourgeois, un lecteur de Maurras, au style de Chateaubriand, voire de Barrès, lui aussi avait une certaine idée de l'empire français, mais il a libéré l'Afrique bien plus que Mitterrand n'a pu ou n'aurait sans doute voulu le faire ; lui a effectivement donné son indépendance à l'Algérie, lui a prononcé le discours de Phnom-Penh. Il avait réuni autour de lui des hommes qu'on ne pourra jamais considérer comme étant de droite (certains ont d'ailleurs rejoint Mitterrand par la suite) et le peuple français ne s'y était pas trompé : même des électeurs communistes ou socialistes lui accordaient leurs suffrages. Si l'expression « gaullistes de gauche » étonne et a souvent fait sourire (parfois à juste titre), s'il est difficile de faire de de Gaulle un homme de gauche et infiniment plus facile de voir en lui un homme de droite, l'histoire, elle, refusera tout de même à l'homme du 18 juin 1940 l'épithète d'homme de droite que dénonçait Mitterrand.

Mitterrand d'ailleurs a toujours été mal à l'aise face à de Gaulle. Nous y reviendrons. Quels étaient ses griefs ? Le pouvoir personnel ? C'était l'un de ses thèmes favoris, mais, à l'analyse, il ne tenait guère. De Gaulle avait tous les pouvoirs, mais il n'était pas un despote ; certes, la Constitution de la Ve République était mauvaise, faite sur mesure pour un homme hors mesure et Mitterrand, jésuite et républicain, pouvait s'en prendre à cette Constitution qui était beaucoup plus présidentielle qu'elle ne l'avouait. Mais tout cela n'était pas très convaincant et si Mitterrand a réussi des scores surprenants contre de Gaulle, c'était surtout parce qu'il bénéficiait alors, comme n'importe qui aurait pu en bénéficier, de la lassitude des électeurs à l'égard d'un régime usé.

De Gaulle qui était revenu au pouvoir grâce à un coup d'État militaire, fomenté par des hommes politiques d'extrême droite le plus souvent, et qui avait pris dans son premier gouvernement Guy Mollet (on l'a oublié), a cassé définitivement, semble-t-il, le jeu de droite-gauche de la vie politique française, lui qui pourtant souhaitait en même temps instaurer le bipartisme, ce qu'il a d'ailleurs presque réussi.

Mais ce bipartisme imposé par de Gaulle — et c'est ce qui nous intéresse aujourd'hui — n'avait plus rien de... politique ; il n'y avait plus la droite et la gauche. Il y avait ceux qui étaient pour de Gaulle et ceux qui étaient contre lui et non plus, d'un côté, ceux qui croyaient au progrès et d'un autre côté ceux qui pensaient qu'il fallait à tout prix conserver les « valeurs » de jadis.

En fait, la vraie droite c'est l'Église (conservatrice), l'armée, l'argent surtout, la force, c'est Corneille, alors que la gauche, c'est le rêve d'une société égalitaire, fraternelle, désarmée, c'est Racine, c'est l'homme tel qu'il est. Or, que retiendra-t-on du gaullisme ? Le refus du fait accompli, du Pacte atlantique, du traité de Yalta, des guerres coloniales ; c'est la régionalisation, la participation, en même temps « une certaine idée de la France », le respect de certaines valeurs. On comprend que cet ensemble disparate ait bouleversé toutes nos vieilles structures. Dès lors, où placer Mitterrand qui s'est toujours opposé à cet étonnant ensemble de contradictions ? Nous serons rapidement amené – disons-le tout de suite – à nous demander si, au fond, Mitterrand n'est pas le plus fidèle des... gaullistes, lui qui prône à la fois une certaine idée de l'État, de la France et un progrès. Encore une provocation, diront les amis du leader de la gauche, mais qui, si on ne la considère pas comme volontairement désobligeante (et elle pourrait bien ne pas l'être), conduirait à un certain nombre de constatations intéressantes, voire révélatrices...

Et puis il y a eu mai 68. Sur le moment, on a cru que ce grand mouvement de « ras le bol », que cette volonté de tout renverser visait de Gaulle et son pouvoir qui durait depuis dix ans, presque jour pour jour.

En fait, on s'est aperçu depuis que les jeunes qui étaient descendus dans la rue contestaient précisément les vieilles structures de droite et de gauche. Ils ne reconnaissaient plus comme espoir suprême cette gauche qui languissait depuis des décennies. C'était moins contre de Gaulle en fait que contre le parti communiste ou contre le parti socialiste qu'on manifestait. On voulait autre chose. La gauche, ce n'était plus le socialisme, le marxisme. Les étudiants n'étaient pas des enfants qui récusaient un père de droite, mais des enfants déçus par un espoir.

Tous, ou presque, étaient d'anciens jeunes communistes ou d'anciens jeunes socialistes, et ce n'était pas contre de Gaulle qu'ils criaient mais contre l'U.R.S.S., contre les goulags dont ils devinaient l'existence, contre le second terme de l'alternative qui pour eux n'avait plus de sens puisque l'alternative elle-même avait été détruite, et par de Gaulle et par les exemples que la gauche avait offerts à l'extérieur, plus à l'Est.

Pour eux, la droite c'était toutes les Églises, et surtout celles qui existaient bel et bien, et qui avaient encore des combattants, des inquisitions, des bûchers. L'espoir pour eux, ce n'était plus une révolution économique, la dictature du prolétariat, un État fort, généreux et planificateur, la lutte des classes. C'était une révolution politique, un changement de civilisation. Ils ne parlaient pas d'égalité, ils parlaient de liberté, pas de lutte des classes, mais de fraternité sans classes, pas de prolétariat mais de bonheur, pas d'État mais d'hommes. Ils étaient en fait infiniment plus proches des rêves impossibles d'un vieux Général qu'ils conspuaient que de partis dont ils ne voulaient plus et qui tentaient de les récupérer. Ces jeunes allaient devenir les « nouveaux philosophes » dont la gauche dépitée allait faire des gens de droite, prouvant ainsi que c'était elle qui n'avait rien compris.

Brusquement, avec cette explosion d'idées, de joie, de folie, les notions de droite et de gauche déjà abattues en France par l'étonnant phénomène du gaullisme, paraissaient, au niveau international, balayées à tout jamais. La gauche, c'est-à-dire l'espoir, ce n'était plus l'économie socialiste, les H.L.M., les nationalisations, un État fort et juste, la fin du capitalisme tout-puissant. Non, c'était curieusement un certain retour en arrière, le refus d'un progrès excessif et donc aliénant, le refus des H.L.M., le retour à la campagne, la destruction de l'État trop puissant et donc totalitaire, le refus des plans, des technocrates, des partis, etc. Le progrès qui avait été récupéré par la droite sans que la gauche s'en soit rendu compte était soudain mis en accusation.

Ceux qui jusqu'à présent s'étaient affrontés dans l'hémicycle, qu'ils soient « de droite » ou « de gauche », se retrouvaient dans le même sac, tandis qu'apparaissait une vraie gauche qui ne trouvait rien d'autre pour « se placer » que l'expression de « gauchisme ». Le vocabulaire était à bout de souffle...

On en est là. Comment alors définir Mitterrand par rapport au gaullisme et surtout par rapport au gauchisme ? D'une part, maintenant que de Gaulle a disparu, on a l'impression que Mitterrand est un gaulliste. Face au gauchisme, inévitablement, Mitterrand fait figure d'homme de droite avec son respect de l'ordre, de l'État, des lois. Et – nous en reparlerons longuement – on comprend qu'il ait totalement perdu pied lors des événements de mai 68. Mais quel homme politique, par définition hanté par les notions d'État, de droit, de loi, pourrait échapper à l'image du conservateur figé en face de cette perpétuelle contestation ?

Pourtant, aussi bien le gaullisme que « l'esprit de mai 68 » sont, pour l'instant, en veilleuse et on pourrait bien croire que ces deux « parenthèses » sont en train de se refermer. Le gaullisme a été pour le moins oublié par ses héritiers. Pompidou, ce n'était déjà plus le vrai gaullisme pur et dur, Giscard d'Estaing, qui a battu Chaban-Delmas, s'en est encore plus éloigné. Les gauchistes, quant à eux, sont au « creux de la vague ». Refusant le jeu de leurs adversaires, ils se sont démobilisés pour rentrer dans « le droit chemin », ou égarés, comme en Allemagne, dans des voies sans autre issue que la violence la plus destructrice. On sait que les révolutions – et c'en fut bien une – ne réussissent jamais. Le tout est de ne pas oublier qu'elles sont toujours des avertissements.

On serait donc en droit de se demander si tout n'est pas rentré dans l'ordre de jadis, comme si rien n'avait eu lieu et si, effectivement, on ne revient pas à nos bonnes notions de « droite » et de « gauche ». Et il est vrai que lorsqu'on observe la vie politique de ces derniers mois, on retrouve bel et bien une vraie droite et une vraie gauche. Sans doute ne serait-il pas honnête aujourd'hui d'affirmer que les amis du président de la République et ceux de Mitterrand sont à mettre « dans le même sac ». Mais il n'empêche que, même avec son ingratitude, l'histoire ne peut oublier ni 58 ni 68, même en 78.

Alors Mitterrand homme de gauche ? Ou homme de droite ? Pour les survivants qui, après l'orage du gaullisme, ont pu ressortir de leur tanière, sans aucun doute il est homme de gauche, au sens le plus limité qui soit, c'est-à-dire favorable au progrès, à l'État généreux qui préfère le nombre aux privilégiés. Mais avec de l'ordre, des lois, des contraintes, comme toute vie en société, telle que nous l'imaginons depuis des siècles, l'exige. Mais aussi avec tout ce que cette notion de droite peut avoir de « noble », c'est-à-dire une exigence de libéralisme, disons – pour qu'il n'y ait pas de malentendu – de liberté.

Et c'est ici qu'il faudra parler des rapports entre Mitterrand et le parti communiste français, rapports aussi équivoques que ceux qu'il a entretenus avec de Gaulle. Car si Mitterrand fut et demeure gaulliste sans le savoir (ou sans pouvoir le dire), avec plus de détermination encore, il a été et reste un farouche adversaire du P.C. qui, à ses yeux comme à ceux des vrais vieux gaullistes et des « gauchistes » d'aujourd'hui, apparaît comme un parti de droite, dans ce qu'il a de plus condamnable, c'est-à-dire son autoritarisme. Les communistes ont reproché à Mitterrand d'être un homme de droite, c'est tout juste s'ils ne l'ont pas taxé d'être... gaulliste ; mais aux yeux de certains observateurs qui maintenant font du P.C.F. un parti de droite, Mitterrand se situe à gauche de ce P.C. Seulement on sera bien obligé de jongler avec les mots « imposture », « ambition », « compromis », voire « trahison », car Mitterrand – cet anticommuniste farouche – a tout de même voulu faire un bout de chemin avec le P.C...

On le voit, même avec la meilleure volonté, il est impossible de sortir des vieilles querelles d'antan ! Pour qualifier un homme politique on est donc obligé de le « placer » dans l'hémicycle ; il faut alors ressortir les deux « points cardinaux » et aussitôt, comme les mots ont perdu leur sens, que notre vie politique a perdu le nord, on en revient aux injures. C'est la faute à de Gaulle, c'est la faute à Staline !

Donc, notre enquête sur l'itinéraire de Mitterrand nous conduira sans cesse à situer notre héros, en nous étonnant d'abord que cette démarche primordiale reste encore à faire et en jouant ensuite sur des mots qui n'ont plus de sens ; nous serons cependant continuellement aidés par ces trois références, celles-là même qui ont tout bouleversé : le gaullisme, le communisme et le gauchisme, qui, comme par hasard, représentent les trois étapes essentielles de la vie de Mitterrand, de Gaulle et le P.C.F. apparaissant, bien sûr, à plusieurs reprises dans le scénario.

Le parcours sera curieux. Sain pourrait-on dire. Il nous montrera qu'inconsciemment nous sommes arrivés à un stade où bien souvent la notion de capitalisme pour nos régions surdéveloppées n'a plus guère de sens. Et que ce n'est donc pas sur ce thème que peuvent s'affronter les programmes politiques. L'union de la gauche s'est brisée, à la surprise générale, sur la question des nationalisations. Pourquoi ? Et surtout, pourquoi tout le monde en a-t-il été surpris ? Parce qu'aux yeux du grand public d'abord le capitalisme n'a plus la même physionomie qu'autrefois. Les multinationales sont des monstres qui ressemblent à s'y méprendre, pour qui en est la « victime », à des sociétés nationalisées. Que l'énarque qui les dirige soit au service d'un trust ou à celui de l'État n'a guère d'importance. La gestion n'en sera qu'un peu améliorée, toujours aux yeux du profane (qui fait la loi) dans le système du libéralisme. Quant aux petites ou moyennes entreprises, à moins d'être resté un stalinien convaincu (et il en reste), tout le monde sait que, dans nos pays, il serait insensé de les nationaliser. Les grands patrons sont les premiers à déclarer qu'ils sont prêts à poursuivre leurs activités si on les nationalise. Riboud, P.D.G. de B.S.N., ne cesse de déclarer qu'il accepterait d'être ministre de la production alimentaire, et ce n'est pas seulement une boutade ; Marcel Dassault affirme qu'il ne demande pas mieux que d'être nationalisé, et ce n'est pas seulement un défi.

Les dirigeants du P.C.F. affirment à qui veut les entendre qu'ils n'envisagent pas une seconde de s'attaquer aux petites entreprises. Alors que devient la querelle droite-gauche, puisqu'elle se situait depuis des années sur le terrain économique ?

Mitterrand lui-même qui, il est vrai, n'est pas un expert, n'en sait rien. Les déboires de la réactualisation du Programme commun ont bien démontré qu'il n'était pas si sûr de lui qu'on pouvait le croire.

Et puis nous aurons à étudier deux particularités de François Mitterrand : le dirigeant de la gauche a jusqu'à présent été marqué par le sort. D'une part, s'il ne réussit pas aux élections législatives de 1978, il apparaîtra aux regards de l'historien comme l'homme politique le plus voué à l'échec : résistant au grand courage, il n'a même pas obtenu une croix de la Libération, à laquelle il avait pourtant droit plus que d'autres, et c'est de Gaulle lui-même qui l'a barré d'une liste dont il était le premier nom. Le plus jeune ministre de la IVe République n'a jamais pu devenir président du Conseil, alors que d'autres (vingt-deux gouvernements sous la IVe République) moins brillants que lui – Joseph Laniel, Maurice Bourgès-Maunoury ou Pierre Pflimlin pour ne citer qu'eux – y parvenaient. René Coty devait d'ailleurs confier un jour qu'à plusieurs reprises il avait pensé appeler Mitterrand : piètre consolation pour lui.

Il est encore trop tôt pour dire si Mitterrand a eu autant de malchance sous la Ve qu'il en avait eu sous la IVe, mais on peut tout de même s'étonner que cet homme, qui avait réussi la gageure de rassembler toute la gauche sous son aile, n'ait pas pu obtenir les quelque 0,67 % de voix qui lui ont manqué pour battre Valéry Giscard d'Estaing à la présidence de la République. Giscard partait beaucoup plus tard que lui dans la compétition, n'avait pas son expérience ni une clientèle toute prête de militants derrière lui, et Mitterrand a perdu.

Là aussi nous aurons à chercher les raisons d'un échec aussi « rageant ». Mais à considérer tous ces échecs, compensés par toutes les réussites qu'ils contiennent – une belle résistance, une brillante carrière politique sous la IVe, une étonnante performance sous la Ve –, on ne peut s'empêcher de remarquer cet acharnement du sort. Il ne s'agit certes pas d'invoquer quelque fatalité. Mais une telle malchance dans une vie politique intéresse l'observateur à un double titre. Il y a, qu'on le veuille ou non, et surtout en politique, deux races : celle des gagnants et celle des perdants. Valéry Giscard d'Estaing est de la première, comme Kennedy, comme quelques autres ; toutes les fées étaient penchées sur leur berceau, tout leur a toujours réussi. Mitterrand est de la seconde race, celle de Nixon, celle de Mendès France peut-être, celle de ceux qui ne plaisent pas, qui connaissent de longues traversées du désert, qui ont des ennemis acharnés. C'est un phénomène intéressant à analyser. D'une part, ce n'est jamais par hasard que le sort s'acharne sur eux et, d'autre part, cela ne peut que laisser des traces.

Indiscutablement, Mitterrand, comme Mendès, comme Nixon (et nous n'évoquons pas, bien sûr, la fin pitoyable de l'ancien Président des États-Unis) ne sont pas des personnages « sympathiques ». Ils ne savent pas sourire, ils sont mal à l'aise dans la foule. Quand ils sont sympathiques, ils n'ont jamais l'air d'être sincères. On se souvient de cette affiche où l'on voyait Nixon sur une photo particulièrement mal (ou bien) choisie avec cette légende : « Achèteriez-vous une voiture d'occasion à cet homme ? » Le moins qu'on puisse dire, c'est que ce n'était pas un argument politique d'un très haut niveau. Mitterrand (et Mendès) ont eu affaire à ce genre d'hostilité. Le physique y est certainement pour beaucoup. Un physique de timide, d'enfant élevé sévèrement, de jeune homme malheureux et ambitieux. Mais le « moral » y fait aussi, avec ce refus des concessions et cette espèce de morgue agressive, voire méprisante. Ce refus devrait rassurer ; il déplaît.

Et c'est un cercle vicieux. Celui qui ne se sent pas aimé, qui, en dépit de son pouvoir peut compter ses vrais amis sur les doigts d'une seule main, ne peut que se renfermer davantage, que s'isoler dans son mépris. Mitterrand sait que la grande majorité de la presse ne l'aime pas. La plupart des patrons de presse ont toujours vu en lui un personnage dangereux. Alors, avec beaucoup de maladresse, il ne peut s'empêcher de les provoquer, pire d'afficher même à l'égard de simples journalistes, pourtant sans *a priori* contre lui, un royal mépris, presque menaçant. Et quand, sans doute après les conseils de ses rares amis, il tente de rattraper son erreur, de faire de la démagogie, alors tout sonne atrocement faux. Pour un homme de gauche, ce manque de chaleur, de contact est particulièrement regrettable et même nuisible.

L'autre phénomène étonnant qui marque Mitterrand est peut-être inhérent au premier. Tous les hommes politiques ont toujours traîné derrière eux ce qu'on appelle des « casseroles », c'est-à-dire des affaires, des « histoires » désagréables qui resurgissaient à chaque occasion. C'est la règle du jeu souvent méprisable de la politique. Debré a eu l'affaire du bazooka, Pompidou a eu l'affaire Markovic, Chaban-Delmas celle de sa déclaration d'impôts, Marchais celle de son séjour en Allemagne pendant la guerre. Personne n'y échappe. Cependant, personne n'en a eu autant que Mitterrand. Il a accumulé les calomnies : sa francisque, l'affaire des fuites, l'affaire de l'Observatoire. Curieux, ce don d'attirer la médisance. Au fil de sa vie, nous parlerons de toutes ces affaires. Mais disons tout de suite que Mitterrand est, bien sûr, parfaitement innocent de ces scandales. La francisque, il l'a eue certes, comme bien d'autres (y compris Couve de Murville auquel on ne l'a jamais reprochée, et c'eût été tout aussi scandaleux), mais il aurait plutôt mérité, nous l'avons dit, la croix de compagnon de la Libération. L'affaire des fuites, on en connaît aujourd'hui les coupables, mais Mitterrand, parmi tous les suspects de l'époque, était le plus facilement disculpable. Celle de l'Observatoire est, certes, plus compliquée, plus ridicule surtout, mais là encore il est totalement innocent.

Alors pourquoi toutes ces casseroles qui ont indiscutablement nui à sa carrière ? Un homme politique peut-il traîner de tels boulets sans rester marqué ?

S'il attire ainsi les calomnies, c'est sans doute parce qu'on le considère comme... dangereux. C'est presque flatteur ! On n'a jamais inventé de scandale sur Michel d'Ornano ou Pierre Mauroy ! C'est aussi parce qu'on sait que Mitterrand n'est pas sympathique, et parce qu'il y a tout lieu de penser que, même démenties, ces histoires resteront. Calomniez, calomniez, il restera toujours quelque chose ! Pompidou, tout en rondeurs, bon enfant, n'a pas eu politiquement à souffrir des médisances qui ont tenté de le salir dans ce qu'il avait de plus précieux.

Enfin, on sait que la « timidité » de Mitterrand l'empêchera de prendre sa défense avec suffisamment de vigueur pour être convaincant. Furieux d'être aussi odieusement attaqué, rageant, il bafouillera, rougira, se « prendra les pieds » dans ses hésitations, ne voudra même pas répondre, puis répliquera trop tard. Dans les trois affaires, nous le verrons, Mitterrand s'est défendu comme un... coupable ! Certains de ses amis en ont eux-mêmes été ébranlés ; ils se sont éloignés de lui et Mitterrand ne leur a jamais pardonné, comprenant mal qu'il était le premier responsable des doutes qui avaient fini par effleurer ces hommes qu'il considérait comme fidèles jusqu'alors.

Il va sans dire qu'ainsi bassement attaqué, sachant mal se défendre et ne comprenant pas pourquoi il aurait eu à plaider, le timide (et la timidité est ici proche de la naïveté, car Mitterrand est par moments étrangement naïf) ne peut que se renfermer davantage sur lui-même. Comme Pompidou, sûrement comme Chaban-Delmas, Mitterrand, qui avait exprimé sa solidarité de « victime » à ces deux hommes qui pourtant étaient ses adversaires, n'a jamais pardonné ces ignobles insinuations. Mais Pompidou a triomphé et a pu « régler quelques comptes », Chaban a été abattu et ne peut pour l'instant que ressasser sa rancune, alors que Mitterrand, qui a réussi à demeurer sur scène, est resté blessé et donc fort mal à l'aise. Enfant, il avait déjà ce rictus, mais la vie et ses coups bas n'ont fait que l'aggraver.

Mille facettes ? Non, pas plus qu'un autre. Homme de droite ou de gauche ? Ni l'un ni l'autre, comme tout le monde maintenant ou presque. Mal aimé ? Sans doute. Maudit ? Peut-être, mais cela n'a pas de sens en politique. En tout cas, l'un des itinéraires les plus passionnants à suivre.

1. L'ENFANCE D'UN CHEF

La pire des bourgeoisies, la petite.

Nul n'ignore – et Mitterrand est le premier à l'admettre – qu'un homme est marqué à tout jamais par ses origines, son enfance, son éducation. Il convient donc de commencer par voir d'où est issu François Mitterrand. Le *Who's Who* est précieux : « Mitterrand, François, né le 26 octobre 1916, à Jarnac (Charente), fils de Joseph Mitterrand, agent de la compagnie des chemins de Fer du Paris-Orléans, puis industriel et président de la Fédération des syndicats des fabricants de vinaigre de France, et de Mme née Yvonne Lorrain. » Le *Who's Who* cite aussi le frère aîné Robert Mitterrand, « ingénieur, né le 22 septembre 1915, à Jarnac, ancien élève de l'École polytechnique » et le cadet, Jacques Mitterrand, « général d'armée aérienne, président de société, né le 21 mai 1918, à Angoulême, ancien élève de l'École Saint-Cyr ». Sur huit enfants, un polytechnicien, un ancien ministre et un général d'armée dans le *Who's Who*, c'est une belle famille. De la grande bourgeoisie, serait-on tenté de dire. Et d'ailleurs, à observer Mitterrand lui-même, on le croit sans peine. Il parle une langue démodée, de provincial érudit, utilise le subjonctif sans modération et manie les effets d'une éloquence qui n'a plus cours. Sa démarche est cossue, presque prétentieuse, sa mise austère, avec l'éternel complet bleu marine croisé qui lui donne plus l'air d'un magistrat redoutable et répressif que d'un militant du « parti du peuple ». Et d'ailleurs, pas plus que Blum jadis, ou que Mendès, il ne tente de « faire peuple ». Il y a quelque chose de « parpaillot » chez cet homme.

Mauriac avait dit un jour que Mitterrand était « un personnage de roman ». On pourrait ajouter, à considérer sa jeunesse, « d'un roman de Mauriac ». Il y a, toutes proportions gardées, presque tous les ingrédients mauriaciens dans la jeunesse de Mitterrand : une province lointaine dans l'espace et dans le temps, une mère importante qui marque ses enfants, un père cultivé mais distant, quasi mythique, une belle et grande maison de vacances où les cris joyeux des enfants nombreux se perdent dans la lande, un collège religieux avec un prêtre qui confie sous le manteau les dernières livraisons de la littérature moderne arrivées de Paris, quelques parents, amis précisément de François Mauriac, une Église très stricte, janséniste même. On va à la messe mais sans bigoterie, on croit en Dieu, mais sans tartufferie.

Devant le spectacle qu'offrent aujourd'hui les partisans de Mgr Lefebvre ou les chrétiens dits de gauche, on a oublié, à Paris, ce que fut une certaine Église d'avant la guerre, à la fois respectueuse des valeurs du passé et proche de ce qu'on appellerait aujourd'hui la contestation. On se souvient à peine de ce que fut *Le Sillon* de Marc Sangnier qui pourtant influença une importante partie de l'opinion française. Mitterrand est l'héritier direct de cette famille spirituelle.

On était calotin, « tala » comme disaient les normaliens (ceux qui vont « tala » messe), mais en même temps, on payait de sa personne. On était brancardier à Lourdes, on militait dans certaines organisations de charité, comme la célèbre Conférence de Saint-Vincent-de-Paul, on rendait visite, discrètement, aux pauvres qu'on aidait et ce n'était pourtant pas du paternalisme, ou du moins on n'en avait pas conscience. Joseph Mitterrand était brancardier à Lourdes et membre de la Conférence de Saint-Vincent-de-Paul.

C'était au fond la « bonne petite bourgeoisie » de province française, un peu ridicule à nos yeux, mais profondément respectable à bien des égards. Le père, Joseph Mitterrand, était entré après son bac, à la Compagnie des chemins de fer du Paris-Orléans. Modeste employé – on affirme qu'il avait commencé par poinçonner les tickets –, il avait gravi les échelons et était devenu chef de gare à Angoulême. Il avait épousé une demoiselle Lorrain dont la famille était plus aisée que la sienne. Le père d'Yvonne Lorrain possédait une fabrique de vinaigre à Jarnac. Et tout le monde affirme que ce grand-père était un personnage haut en couleurs, volontiers frondeur, presque « de gauche » dans ce Jarnac conservateur, celui des si riches producteurs de cognac. Joseph Mitterrand avait fini par abandonner les chemins de fer pour reprendre la direction de la fabrique de vinaigre.

On était sans doute à l'aise dans cette famille de vinaigriers puisque les Mitterrand avaient hérité d'une propriété à Touvent, en Périgord, qui s'étendait sur plus de cent hectares et où on allait passer les vacances. Mais, jansénisme oblige, on se refusait à étaler cette fortune, modeste en comparaison de celles de Jarnac, et pour l'époque. Et d'ailleurs dans la grande maison de Touvent aujourd'hui encore il n'y a ni l'eau courante ni l'électricité et « les commodités sont à cent mètres ».

Comme ses frères, le jeune François avait été mis, à l'âge de neuf ans, interne au collège Saint-Paul à Angoulême. Un collège religieux mais qui n'était pas tenu par un ordre célèbre, simplement par les pères diocésains. C'était tout de même l'établissement bourgeois de la région.

Mitterrand, selon tous les témoignages, est un bon élève, sans plus. Déjà brillant en littérature, en français et très faible en sciences ! Il est renfermé, presque chétif, dira-t-on, parfois malade. Il aime la lecture, dévore Gide mais doit lui préférer Chateaubriand ou Barrès qu'on lit et relit à la maison.

En tout cas, Mitterrand ne se révolte ni contre ces curés ni contre sa famille, bien au contraire. Il est sans histoire au milieu de ses sept frères et sœurs, aimé de tous, aimant tout le monde. Il est moins brillant que Robert qui fera l'X, et moins ouvert que Jacques qui ira à Saint-Cyr, mais il est peut-être le préféré de sa sœur, avec son visage romantique et ses silences d'ambitieux qui se consume. On pense un moment qu'il va entrer au séminaire. Il est de bon ton dans les familles nombreuses de province d'avoir un ecclésiastique ! Les personnages des romans du XIXe siècle hésitent toujours entre le Rouge et le Noir... Mitterrand aime déjà Stendhal. Pierre Viansson-Ponté a raison d'écrire que Mitterrand fera toujours plus penser à Julien Sorel qu'à Rastignac, comme on l'a trop souvent écrit.

A bien des égards, et notamment si on lit les titres de la bibliothèque familiale, cette enfance pourrait faire penser à celle de de Gaulle ! Une France « Louis-Philipparde », respectueuse du drapeau, qui a sûrement pleuré en 1870, fière de la tour Eiffel, possédant son bas de laine, mais aussi « ses » pauvres. Un peu plus même, puisque le père reprenant la fabrique retrouvait les attitudes libérales — et à l'époque presque révolutionnaires — de son beau-père, à l'égard de ses employés.

Mais de là à considérer cette enfance comme celle d'un futur leader de la gauche, il y a, bien sûr, un fossé que seuls les partisans inconditionnels et maladroits de Mitterrand franchissent allègrement. Les Mitterrand n'étaient pas d'affreux bourgeois réactionnaires, certes, mais des petits bourgeois libéraux. François Mitterrand aurait pu, « dû », devenir saint-cyrien ou polytechnicien, « pire », il aurait pu devenir évêque !

Et ce n'est pas en se raccrochant désespérément à quelque grand-père un peu original, comme si on devait avoir honte de ses origines, très classiques, qu'on apparaîtra prédisposé à diriger la gauche. Toutes les familles bourgeoises ont eu ces « originaux » dont on avait un peu honte sur le moment ; d'ailleurs, comme le grand-père de Mitterrand, ils rentraient généralement « dans le rang » après avoir jeté leur gourme ; aujourd'hui, on les ressort à la moindre occasion. Il est juste de reconnaître que Mitterrand a toujours parfaitement assumé ses origines. Il est resté fidèle à la famille, à la patrie, on n'ose pas dire au travail, sans doute à l'Église — il se dit aujourd'hui « déiste, ou quelque chose comme ça » — sûrement à un certain ordre libéral. Car dans ces familles de républicains modérés on n'était pas modérément républicain, selon la célèbre formule.

Que sont devenus les enfants de ces familles de la moyenne bourgeoisie provinciale d'avant la guerre ? Les deux frères, le général et le polytechnicien, ont effectivement gravi un échelon de la société, François plus encore, mais tous les autres qui faisaient partie de ce même monde ?

Ce monde a disparu, c'est indiscutable. Les anciens fonctionnaires de la S.N.C.F. qui ont hérité d'une petite entreprise n'ont pas de résidence secondaire de cent hectares, ne sont plus brancardiers à Lourdes et ne lisent plus Barrès. Que font-ils s'ils existent encore ? Sûrement ils ont voté pour de Gaulle, et votent pour Giscard d'Estaing, ce grand bourgeois qui a récupéré la clientèle d'Antoine Pinay. Leurs enfants ont sans doute « fait » mai 68 et aujourd'hui ils hésitent peut-être à voter pour Mitterrand. En tout cas, ils ne peuvent plus vivre cette jeunesse heureuse mais quelque peu coupée des réalités du monde qu'a eue Mitterrand.

Nulle part dans ses écrits, dans ses confidences, il ne se plaint de ses premières années ou ne reproche à ceux qui l'ont éduqué de lui avoir caché le monde. Cependant, il écrit dans *Ma part de vérité*, monologue passionnant et sans doute très sincère : « Ma première rencontre véritable avec d'autres hommes eut lieu au stalag 9 A où, prisonnier de guerre, la défaite de juin 40 m'avait déposé sous le numéro 21 176. » Mitterrand allait avoir vingt-quatre ans et il n'avait encore jamais rencontré d'autres hommes !

Il est certain qu'ici Mitterrand exagère. Comme tous ces hommes emportés par le désastre de la défaite, il se réveille brusquement d'un cauchemar et il découvre un monde qu'il ne pouvait soupçonner, ni dans la douceur de la maison familiale, ni dans son collège de bons pères, ni même sur les bancs de la faculté de droit de Paris ou à Sciences Po. Mais personne n'avait pu prévoir un tel monde en furie, un tel chaos.

Non, ici Mitterrand, en-deçà même de toute l'exagération littéraire qu'il peut mettre, va plus loin. Il reconnaît implicitement qu'il ignorait, avant ce stalag, un univers qu'il côtoyait, mais qu'il ne soupçonnait même pas. Reproche voilé aux siens ? Peut-être. Pourtant il semble que son père était assez proche de ses employés. Reproche à ses maîtres de Saint-Paul qui ne savaient pas ce qui se passait au-delà des hauts murs du collège ? Reproche aux maristes chez lesquels il s'était installé rue de Vaugirard, quand il était venu faire ses études à Paris ? Arrivé en 1934, il ne quitta le 104 de la rue de Vaugirard qu'en septembre 1938 pour, diplôme de Sciences Po et licence de droit en poche, gagner le fort d'Ivry et le 23e régiment d'infanterie coloniale. Les maristes lui auraient-ils fait rater 36, le Front populaire ?

En fait, cette fameuse phrase sur sa première « rencontre avec d'autres hommes » a été écrite en 1969 et elle est, sans doute, très révélatrice. Mitterrand s'est efforcé de trouver dans sa vie des « étapes décisives » : cette captivité, la Résistance, la Libération, sa rencontre avec l'Afrique, etc. Et il est parfaitement normal que de telles expériences aient pu changer un homme. Mais l'insistance avec laquelle il décrit dans ses confidences ces « rencontres », généralement dramatiques, est presque équivoque. On a l'impression qu'inconsciemment – et donc de bonne foi – il cherche à se montrer – ou à nous montrer – qu'il est devenu un nouvel homme, pire, qu'il récuse tout son passé, ses origines, sa formation. Il veut se laver de la faute originelle ! Mais pourquoi, diable ? Et surtout, s'en est-il vraiment lavé ?

Mitterrand pourrait bien faire partie de ces personnages que rien ne peut modifier, qui peuvent changer d'uniforme, de masque, de texte, mais qui restent, au fond, tels qu'ils sont, renfermés sur eux-mêmes, ignorant des autres, méprisants probablement. Ainsi de Gaulle qui, sans doute à chaque épreuve, à chaque déception devant la « condition humaine », s'est davantage isolé, comme Mitterrand, peut-être.

D'où l'importance qu'il faut attacher à ces premières années. Mitterrand les analyse parfois avec un très bon sens du diagnostic. Dans *Ma part de vérité* il reconnaît que parmi plusieurs « idées qu'il se fait de la France », figure celle qu'il a reçue des siens, qu'il n'a pas oubliée et qu'il gardera jusqu'à sa mort.

« Elle a été formée aux sources d'un enseignement simple et fier qui traitait la France à la fois comme une personne et un mythe, être vivant qui aurait eu la jeunesse de saint Louis, l'adolescence de Clouet, l'âge mûr de Bossuet et qui serait à jamais indemne de vieillesse et de mort. Cette France-là, porteuse d'un peuple élu, assemblage de races et de langues soudées pour l'éternité par les jouissances du sol, relevait de Dieu seul. Ses personnages principaux étaient des paysages, des horizons, des cours d'eau, ses monuments autant de collines de Sion. Son histoire était tracée par une filiation d'hommes illustres dont les derniers en date étaient Pasteur et Clemenceau. »

On croirait lire de Gaulle ! Et pas seulement à cause de ce style épique. Mitterrand lui-même le reconnaît lorsqu'il ajoute : « Le général de Gaulle appartient à cette tradition pastorale. » Mais Mitterrand aussi appartient à cette tradition « pastorale », lui qui aime tant évoquer son terroir, son Angoumois natal, admirer les couchers de soleil sur les champs de blé, les « boqueteaux épars brillants de ce voile que la lumière, à force de netteté, pose sur les choses ». N'importe qui n'aime pas Chateaubriand.

Et avec un masochisme très janséniste, il avoue alors, la mort dans l'âme : « Je ne suis pas né à gauche, encore moins socialiste (...) J'aggraverai mon cas en confessant que je n'ai montré par la suite aucune précocité. » Il va même jusqu'à se reprocher ses premières années :

« A Jarnac, (...) je les avais [ceux qui avaient une revanche à prendre sur le peuple des pauvres] déjà rencontrés. D'une certaine manière, j'étais des leurs. Parce que nous étions de la même souche, parce que nous prononcions les mêmes mots, de la même façon, parce que nous avions reçu les rudiments de la même culture, parce que nous portions les mêmes vêtements, ils me traitaient comme un complice ou comme un associé. »

Cette autocritique est presque pitoyable par instants. Et quand elle prend des allures de plaidoirie elle tourne à la mauvaise foi. Ces « bourgeois » qui prenaient Mitterrand pour un complice ou pour un associé ne se trompaient pas. Le jeune Mitterrand – si ce n'est l'homme mûr – était bien un des leurs. Il prononçait les mêmes mots, de la même façon. Il les pensait aussi, lui qui pourtant écrira beaucoup plus tard : « La solution communiste, dictée par l'impérialisme russe, est inacceptable ; l'abandon de l'Algérie serait un crime (...), sans l'Afrique il n'y aura pas d'histoire de France au XXIe siècle. » Phrase terrible, mais... pensée. Quant à la culture bourgeoise, il n'en a pas seulement les rudiments. Il en a toujours été presque une caricature, de saint Louis à Bossuet en passant par Clouet. Et il n'a pas à en être ainsi confus, honteux.

Il est sans doute plus honnête quand il reconnaît que « l'inclination » qui l'a conduit vers la gauche avait été « affinée par un milieu familial qui, entre soi comme avec les autres, examinait toute chose avec un extrême scrupule et qui tenait les hiérarchies fondées sur le privilège de l'argent pour le pire désordre. Que l'argent pût primer les valeurs qui leur servaient naturellement de références : la patrie, la religion, la liberté, la dignité, révoltait les miens. » Ils n'étaient donc pas si mal que ça ces « bourgeois » que récuse aujourd'hui Mitterrand, maintenant qu'il a « ouvert les yeux pour voir ».

Non, il n'est pas convaincant – sans doute parce qu'il tente d'être sincère – dans ses attaques contre ses origines. Il suffit de le regarder aujourd'hui pour comprendre ces bourgeois qui l'avaient cru des leurs. Alors, pourquoi ce reniement ? Par ambition ? Pour trouver une clientèle ? Par égarement ? C'est la grande question.

Mais il serait juste de noter aussi que cette bourgeoisie provinciale d'avant-guerre qui méprisait l'argent et croyait aux valeurs morales, a disparu. Pierre Viansson-Ponté, dans sa succulente *Lettre ouverte aux hommes politiques*, s'adresse à François Mitterrand en s'écriant : « Comme vous auriez été heureux d'être un homme politique de gauche au siècle dernier. » C'est sûrement vrai : les bourgeois libéraux étaient alors les hommes politiques de gauche, sans mauvaise conscience.

Le jeune homme de province, bien élevé, arrive donc à Paris à l'automne 1934. Il s'installe chez les maristes de la rue de Vaugirard, relations de sa famille, qui tiennent une sorte de pension de famille pour étudiants catholiques de province et il s'inscrit à la faculté de droit et à Sciences Po. Il se destine, même s'il n'en a pas totalement conscience, à la carrière politique. De nos jours, il aurait sans doute préparé l'École nationale d'Administration. Mais Julien Sorel devient-il pour autant Rastignac ? Pas du tout et très curieusement.

1934, pour un futur politicien, c'est une année passionnante à Paris. Ce n'est pas mai 68, mais presque. On se bat à tous les carrefours du Quartier latin. On s'affronte, parfois très violemment, entre Camelots du roi, Jeunesses patriotes d'un côté et, de l'autre, tenants du parti radical, du Cartel des gauches, jeunes socialistes.

Ce fut, au début de l'année, le fameux 6 février. Les associations d'anciens combattants et les « nationalistes », pour soutenir le préfet de police « énergique », Jean Chiappe, que le président du Conseil, Édouard Daladier (radical-socialiste), voulait limoger en raison de sa « faiblesse » dans l'affaire Stavisky, envahirent la place de la Concorde, menacèrent le Palais-Bourbon et firent chanceler le pouvoir au point que ledit Daladier dut donner sa démission. La droite se vengeait ainsi de sa défaite aux élections législatives de 1931. Mais, six jours plus tard et alors qu'on était allé rechercher dans sa retraite Gaston Doumergue, l'ancien président de la République, pour former un gouvernement d'union nationale, la gauche manifestait, à son tour, place de la Nation. Le 12 février, socialistes, communistes, C.G.T. et C.G.T.U. défilaient ensemble. Si le 6 février avait fait dix-sept morts, plus de deux mille trois cents blessés et préparé la droite aux comportements qu'elle devait adopter par la suite, le 12 février – que l'histoire a eu le tort de moins retenir – allait, lui, ouvrir la voie au Front populaire.

Au moment où Mitterrand entre à la faculté de droit, Gaston Doumergue est obligé de démissionner devant l'opposition de la gauche qui lui reproche notamment ses projets de réforme constitutionnelle. Il voulait renforcer l'exécutif. Cette époque aurait donc de quoi éveiller l'intérêt d'un futur juriste, d'un futur politicien.

Or, et tous les biographes de Mitterrand même les plus favorables sont obligés de le reconnaître, le jeune homme ne s'intéresse absolument pas au spectacle de la rue. Il va à la messe, au théâtre, aux cafés, avec ses amis, Claude Orland qu'il a connu à Jarnac et qui écrira sous le nom de Claude Roy, Pierre de Bénouville, camarade du collège d'Angoulême, Joseph Fontanet qui est monté à Paris venant de sa Savoie, François Dalle qui débarque de Lille et qui deviendra P.D.G. de *L'Oréal*, André Bettencourt qui arrive de sa Normandie et qui épousera Liliane Schueller, la fille d'Eugène Schueller, le fondateur de *L'Oréal*. Joyeuse bande de provinciaux au brillant avenir. Mais, de tous, et d'après les témoignages – bien suspects il est vrai – Mitterrand est alors le plus effacé. Ce n'est pas Bonaparte à Brienne, mais presque ! Il aime la solitude, il dévore les auteurs à la mode, il rêve. Il méprise peut-être déjà les démonstrations de foule, les monômes, les défilés de partisans.

Les rares « preuves » sérieuses que nous ayons de son attitude à cette époque sont révélatrices. Mitterrand écrit ses premiers textes « politiques » dans la petite revue des maristes du 104 de la rue de Vaugirard, *Montalembert*.

En avril 1936, c'est-à-dire à la veille du triomphe électoral du Front populaire qui, le 3 mai, obtiendra 381 sièges sur 618 à la Chambre des députés, le jeune homme s'essaye à l'humour grinçant (mais avec moins de succès, il est vrai, que plus tard). Il s'en prend à tout le monde, le petit provincial, le solitaire ambitieux :

« L'étal des partis exhibe des têtes-manchettes, la langue pendante parce qu'elles n'ont plus rien à dire. On a seulement décoré les cornes, pour faire plus riche. Du côté gauche, parmi d'autres, nous trouvons Romain Rolland, tout étonné de se voir soudainement apprécié spécialement, et pour cause, de ceux qui n'ont jamais feuilleté ses écrits [le « et pour cause » est pour le moins sévère à l'égard de l'auteur d'*Au-dessus de la mêlée !*], André Gide qui, sachant la porte étroite, a choisi le neuvième passage, celui qui donne sur Moscou [un peu facile] (...), Jules Romains, en quête d'hommes qui seraient, enfin, de bonne volonté [là encore c'est bien facile et on peut se demander si Jules Romains est bien un homme de gauche !] Du côté droit, s'il faut écouter leurs programmes, il vaut mieux se boucher les oreilles, car ils parlent tous ensemble [1]. »

Certes, Mitterrand n'a que dix-neuf ans, mais déjà personne ne trouve grâce à ses yeux. Il met tout le monde dans le même sac. Comme tous les jeunes de son âge, il cherche « son » grand homme, « gibier rare et naturellement recherché », mais en vain. Il ajoute : « Le génie est un sceptre qu'ils portent à l'envers. A ceux-ci les admirateurs ne manquent pas. Le crédit repose sur la confiance et la confiance est faite pour être trompée. Il est toujours quelques charbons d'encens à brûler pour les idoles creuses. » Déjà misanthrope ?

Ce sont là propos d'un gosse insupportable, d'une prétention

1. Texte inédit et retrouvé par F.-O. GIESBERT, in *Mitterrand ou la tentation de l'histoire.*

rare. Mais presque sympathiques de la part d'un enfant si exigeant. On conçoit qu'un « disciple » du *Sillon*, lecteur de Barrès et arrivant de sa campagne ait été écœuré par le spectacle du Paris de ces années-là. On comprend moins qu'il se soit ainsi attaqué aux écrivains. Malraux, par exemple, venait tout de même de recevoir le prix Goncourt (1933) pour *La Condition humaine* et publiait justement en cette année 1936 *Le Temps du mépris*. Et le 17 mai, c'est-à-dire un mois après cet article, il partait pour l'Espagne où l'avait appelé Bergamin, un Espagnol catholique antifasciste ; il allait s'engager dans la bataille, ce qui aurait pu le rendre sympathique à la jeunesse la plus exigeante.

Au fond, il y a deux types de jeunes hommes passionnés : ceux qui trouvent leurs maîtres à penser, et ceux, plus exigeants, plus indociles, qui refusent tous les phares. Mitterrand fait sûrement partie des seconds. Personne ne le satisfait et il rage, et il injurie, et il fulmine contre cette société médiocre à ses yeux d'idéaliste.

Ces erreurs de jeunesse ne mériteraient guère qu'on s'y attarde (les premiers écrits des hommes politiques sont toujours ridicules) ; à moins qu'elles ne reflètent un trait fondamental de Mitterrand. Valéry, Claudel, Mauriac, Breton, Eluard, Aragon, Bernanos même : des « idoles creuses ». Un tel jeune homme ne s'apprête pas à être un disciple facile, ni un militant de base ! Et pourtant c'était alors l'âge des engagements !

Deux ans plus tard, il est sur le point de finir son droit et Sciences Po. Son frère Robert est sorti de Polytechnique et est devenu ingénieur aux Manufactures de l'État alors que son frère Jacques est élève à Saint-Cyr, quand l'Allemagne hitlérienne envahit l'Autriche. Le 15 mars 1938 l'Anschluss est proclamé. Les vainqueurs de 1918, les grandes démocraties, ne bougent pas. De même qu'elles n'ont rien fait pour l'Espagne. C'est toujours la politique de non intervention instaurée, hélas, par Léon Blum, de nouveau président du Conseil (depuis vingt-quatre heures et pour douze jours, ce sera la malheureuse tentative d'un ministère d'union nationale), quand Hitler « visite » triomphalement Vienne.

Mitterrand réagit violemment à l'Anschluss et publie dans la revue *Montalembert* un article qui, lui, mérite davantage l'attention ; l'auteur a maintenant vingt et un ans.

« En politique, écrit-il, deux attitudes sont seules concevables : ou l'abandon total, ou la force absolue (...), mais le renoncement volontaire, cette offrande de la joue droite après le coup sur la joue gauche, est inconnu des peuples et risque fort de le demeurer longtemps. Cependant, comme les hommes se targuent de principes même s'ils n'y croient pas, ils ont remplacé le renoncement par la modération, l'absolu par le juste milieu. Le juste milieu ! Comme si on pouvait tracer une ligne de partage entre le bon et le mauvais, le juste et le faux et danser sur cette corde raide ! Le juste milieu devient le leitmotiv des peuples faibles (...). Qu'est-ce que la pureté si, une fois, elle défaille ? Qu'est-ce que la volonté, si elle plie ? Qu'est-ce que la liberté, si elle cède ?... »

De Gaulle, commentant l'Anschluss, écrit : « Pour moi, j'assistais à ces événements sans surprise, mais non sans douleur. »

On le voit, l'étudiant de Sciences Po a fait de grands progrès. Il a trouvé son style, même s'il ne l'a pas encore aiguisé. Le fond aussi est intéressant, pour l'approche de Mitterrand. Cette haine du « juste milieu », il va la conserver pieusement.

Sept ans plus tard – ce qui est considérable car entre-temps il y aura eu la guerre, la blessure, la captivité, la Résistance, les débuts dans la vie politique – on retrouve, en effet, les mêmes termes dans *L'Homme libre*, le journal des anciens prisonniers auquel il collabore. S'en prenant, avec une rare violence (c'était l'époque où Mitterrand s'écriait : « Il y a des têtes à couper. Qu'on les coupe. »), à Édouard Herriot qui prépare son retour sur la scène politique, il écrit en juillet 1945 :

« A vrai dire, M. Herriot eut un mérite rare : il fut l'auteur de cette fameuse définition : le Français moyen. Comment les Français ne lui en auraient-ils pas été reconnaissants ? Français moyens, France moyenne. Cela ne fatigue ni l'esprit ni les muscles. (...) On avait bien appris dans nos manuels d'histoire que la France était un grand pays. Voilà un adjectif bien fâcheux. (...) Si, dans nos moments de désespoir, nous avons aimé nos traditions, il nous a fallu remonter assez loin dans leurs fastes : depuis vingt-cinq ans, le Français moyen de M. Herriot avait appelé civilisation la paire de pantoufles et le bifteck pommes frites. (...) Et voilà qu'après tant de sottises moyennes, mères de tant de catastrophes grandioses, des paroles de grandeur sont venues jusqu'à nous. De Gaulle et puis Péri, Berthie Albrecht... »

Textes pour le moins étranges et qui se font écho au-delà de sept années de drame. Mais, connaissant le second, tenons-nous en au premier, à celui de 1938. Qui pourrait croire que cette rage d'absolu n'est pas celle d'un extrémiste... de droite ? (Et sans que cela soit péjoratif, pour une fois.)

En ce même mois de mars 1938, à Metz, le colonel, commandant le 507e régiment de chars, réagit pratiquement avec la même fureur à l'Anschluss. Il s'appelle de Gaulle, et il n'a pu convaincre Léon Blum, qu'il avait longuement rencontré, de la nécessité d'adopter les blindés pour se préparer à l'attaque de Hitler et de ses panzerdivisions. Lui aussi était écœuré par le spectacle, sans grandeur, qu'offraient nos hommes politiques... en pantoufles.

Évoquant l'absurde théorie de la ligne Maginot, de Gaulle écrit :

« Une telle conception de la guerre convenait à l'esprit du régime. Celui-ci, que la faiblesse du pouvoir et les discordes politiques condamnaient à la stagnation, ne pouvait manquer d'épouser un système à ce point statique. Mais cette rassurante panacée répondait trop bien à l'état d'esprit du pays pour que tout ce qui voulait être élu, applaudi ou publié n'inclinât pas à la déclarer bonne. (...) En somme, tout concourait à faire de la passivité le principe même de notre défense nationale. »

Le colonel est presque moins brillant que le futur licencié de droit. Mais le stratège est d'accord avec l'homme de lettres : rien ne va plus, tout manque d'allure, de panache, de grandeur, même si la grandeur n'est pas l'apanage de la droite. Il est vrai qu'à la veille de 1940 la vraie droite avait quelque peu oublié ce qu'était la grandeur ! Bref, à vingt ans, Mitterrand réagit comme de Gaulle qui en a près de cinquante, si ce n'est en gaulliste. L'état-major français est aussi médiocre que le monde littéraire. De Gaulle est nostalgique de Napoléon et Mitterrand de Chateaubriand, des hommes du XIXe siècle. Et Paul Reynaud pour l'un ou Julien Benda pour l'autre (le seul peut-être à trouver grâce aux yeux de Mitterrand, sans doute parce qu'il avait écrit en 1927 *La Trahison des clercs*) ne suffisent pas à sauver l'époque.

Alors, quel est ce jeune homme qui va passer la porte du fort d'Ivry, endosser l'uniforme et vivre sous les armes pendant sept ans puisqu'il fait partie de cette mauvaise classe de 1938 ? C'est à coup sûr un timide, un solitaire. Il a raté l'oral de son baccalauréat et n'est toujours pas à l'aise dès qu'il s'agit de parler en public. Il préfère les petits groupes d'amis ou, surtout, écrire. C'est là qu'il peut enfin se laisser aller, se détendre.

Il est d'ailleurs très honorablement « cultivé ». En même temps que son droit il avait fréquenté la Sorbonne et passé, « pour le plaisir » un certificat de littérature française et un certificat de sociologie. Il aime la littérature grecque. Il fait partie de la dernière génération de ceux qui aiment encore l'écrit. Comme de Gaulle ou Pompidou, son aîné de cinq ans. Il a déjà un certain « style » : c'est un orateur, mais un orateur qui écrit son texte ; dans la vie, il rêve de grandeur, il croit en certaines valeurs : la patrie, l'honneur, l'État et pour l'instant il ne peut qu'être déçu ; s'il a refusé de s'engager, c'est sans doute à cause de cette soif d'absolu. Jusqu'à présent il n'a trouvé de satisfaction que dans ses rêves ou dans la nostalgie d'un passé idéalisé.

Évoquant cette jeunesse, Mauriac écrira :

« Il a été un garçon chrétien, pareil à nous, dans une province. Il a rêvé, il a désiré comme nous, devant ces coteaux et ces forêts de la Guyenne et de la Saintonge qui moutonnaient sous son jeune regard et que la route de Paris traverse. Il a été cet enfant barrésien souffrant jusqu'à serrer les poings du désir de dominer la vie. Il a choisi de tout sacrifier à cette domination. »

Mauriac qui fut sans doute l'un des grands « promoteurs » de Mitterrand mais certainement aussi l'un de ses plus redoutables critiques (tant ils se ressemblaient à bien des égards), a écrit ces lignes en 1959 : Mitterrand était au creux de la vague et on pouvait dresser le bilan de sa première carrière politique, sous la IVe République. Mais s'il avait connu le jeune homme de 1938 qui lui avait succédé au 104 de la rue de Vaugirard, « cette pieuse demeure », à vingt-cinq ans de distance et qui avait alors écrit dans *Montalembert* une critique (élogieuse) des *Anges noirs*, il aurait tenu le même langage. Car ce qui frappe en voyant passer le licencié en droit qui se dirige vers le fort d'Ivry, c'est qu'il porte déjà en lui tout ce qu'il sera vingt ans plus tard.

Sur quels grands thèmes se fera-t-il remarquer sous la IVe République ? La notion d'un État fort : il votera contre le projet de constitution présenté par le tripartisme (P.S.-P.C.-M.R.P.), s'élèvera contre la faiblesse du régime, inhérente au système. Il demandera un « style » et c'est sans doute ce qui le conduira à admirer, par moments, Pierre Mendès France. Il sera un farouche anticommuniste. Il ne croira pas à la démocratie chrétienne en France. Il défendra avec fougue l'empire français, ne cachant jamais sa joie d'appartenir à une nation qui « s'étend des Flandres au Congo » (sa phrase préférée pendant des années). Or, tout cela, il le possède, en 1938. Comme d'autres qui « serraient les poings du désir de dominer la vie » et devant le dégoût que leur inspirait la France « en pantoufles ». En tout cas, comme un autre qui, lui, était déjà dans une caserne, et qui était colonel...

Sans doute le jeune « marsouin » a déjà en lui tous les éléments pour faire un homme politique important de la IVe République, mais rien n'est encore joué. Là où nous en sommes, il peut encore très bien devenir notaire de province...

2. LE MARSOUIN BLEU

« Le plus beau cadeau de la terre. »

« J'appartiens à cette génération heureuse qui aura eu vingt ans pour la fin du monde civilisé. On nous aura donné le plus beau cadeau de la terre : une époque où nos ennemis qui sont presque toutes les grandes personnes, comptent pour du beurre. Votre confort, vos progrès, nous vous conseillons de les appliquer aux meilleurs systèmes d'enterrements collectifs. Je vous assure que vous en aurez grand besoin. (...) Voilà vingt ans, imbéciles, que vous prépariez, dans vos congrès, le rapprochement de la jeunesse du monde. Maintenant vous êtes satisfaits. Nous avons opéré ce rapprochement nous-mêmes, un beau matin, sur les champs de bataille. Mais vous ne pouvez pas comprendre. Cette sale histoire que j'ose à peine appeler ma vie, cette sale histoire a duré cinq ans. D'abord j'ai été bien déçu, en 40, de voir que nous étions battus. On ne m'avait pas élevé dans ces idées-là. Prisonnier, je le suis resté jusqu'au jour où des imbéciles ont monté des postes de téhessef clandestins. Quel ennui ! Je me suis évadé dans la semaine qui a suivi. Alors, par manque d'imagination, je me suis inscrit dans la Résistance. (...) Les Anglais allaient gagner la guerre. Le bleu marine me va bien au teint. Les voyages forment la jeunesse. »

Ces lignes ne sont pas de François Mitterrand mais de Roger Nimier. Ce sont les premières pages du *Hussard bleu*. Mitterrand ressemble plus à Nimier, son cadet de dix ans, qu'à Nizan, son aîné de dix ans. Ce n'est que beaucoup plus tard qu'il reprendra à son compte, ou presque, la phrase de Nizan : « Si nous trahissons la bourgeoisie pour les hommes, ne rougissons pas d'avouer que nous sommes des traîtres. » D'ailleurs ne sont-ils pas tous, Nizan (qui sera tué devant Dunkerque), Mitterrand et Nimier, victimes du même monde, des mêmes *Chiens de garde* – pour reprendre le titre du livre de Nizan – de la même *Conspiration* (Nizan, 1938) ? Seulement Mitterrand n'a pas encore l'expérience d'un Nizan. Il n'est pas allé à Aden (il n'a vu que l'Angleterre où, comme tous les petits bourgeois français, il a passé des vacances studieuses), il ne connaît pas les communistes. Non, il ressemble beaucoup plus à Nimier, ce romantique exigeant que les déceptions conduiront au cynisme, au mépris, à la droite.

De l'armée qui s'apprête à faire la « drôle de guerre », tout a été dit. Mitterrand, en 1945, écrira :

« Pour parler de l'armée en connaissance de cause, il faut avoir été deuxième classe. C'est notre cas, et ma foi aussi, peut-être, notre honneur. D'avoir vu l'armée du bas de l'échelle nous a procuré l'occasion de faire quelques remarques. (...) Nous sommes allés au service militaire sans bonne grâce. Tomber sous la coupe de sous-officiers à l'intelligence aussi déliée que celle du bélier ne suscite pas particulièrement l'enthousiasme. Nous avons connu les casernes et y avons découvert que l'occupation principale de nos militaires pacifiques consistait beaucoup plus dans la fréquentation du bistrot que dans l'étude du Clausewitz ou plus simplement dans le démontage de la mitrailleuse Hotchkiss. Être soldat, pour nous qui fûmes appelés en 1938, c'était apprendre de quelle manière un citoyen honnête dans sa médiocrité pourrait s'accoutumer, dans le minimum de délai, à la saleté, à la paresse, à la boisson, aux maisons closes et au sommeil. Un maréchal de France avait bien écrit autrefois, alors qu'il était lieutenant, un article intitulé *Le rôle social de l'officier*. Mais l'officier de notre entre-deux-guerres ne cherchait guère à modifier les conceptions assez sommaires qu'il pouvait avoir sur l'homme en général et le Français en particulier. Sa philosophie se résumait dans la devise bien connue : " Faut pas chercher à comprendre. " La guerre est venue. Le fonctionnaire qu'on appelait officier eut l'occasion de faire ses preuves. » (*Libres*, 22 juin 1945.)

Ce texte, écrit après la guerre et après que Mitterrand eut été « presque » ministre de de Gaulle, aurait pu être de 1938. Mitterrand est fier d'avoir été deuxième classe, il a rechigné à l'idée d'aller rejoindre le 23ᵉ régiment d'infanterie coloniale, il est méprisant pour l'encadrement (il est vrai honteusement médiocre), il aimerait qu'on apprenne le métier des armes et le maniement du matériel le plus moderne, il est encore le vrai boy-scout, propre, travailleur, sobre, pudique, il admire Lyautey (« de l'allant, de l'allure et du chic »), il méprise les fonctionnaires. C'est plus violent et pire (vers la droite) que Nimier !

La forte tête est aussi une mauvaise tête. Les biographes ont retenu deux anecdotes de sa vie de bidasse. D'abord le licencié en droit, l'ancien de Sciences Po refuse d'être officier. Il a pourtant un frère à Saint-Cyr et un autre qui vient de sortir de Polytechnique, et, avec ses diplômes, tout conduit ce bourgeois à devenir officier de réserve. Le colonel du 23ᵉ R.I.C. s'en étonne, mais il persiste. Aujourd'hui, bien sûr, on affirme, que Mitterrand voulait déjà rester, « près du peuple ». Ne soyons pas dupes ! Cette armée en bandes molletières — si ce n'est en pantoufles — dégoûte Mitterrand qui dévore Vigny. Il ne veut pas des servitudes d'une armée sans grandeur. Ce solitaire n'a pas le sens de la discipline et pas encore celui de l'autorité. Tout cela l'ennuie prodigieusement, et il refuse de s'intégrer au système. Il ne sera donc que sous-officier, « tirant au cul », « faisant le mur » chaque fois qu'il pourra. Et puis le fort d'Ivry ce n'est pas loin de Paris !

Mitterrand devient sergent. La guerre, prévisible, inévitable est déclarée. Le 23ᵉ R.I.C. est envoyé dans les Ardennes. Il fera, avec d'autres, fonction de ligne Maginot là où l'on n'a pas construit de fortifications. Il attendra, dans la boue et la bêtise, l'attaque allemande. Mitterrand traîne la savate et tente de relever la tête. C'est à cette époque que se situe la seconde anecdote célèbre. Un capitaine s'adresse au sergent qui a des chaussures sales : « Il convient, dit-il, que les sous-officiers nettoient leurs chaussures quand ils se présentent devant leur supérieur. » Mitterrand n'aime pas recevoir de leçons, il n'aime ni les supérieurs ni les médiocres, il en a assez de patauger dans cette boue idiote, présage de catastrophes. Il répond : « La différence entre vous et moi, c'est que j'ai l'occasion de me salir, pas vous ! » C'est du Courteline, en plus tragique étant donné les circonstances, et ça vaut quatre jours d'arrêt. Mitterrand refuse d'ailleurs de signer sa punition, selon le règlement. L'affaire prend quelque proportion dans le régiment.

Mais tout cela n'a que peu d'importance et ne mérite guère d'entrer dans l'histoire. D'innombrables jeunes Français ont refusé d'être gradés dans l'armée de Gamelin et ont « répondu » à de vieilles culottes de peau d'une autre époque, et pas seulement dans la région de Montmédy.

Et puis la guerre commence, et Mitterrand, devenu sergent-chef, fait partie de « ceux qui ont tenu les avant-postes de septembre à mai (et l'on disait " drôle de guerre ", " petite guerre ", mais qui a su la longue attente misérable quand, devant Siered ou Bitche, la boue, la neige et le froid nous figeaient au guet ?), ceux qui ont foncé vers le canal Albert pour reprendre ensuite, en sens inverse, l'épouvantable course à la mer, ceux qui, plus d'un mois, ont gardé la Chiers, à l'abri de blockhaus inachevés et de boyaux profonds de vingt-cinq centimètres, ceux qui, dans l'intervalle de la ligne Maginot, ont subi les feux de la Pentecôte et contenu l'avance des armées adverses. » (Ainsi qu'il l'écrira lui-même en 1941 dans *L'Éphémère*, une feuille de prisonniers.)

En mai 40, le 23e R.I.C. et le sergent-chef Mitterrand se retrouvent devant Verdun. Le 10, les armées allemandes attaquent. Tout est submergé. Le 14, sur la cote 304, le sergent-chef reçoit une citation à l'ordre de la division et surtout un éclat d'obus dans les côtes. Il y est encore, mais Mitterrand n'en parle jamais. C'est alors, pour lui, comme pour tous les autres blessés, le transfert d'un hôpital militaire de fortune à un autre, au milieu de l'exode des civils, de la fuite des officiers, de la débâcle. Dans les charrettes, dans les trains sanitaires qui s'arrêtent interminablement, dans les ambulances, il voit la mort un peu en face, une mort « trop bête » pour une cause qui n'est pas la sienne (il n'a pas encore compris, pas plus que les autres, qu'il se battait contre Hitler), mais les troupes allemandes vont plus vite et le rattrapent. Il est fait prisonnier.

Il aurait sans doute pu s'échapper mais il est, comme tout le monde, sous le choc ; il a baissé les bras, lui aussi, il n'en peut plus de tant de bêtises. Il est le Français moyen du troupeau des vaincus, lui qui refusait d'être un Français moyen.

Cette passivité surprend un peu, après les tirades de la revue *Montalembert* ; cette docilité étonne chez la forte tête. Mais il est blessé et puis, surtout, il a perdu la foi : on ne fait pas de grandes choses, seul, à vingt-trois ans, au milieu du chaos ; on suit les autres. Physiquement, d'ailleurs, il n'a pas encore pris conscience de l'action. Bref, il se retrouve en stalag comme 1 830 000 soldats français « au cœur incertain » écrira-t-il lui-même. Et on serait de totale mauvaise foi de vouloir le juger pour cette guerre.

D'abord à Lunéville, il est ensuite rapidement envoyé en Allemagne :

« Ankylosés, étourdis par les heures identiques passées au fond d'un wagon de bois, dernier témoin de notre chère civilisation humanitaire et égalitaire (huit chevaux, quarante hommes), nous avions parcouru silencieux et mécaniques, les quarante kilomètres qui menaient au camp. A peine avions-nous senti l'émotion qu'on prête aux premières impressions d'exil. Seulement étonnés à la sortie de notre cage à bestiaux par l'air et ses souffles purs, nous ne connaissions qu'un seul but : dormir, retrouver un sommeil débarrassé des jambes et des haleines mêlées, de cette fraternité tenace à l'odeur de capote mouillée. Nous avions tant de peines, tant d'espoir, tant de fatigue aussi à oublier, tant de nous-mêmes à enfouir dans cette première nuit d'Allemagne, ce commencement d'une très longue nuit. » (*L'Éphémère*, 15 août 1941.)

Quand Mitterrand est sincère, quand il parle de lui-même, il atteint par moments à une certaine perfection. Peu de pages aussi belles ont été écrites sur la déroute des soldats français de 40, les débuts de cette très longue nuit.

Deux choses frappent quand on lit les textes qu'il a écrits à l'époque ou ceux dans lesquels il a, plus tard, évoqué ces années noires : un certain dégoût pour la foule (« cette fraternité tenace à l'odeur de capote mouillée »), pour « la facilité avec laquelle les hommes s'accoutument à la vie de troupeau » ; et puis, — mais l'une est fort proche de l'autre — cette capacité de se refermer sur soi-même et d'admirer un paysage, un rayon de soleil, même aux pires moments. Est-ce seulement, « pour faire du style » ou en souvenir de ses lectures du XIXe siècle qu'à peine éveillé de sa première nuit de prisonnier en Allemagne, il s'émerveille du paysage qui entoure le stalag 9 A, près de Kassel dans la Hesse :

« Le soleil frappait en oblique le sommet des tentes (...) à l'ouest, des collines encore blanchies de brume et plus bas le village dont les toits anguleux recevaient les premières atteintes du jour ; au sud, de vastes espaces aux courbes précises, ouvertes ironiquement sur un au-delà aussi mystérieux que la liberté. » (*L'Éphémère*, 15 août 1941.)

Il sera donc d'abord au stalag 9 A, puis transféré au stalag 9 C, près de Weimar, puis de nouveau après une tentative d'évasion au 9 A. Partout, en Hesse, en Thuringe, il admire la nature qui, dit-il, ressemble parfois à son Angoumois et, à Weimar, bien sûr, il dialogue avec Goethe ; passant, dans son train de bestiaux, à Eisenach, il évoque Luther ; à Erfurt, il pense à Napoléon. Ah ! culture bourgeoise quand tu nous tiens !

Cependant cette étonnante « expérience » (en Thuringe, Mitterrand sera même « prêté » à un charpentier – ancien de Verdun – qui le fera travailler de ses mains) va jeter l'ancien collégien d'Angoulême, l'ancien pensionnaire des maristes, dans un monde qu'il ne connaissait pas. Il a sûrement raison quand il affirme que sa première rencontre véritable avec d'autres hommes eut lieu au stalag 9 A. Le « petit bourgeois » découvre brutalement, au milieu des 30 000 prisonniers du camp, des ouvriers, des paysans, la misère, la lâcheté, la cruauté de la vie. On est prêt à toutes les bassesses pour un peu de tabac, pour un peu de « rab ». C'est la loi du plus fort ou du plus lâche. Et pas question de rester dans son isolement superbe et dédaigneux. Mais petit à petit et pour la première fois, il voit, dans cette curieuse société qui n'a plus de hiérarchie, pas d'autre raison de vivre que la survie quotidienne, des structures se former, des hommes s'imposer, des lois apparaître. Malgré les mesquineries de chacun, comme tout le monde est dans la même boue, le même froid, la même faim, la solidarité, pour ne pas dire une certaine fraternité, finit par triompher. Comme tout cela est loin de la Conférence de Saint-Vincent-de-Paul et des pauvres de la famille ! (Et il s'en étonne, s'en émeut.)

« Il faut avoir vu les nouveaux délégués, désignés on ne sait comment, couper le pain noir en tranches au millimètre près, sous le contrôle écarquillé du suffrage universel. Spectacle rare et instructif. J'ai assisté à la naissance du contrat social. » (*Ma part de vérité*, p. 24). Supplément d'instruction en effet indispensable après Sciences Po ! Et il ajoute cette belle formule : « L'ordre ancien n'avait pas résisté à la soupe au rutabaga. »

Mitterrand va passer la fin de l'année 1940 et toute l'année 1941 à faire des routes, trier des fruits ou jouer au charpentier et, quand il en aura le temps, à écrire, rêver, ou même faire du grec. Il ne sait pas ce qui se passe en France, ignore de Gaulle (il sait à peine qu'un général français a décidé de poursuivre la guerre, en Angleterre), et Pétain, avec ses bonnes œuvres pour prisonniers, l'ennuie. Le jeune n'aimait déjà pas les vieux, mais maintenant qu'ils lui ont volé sa jeunesse !

Cependant, au fil des mois, il se « réveille ». Après avoir été ému du spectacle de la solidarité des prisonniers, l'avoir pratiquée et en avoir bénéficié, il s'aperçoit qu'il s'est fait, une seconde fois, « piéger ». Militaire malgré lui, il a été fait prisonnier comme n'importe quel soldat français ; prisonnier malgré lui, il commence à accepter, de nouveau, un rôle qui lui va si mal.

Démarrant sa carrière politique, au lendemain de la guerre, sur le thème des prisonniers, il hésitera toujours à dire le fond de sa pensée à ce propos. Il faut donc le lire entre les lignes pour s'apercevoir que l'idéaliste, le romantique d'avant le fort d'Ivry qu'il est resté en fait, n'admire pas beaucoup ses compagnons d'infortune qui semblent, bien souvent, accepter leur sort plutôt que de risquer le tout pour le tout.

« Je m'attendais à la révolte, écrira-t-il en décembre 1942 dans la revue *France* après s'être évadé, ou tout au moins à la stupéfaction : mais je constatais une fois de plus que le drame touche rarement ses acteurs. L'homme devant le malheur ou le bonheur est faible. (...) Le plus grand malheur ne l'atteint qu'à travers les petits ennuis du tabac qui manque et du pain qui durcit. »

Ce n'est que bien plus tard, et pour les besoins de la cause, en 1944, quand il sera secrétaire général aux Prisonniers et collaborera au journal desdits prisonniers, qu'il écrira : « Les captifs de 40 ont constitué un véritable deuxième front ; celui d'Allemagne. » (*L'homme libre*, 22 août 1944.)

En 1941, le « gaulliste » qu'il était sans le savoir ne pouvait que mépriser ses compagnons et se mépriser lui-même. Aussi décide-t-il assez vite de s'évader.

Quand, très gentiment (ce qui n'est pas son fort) il dira : « J'ai connu des camarades dont le courage m'émerveillait et qui n'ont pas songé à s'évader » (*Ma part de vérité*, p. 25), il n'en pensera visiblement pas un mot. La preuve ? Il poursuit : « Pour une paire de souliers dans un paquet familial, reçu huit jours avant la date que je m'étais fixé, j'ai failli ne pas partir de mon commando de Thuringe. » On a envie de lui demander si c'étaient les fameuses pantoufles chères à Édouard Herriot et s'il n'est pas ici atrocement ironique. Et d'ailleurs, il est parti, lui. Et il conclut : « La liberté est une rupture. Elle n'est pas une affaire de courage, mais d'amour. » Les vrais romantiques ont toujours eu le courage d'être amoureux !

Mitterrand tente trois fois de s'évader. La première fois, parti avec un prêtre, il fait six cents kilomètres à pied et échoue à quelques kilomètres de la frontière suisse. La seconde fois, il parvient à prendre le train et à rejoindre Metz. Il sera donné par l'hôtelière chez laquelle il a eu l'imprudence de descendre. La troisième fois fut la bonne, le 10 décembre 1941. Il passe le réveillon de Noël avec les siens à Jarnac.

On a beaucoup épilogué – c'est parfaitement normal – sur la captivité du futur ministre des Anciens Combattants et Prisonniers de guerre, et surtout voulu voir dans ces dix-huit mois aussi banals qu'extraordinaires, d'innombrables signes annonciateurs du « virage à gauche » de Mitterrand. Ce n'est pas lui faire un procès que d'essayer de remettre les choses à leur place et tenter de comprendre. Certes, dans ces camps, il a rencontré, pour la première fois, la misère et des gens qu'il n'avait jamais eu l'occasion de fréquenter; certes, il a été aidé par des cheminots communistes dans sa troisième évasion; certes, il a dû mettre au rancart un certain nombre de croyances auxquelles il était attaché (comme beaucoup d'autres jeunes catholiques bourgeois); mais il est évident qu'il ne s'est pas évadé pour reprendre le combat ou pour entamer la révolution. Il ne l'a d'ailleurs jamais prétendu lui-même. Il s'est évadé parce qu'il en avait assez de cette situation dégradante et qu'il avait un certain courage solitaire. « J'ai accompli dans ma vie deux ou trois actes qui n'ont dépendu que de moi. Pas davantage. Le premier fut de m'évader d'Allemagne. Non sans mal. »

Alors quel est l'homme de vingt-cinq ans qui se retrouve, en cet hiver froid, dans les rues de Jarnac? Eh bien, c'est toujours un homme de droite, un lecteur de Vigny et de Barrès. Peut-être même plus qu'avant car, s'il a bien été « touché » par la solidarité du « peuple », il a sans doute été écœuré par l'attitude de ceux que de Gaulle appellera « des veaux ». Tout ce qu'il a perdu, pour l'instant, ce sont sans doute ses illusions. Il s'est évadé des camps mais aussi... de la foule.

D'ailleurs, quand il évoque ses premiers instants d'homme libre il retrouve tous ses accents barrésiens, gaulliens : « Les oiseaux voletaient, filaient au ras du sol et se posaient, tête dressée; un chien, mufle haletant, pistait d'un bord à l'autre de la route les traces incertaines. Les champs s'étalaient, gras et vides, mûrissant, sous les haleines de l'hiver, des naissances secrètes. (...) Je n'étais pas fâché de retrouver ainsi ma France presque oubliée » (dans la revue *France*, décembre 1942).

Toujours, et déjà, ce possessif quand il s'agit de la France et qui désigne bien cet amour du terroir, de l'Augoumois, de la Saintonge, d'une France, les pieds enfoncés dans la glèbe.

3. LE RÉSISTANT SOLITAIRE

On ne revient jamais de la guerre...

Ici commencent les choses sérieuses. Mitterrand a vingt-cinq ans, quelques diplômes en poche, un amour déçu (sa fiancée qui allait devenir Catherine Langeais, la speakrine de la Télévision française, ne l'a pas attendu pendant sa captivité) et beaucoup d'idées à remettre en question. Ce jeune romantique blessé, nationaliste vaincu, rêveur évadé, se sent un peu perdu dans cette France occupée, soumise, lâche, et qui cherche à se contenter de son sort en ressortant la panoplie poussiéreuse d'une fausse grandeur passée mais, surtout, qui n'offensera pas le vainqueur. Bref, il faut ouvrir maintenant le fameux dossier de « Mitterrand et Vichy, Mitterrand et la Résistance ». Rien n'est simple, bien sûr.

On le sait, Mitterrand a été décoré de la francisque ; on l'a dit, Mitterrand aurait dû être décoré de l'ordre de la Libération. Laissons là ce procès odieux et absurde. Qu'il soit bien entendu qu'il n'a pas été un collaborateur mais un « très honorable » résistant, ce qui veut dire un héros étant donné le petit nombre de résistants avant juin 44. Ce qui nous intéresse, c'est l'attitude de Mitterrand, homme jeune, solitaire, pris dans la tourmente. Ses hésitations, ses choix, ses réactions, ses foucades même seront très révélateurs car, mise à part son évasion, ce sera la première fois que cet intellectuel réservé s'engagera dans l'action.

Il faut d'abord se souvenir de la situation en France en 1942.

Ainsi que le dit Claude Manceron (*Cent mille voix par jour pour Mitterrand,* 1966), « comme la grande majorité des Français de 1942, Mitterrand ne savait encore trop qui, de Pétain ou de de Gaulle, causerait finalement le plus de tort aux Allemands ». Pas plus d'ailleurs qu'on ne peut encore imaginer la suite des événements.

Certes, en 1941, l'Allemagne a attaqué l'U.R.S.S. et déclaré la guerre aux États-Unis, ce qui devrait « encourager » les observateurs politiques ; certes, les Français parlent aux Français, tous les jours, à la radio de Londres et, dans l'empire d'Afrique, des soldats français se battent, mais le IIIe Reich, empire « pour mille ans », semble encore invincible. Il vient de s'emparer de la Yougoslavie et de la Grèce et, vue de Jarnac, la bataille de Moscou paraît bien incertaine. Quant à la France, elle est divisée en deux, écrasée d'un côté, soumise de l'autre ; et ce n'est pas après ce qu'il a connu dans les stalags ou après avoir été dénoncé par son hôtelière de Metz, que le sergent-chef évadé pourrait supposer la moindre volonté de « résistance » (le mot n'existe pas encore) au « troupeau vaincu ».

Distrait, amer, Mitterrand qui a rapidement gagné la zone libre (évadé, il risquait le peloton d'exécution, et Jarnac était en zone occupée), regarde la France de Pétain et ses tentatives de renaissance, pour ne pas dire de « révolution nationale ». Vichy évoque continuellement la « France sacrée », manie les citations de Péguy, parle du terroir, des « valeurs », de la patrie, de la famille et du travail, de la grandeur (passée), de l'homme (dans la honte). L'Église de France bénit à tours de bras ce régime. On l'a oublié et il faut le courage de quelques-uns pour s'en souvenir.

Claude Bourdet, résistant de la première heure, a, dans *L'Aventure incertaine*, l'honnêteté de rappeler, voire d'excuser, les hésitations de certains :

« La contamination de l'esprit de Vichy alla même très loin, jusque dans une certaine gauche. (...) Les premiers numéros d'*Esprit* sont gênants. (...) Je crois que le souci extrême d'être réaliste, de se lier à « ce qui existait », a conduit cette équipe pendant quelques mois dans cette impasse. D'autres intellectuels catholiques, pourtant également probes, semblent avoir été abusés par le galimatias péguyste en vogue dans les milieux les plus patriotes du régime. »

Mitterrand n'en est jamais venu là, encore que bien des choses en lui auraient pu le rendre... pétainiste : ses origines bourgeoises et provinciales, son goût pour un certain passé, le respect de l'ordre, de l'Église, son mysticisme, l'amour du terroir et du corporatisme, le mépris pour les hommes « en pantoufles » de la IIIe République qui lui avaient volé et ses illusions et sa jeunesse, le sens de l'honneur, du courage, qui aurait pu lui faire admirer des hommes comme Joseph Darnand, par exemple, l'un des rares héros français de la guerre de 40 et qui allait pourtant devenir le chef de l'ignoble Milice, en 1943.

Claude Bourdet, dans ce même livre, écrit à propos de Darnand :

« Quand il fut jugé et exécuté après la guerre, je ne versai aucun pleur sur sa mort, sachant ce qu'avait fait la Milice. Mais (...) il s'en est fallu de peu, du prestige imbécile d'un képi à sept étoiles, que Darnand, comme d'autres " cagoulards " plus lucides, ne rejoigne la Résistance. Probablement, son tempérament de guerrier s'y serait mieux accommodé qu'au massacre de Français sans défense. (...) Sa mémoire serait aujourd'hui éclatante et non ternie. Combien sont-ils ainsi (...) ? »

Qu'un aussi grand résistant que Bourdet puisse, à propos d'un aussi « grand » collaborateur que Darnand, écrire trente ans après la guerre qu'il s'en est « fallu de peu », prouve qu'un garçon de vingt-cinq ans aurait pu hésiter, en 1942, « de peu » mais dans un sens comme dans l'autre.

En fait, une fois éliminés les « veaux pantouflards », c'est-à-dire l'écrasante majorité, pour ne garder que les idéalistes, les volontaires, les courageux, les ambitieux, on s'aperçoit que la frontière entre le bien et le mal était plus difficile à cerner qu'on ne le croit aujourd'hui et que ne l'ont dit les résistants de la vingt-cinquième heure. Des militants de gauche attirés par le côté « socialiste » du national-socialisme se sont retrouvés à la Milice ou avec Déat, alors que des gens de droite acceptaient, par nationalisme, de trahir un maréchal, leur parole d'honneur et surtout leur classe pour rejoindre un général rebelle et inconnu. Encore fallait-il avoir entendu parler de ce général, eu des contacts avec des résistants ou du moins des sympathisants avec lesquels on puisse commencer à organiser quelque chose.

Mitterrand aurait donc pu être pétainiste, mais il ne l'a pas été. Pourquoi ? Brûlant d'impatience de faire enfin autre chose que de perdre une guerre, voulant rattraper le temps perdu, il aurait pu avoir une belle carrière à Vichy s'il avait voulu, et le régime ne ménageait pas ses « appels du pied » à l'égard des jeunes ambitieux. Mais quelque chose l'a retenu, quoi ? La voix chevrotante du Maréchal dans ses appels à l'honneur lui semblait sonner faux ; lui qui avait été, coïncidence, blessé à Verdun n'avait plus aucun respect pour l'ancien vainqueur de Verdun ; il avait, lui aussi, été « poilu » à sa façon et en gardait un souvenir amer ; les camps de jeunesse du régime lui soulevaient le cœur, lui qui sortait d'un camp de sa jeunesse, et les uniformes de boy-scouts des « paumés » auxquels on faisait crier « Maréchal nous voilà » ne lui plaisaient guère.

L'attitude de Mitterrand n'est pas politique mais sentimentale. Il ne s'oppose pas à Pétain parce que Pétain est le représentant de la droite, du capitalisme le plus médiocre, de la petite bourgeoisie et qu'il est déjà, lui, un homme de gauche. Non, au contraire, il refuse Pétain parce que le petit bourgeois de Jarnac est devenu, perdu dans la foule des « veaux vaincus », plus méprisant encore, plus aristocratique, dédaigneux. Il ne veut pas d'une France en béret basque et tremblotante. Tous ces généraux vaincus, tous ces amiraux qui jouent aux flics lui font figure de sous-officiers bornés. Il ne hait pas Pétain parce qu'il a été à Montoire ; pire, il le méprise. « Le romantisme de la passion était du côté du général rebelle et j'avais vingt-cinq ans », écrira-t-il.

Pourtant, il faut bien vivre et il doit trouver du travail. Finalement, grâce à des relations de famille, il obtient un poste de contractuel au commissariat général aux Prisonniers, à Vichy. Une spécialité qu'il ne connaît que trop. Il est gratte-papier, ce qui lui permet de voir venir, de retrouver ses anciens camarades, d'aller à Paris, de regarder mieux encore ce curieux régime de vieillards qui font leur cure de lâcheté dans une ville d'eau. Étrange atmosphère que celle de Vichy en 1942 ! On ne sait pas encore qui est avec qui, on imagine parfois que le Maréchal joue un double jeu et qu'en fait il est d'accord avec de Gaulle, son ancien collaborateur. Rares sont ceux qui ont déjà compris que Pétain devance les souhaits des Allemands.

C'est au commissariat que Mitterrand a ses premiers contacts avec la « Résistance ». Le commissaire général, Maurice Pinot, a compris : au lieu d'organiser la propagande pétainiste dans les stalags, comme on le lui demande, il tente tant bien que mal d'organiser des évasions et fait parvenir dans des paquets (même dissimulés sous des portraits du Maréchal) des faux papiers, des cartes de géographie. Mitterrand, récent évadé, qui a été fort bien accueilli par Pinot, devient une sorte de conseiller technique en matière d'évasions ! Là encore, tout est un peu équivoque ; si Laval collabore de plus en plus avec les nazis, certains proches du Maréchal sont parfaitement au courant des activités annexes du commissariat et laissent faire.

Le 11 novembre 1942, trois jours après le débarquement anglo-américain en Afrique du Nord, la zone dite « libre » est occupée par les troupes allemandes. Tout se gâte. Pinot doit quitter le commissariat, Mitterrand le suit. Il se retrouve vice-président des Centres d'entraide aux Prisonniers de guerre. C'est une association privée qui bénéficie néanmoins de la bienveillance du régime. Cette organisation publie la revue *France* dans laquelle Mitterrand écrit l'article que nous avons cité.

Dès lors, dans le cadre de cette association, Mitterrand devient effectivement un résistant. Il n'a guère d'autres relations que ses collègues de bureaux et guère d'autre expérience que celle des stalags. Ce cadre lui convient très bien, et puis, en vérité, il est profondément choqué que les évasions ne soient pas plus nombreuses. Pour lui, le drame de la France c'est ce qu'il a vu : une immense armée de prisonniers qui ont accepté leur sort, s'en remettant à la providence et jouant aux cartes en attendant le miracle qui les libérera. Toutes proportions gardées, on peut dire que de Gaulle partant pour Londres croyait que la France pourrait continuer son combat grâce à l'empire colonial, et que Mitterrand, dans son petit bureau, pense que la France pourra reprendre le combat le jour où le million et demi de prisonniers de guerre se réveillera, s'évadera et s'organisera. Il estime que son expérience personnelle doit devenir une politique. Avec Maurice Pinot, il met alors sur pied une sorte d'organisation — on n'ose pas encore dire de « réseau » — qui va essayer si ce n'est de faciliter les évasions, du moins de récupérer les évadés et leur permettre d'échapper aux recherches, surtout depuis qu'il n'y a plus de zone libre. On leur fournira des faux papiers, des filières, des caches, voire de l'argent. « En échange », ils donneront des renseignements sur tout ce qu'ils auront pu apprendre, la position des camps, l'état d'esprit des Allemands, les troupes qu'ils auront croisées, etc. Et, de plus, ils formeront « une armée pour demain ». L'idée, toute naturelle pour Mitterrand, est bonne en effet. Les centaines de milliers de prisonniers français qui sont encore en Allemagne constituent une réserve de mécontents qui ne demanderaient sûrement pas mieux que de servir à quelque chose.

Et sans qu'on puisse très bien savoir comment — mais tous les réseaux se sont formés de la même manière, de bric et de broc, au hasard des rencontres, des retrouvailles, des rumeurs —, Mitterrand et Pinot constituent un véritable réseau, au cours de l'année 1943.

Dès le début de l'année, Mitterrand a rencontré les grands responsables de la Résistance, Eugène Claudius-Petit, Claude Bourdet, Emmanuel d'Astier de la Vigerie. Il fait figure de benjamin en face de ces hommes pourtant encore jeunes. Il ne les a pas tout de suite convaincus. Pour les uns, ce jeune bourgeois n'est pas assez engagé politiquement, pour les autres, il prend de grands airs. Mais, au-delà de ces petites réticences épidermiques, tout le monde l'admet et il fait bel et bien partie de la (petite) famille de la Résistance.

Claude Bourdet, dont il faut lire *L'Aventure incertaine* pour comprendre cette période si extraordinaire, écrit (mais sans faire ici référence à Mitterrand) :

« Il serait intéressant de faire ainsi une analyse mi-sociale, mi-psychologique des hommes qui ont été précisément les initiateurs de la Résistance française. (...) Tous ces hommes étaient, d'une manière ou d'une autre, des non-conformistes, des personnages de maniement difficile, parfois des « mauvais coucheurs », parfois des « farfelus » ; aucun ne correspondait à l'image habituelle du bon citoyen respectueux du qu'en-dira-t-on et de l'ordre établi. Ou je me trompe fort, ou ces aspects de leur caractère qui leur rendaient peut-être l'intégration malaisée dans une profession normale, dans un monde normal, à une époque normale, les ont prodigieusement servis quand il s'est agi de dire « non » à tout ce qui paraissait probable, rationnel et sérieux. »

C'est là l'un des meilleurs portraits du résistant-rebelle qui soit, et il colle bien à l'image que nous pouvons nous faire du Mitterrand de 1942. Ce n'est pas un « farfelu » (à qui pense Bourdet quand il écrit ce mot ?) mais, indiscutablement, c'est un « mauvais coucheur », et l'élève des bons pères respectueux de l'ordre établi a bien changé après les séjours en Hesse et en Thuringe. Sans doute la prise de conscience de ce changement l'a fait hésiter quelques mois avant de s'engager totalement.

Au lendemain de la Libération, Mitterrand écrira un texte dramatique sur ce qui a peut-être été sa crise de conscience de ces mois de 1942.

« Nous nous étions fait le serment de conserver intacte notre vision d'un monde que la justice et la liberté régiraient, décidés à n'accepter aucune concession aux slogans de force et de brutalité. Sommes-nous tellement sûrs de n'avoir pas cédé ? Il me semble aujourd'hui que cette attitude de notre jeunesse était comme un adieu à ce qui allait mourir. Nous partions pour la guerre. Partir pour la guerre ! On croit toujours qu'on en reviendra, mais je sais maintenant qu'on n'en revient jamais. Hitler aura malgré tout gagné cette victoire d'avoir marqué nos esprits. (...) Hitler a commencé le règne de la torture et de l'inquisition, de l'inquiétude et du mépris et je ne vois point ce règne près de finir. » (*Libres,* 10 décembre 1944.)

Après son dégoût de la guerre et des camps, Mitterrand a un temps hésité à se salir encore les mains. Mais il n'avait pas le choix. Il lui fallait déchanter de sa « Grande Illusion », comme tant d'autres. Péguy avait écrit que si on voulait garder les mains propres, il fallait se les couper, et Mitterrand ne voulait pas se couper les mains. Le boy-scout est donc devenu... terroriste ou presque.

Ici se posent quelques questions : pourquoi, maintenant que Mitterrand sait ce qui se passe à Londres, n'a-t-il pas tenté de rejoindre l'Espagne ou l'Angleterre pour aller se battre dans les Forces françaises libres ? Pourquoi, surtout, lui qui n'avait pas une grande admiration pour les prisonniers, a-t-il préféré continuer son combat dans un réseau « spécialisé » dans les évasions de prisonniers, plutôt que de rejoindre une grande organisation, puisqu'il était en contact avec les gens des Mouvements unis de la Résistance ? Il s'agit là de questions, non de critiques.

Mitterrand, nationaliste, les pieds dans la glèbe, « Français de pleine terre », comme il aime à le dire, voyant partout, à Jarnac, à Angoulême, à Paris, des uniformes allemands, estime qu'il n'a pas à quitter son « terroir » pour aller combattre ailleurs. La Tripolitaine, le Tchad, ce n'est pas son affaire. Il n'a pas envie de se retrouver sergent-chef sous Leclerc pour libérer le désert. « De Gaulle était loin. Il parlait beaucoup. Il était général. La France me paraissait plus proche et plus grande que lui. Je l'admirais, mais j'avais autant d'orgueil pour nos actions que pour les siennes. » On ne le lui a pas pardonné. Et puis trouver la France plus grande que de Gaulle, n'est-ce pas déjà bien présomptueux ? Pour lui, cette guerre mondiale a comme horizon l'Angoumois et « sa » France dont il faut « bouter » les Allemands, comme aurait dit Jeanne d'Arc ! ou Péguy faisant parler Jeanne.

Mais, ce qui est plus intéressant encore, c'est qu'il n'ait pas pensé à se rallier aux autres mouvements pourtant sans commune mesure avec le « sien ». Il lui aurait été facile de se mettre sous les ordres d'un de ces grands chefs de la clandestinité ! Il ne l'a pas voulu. A-t-il senti qu'il n'était pas « aimé » par certains (Claudius-Petit, l'ancien ouvrier ébéniste, n'avait pas caché ses réserves à son égard) ? En tout cas, il a voulu rester maître de son « affaire », patron de son petit réseau. C'est frappant ! Jamais Mitterrand n'acceptera de se mettre sous l'autorité de quelqu'un, pas même de de Gaulle dans quelques mois. Et cette volonté « de puissance » se retrouve tout au cours de son existence, mise à part peut-être, un très bref moment, avec Mendès France. Il préférera sa petite U.D.S.R., dont il était le maître, à un grand parti, et le jour où il entrera au parti socialiste, ce sera pour en être le chef. Il n'avait pas accepté d'être aspirant, mais il aurait sans doute accepté d'être généralissime !

Il continue donc, non pas à jouer sur les deux tableaux, mais à tenir ses deux rôles : celui de vice-président des Centres d'entraide aux Prisonniers de guerre et celui de chef de réseau, les deux rôles se complétant d'ailleurs à merveille, puisque le premier lui permet de recruter pour le second.

C'est le 10 juillet 1943 que se situe l'étonnant incident de la salle Wagram. Laval, Darnand, Déat, Brinon, Masson, bref tous les dignitaires de la collaboration ont organisé une manifestation comme ils en font souvent, à deux pas de l'Arc de Triomphe, à la gloire de leur politique. Une fois de plus, le grand thème des discours est la « relève » que Laval vient d'imaginer en juin. On se glorifie d'avoir obtenu ce troc des nazis : trois travailleurs volontaires vont en Allemagne, et un prisonnier français sera libéré. C'est une atroce et avilissante escroquerie. Le gouvernement français tente de multiplier par trois, et de lui-même, le nombre des prisonniers français en Allemagne, comme s'il n'y en avait déjà pas assez ! Masson, commissaire général aux Prisonniers parle et en profite pour attaquer de Gaulle « le traître » et Giraud « le félon », mais, soudain, dans la salle, un homme se lève et s'écrit : « La France n'est pas derrière vous ! Vous ne représentez personne, vous n'avez pas le droit de parler en notre nom. La " relève " est un marché honteux. » Cet homme, c'est Mitterrand, qui parvient à disparaître dans la cohue qu'a provoquée son éclat. Voilà qui ne manque pas de courage. Il risquait fort de se faire arrêter sur place et de payer durement son geste. Mais il est bien dans la lignée du personnage : l'action solitaire, le panache, la rage qu'on ne peut plus contenir, le goût du défi, tout cela, somme toute, est un peu inutile, un peu enfantin. A moins que ce n'ait été une manière de se jeter à l'eau, de rompre les amarres ?

A la fin de l'année 1942, le réseau de Morland (c'est son nom de guerre, il était courant de prendre un pseudonyme commençant par la même lettre que son nom : Moulin : Max ; Roulier : Rémy ; Monod : Malivert, etc., et Morland est le nom d'un boulevard parisien) prenant de l'importance et fournissant des renseignements de plus en plus utiles, Henri Frenay propose à Mitterrand une fusion de son mouvement de prisonniers avec un autre qu'a fondé Charette, un neveu du général de Gaulle. Mitterrand refuse.

En novembre 1943, Morland est devenu un personnage assez important pour avoir droit au « billet d'avion » pour Londres. Un petit appareil Lysander vient le prendre une nuit dans une grande propriété près d'Angers pour l'emmener en Angleterre. Il a vingt-six ans, il va rencontrer de Gaulle...

C'est le moment précis que choisit Vichy pour lui décerner la francisque.

Ainsi celui que certains appellent encore « Francisque Mitterrand » pourrait sourire de ces accusations absurdes. Il ne l'a cependant jamais fait. Orgueil, mépris, dégoût ? Sans doute, car le rêveur de Jarnac a accumulé une bonne dose de mépris. Sa meilleure défense, il l'a écrite en quelques lignes, en septembre 1944, alors qu'il collaborait au journal des prisonniers de guerre, *L'Homme libre*, et que personne encore n'avait osé s'en prendre à lui. Il faisait partie des jeunes héros qu'on encensait, mais il n'était pas dupe.

« On a beaucoup frappé à ma porte cette semaine (...) les ouvriers de la treizième heure se pressent à l'embauche. (...) Quel dommage qu'on ne l'ait pas su plus tôt ! Qui n'a pas reçu un aviateur américain ? Qui n'a pas agencé une filière pour l'Espagne ? Qui n'a pas un arrière petit cousin considérable aux F.F.I. ? Ma mémoire s'y perd, elle qui se trouvait tant à l'aise parmi les cinq ou six adresses où s'offrait un refuge ! Je mesure ma sottise pour avoir couché bêtement dehors plus souvent qu'à mon goût. Je me reproche cette suspicion à l'égard du concierge qui encouragea mon agent de liaison à monter à l'étage où depuis la veille s'était postée la Gestapo. (...) Je confesse le mauvais goût que j'eus de rompre d'antiques relations parce que, le soir où, les rabatteurs étant proches, j'appelai au secours, on venait justement de prêter la dernière chambre. Il existe une manie du clandestin. J'ai dû en souffrir sans m'en rendre compte ! »

C'est sans doute le concierge et ses antiques relations qui lui ont, sous la IVe République (ou la Ve), tant reproché d'avoir reçu la francisque alors qu'il volait vers l'Angleterre. Ce qui est dommage, c'est qu'un homme comme Raymond Dronne par exemple, le premier officier à être entré dans Paris libéré à la tête d'un détachement de la 2e D.B., compagnon de la Libération, ait lui aussi reproché à Mitterrand cette fameuse francisque. On était en droit d'espérer si ce n'est plus d'intelligence du moins plus d'honnêteté de la part d'un ancien résistant, de l'extérieur il est vrai.

4. DE GAULLE-MITTERRAND : LE PREMIER ROUND

« Je me demande parfois pourquoi cette heure ne m'a pas lié davantage à celui dont je recevais pareille leçon. »

Mitterrand passe d'abord quelques jours à Londres. D'emblée, il est tout de suite déçu. De Gaulle n'est pas là, mais à Alger, et les fonctionnaires de la France libre ignorent visiblement à qui ils ont affaire. On lui donne d'office un autre pseudonyme, Monier, le grade de capitaine, on veut l'envoyer dans un régiment et lui faire signer un engagement dans la France libre. Bref, on essaie de l'enrégimenter et de le dresser. Comme il renâcle, on l'abandonne « dans une chambre sans porte ni fenêtre avec mes brodequins crottés de la boue angevine et ma chemise de trois semaines ». C'est du moins lui qui le raconte ainsi dans *Ma part de vérité* et aucun témoignage ne permet de confirmer un tel accueil. Mais il est évident qu'on a laissé attendre le jeune homme qui montrait si peu de disposition à la discipline. Il fallait qu'il comprenne qu'il avait à se soumettre et qu'il devait entrer dans de nouvelles structures.

On a tout dit sur le fossé qui se creusa entre la Résistance intérieure et la Résistance extérieure, les « vrais » résistants qui se battaient en France et les Forces françaises libres de Londres. Les uns étaient traqués, les autres étaient, comme leur nom l'indiquait, libres, même si le courage était aussi grand d'un côté que de l'autre. Tout les séparait et cette cassure qu'on a mis longtemps à bien vouloir admettre a pesé lourd sur la vie politique de la IVe et de la Ve République. Mitterrand est un combattant de l'intérieur, mais avec lui ce n'est pas si simple.

En substance, on en est arrivé à affirmer que la Résistance intérieure se battait contre les nazis et que les « gens de Londres » se battaient, eux, contre les Allemands. On opposait ainsi les F.F.I. et surtout les F.T.P. à la 2e D.B., les maquisards communistes aux officiers de cavalerie de Hauteclocque. C'était plaisant à l'esprit, commode. Le communiste, auquel on refusait par là même tout droit au patriotisme (et il est vrai qu'il avait été pour le moins gêné lors du pacte germano-soviétique), ne s'était battu que contre une idéologie qui s'était mise (sur le tard) à persécuter la sienne, alors que le « bon » Français, lui, se battait, « comme en 14 », pour libérer sa terre. Le « bourgeois » avait gagné Londres, suivi Leclerc, de Lattre ou Juin et s'était battu en uniforme ; le militant politique, le communiste, s'était battu dans l'ombre mais, en fait, avait plus préparé la venue au pouvoir de ses amis que la libération du pays.

Cette analyse traîne encore aujourd'hui dans le subconscient du public et elle est, sans doute, issue de l'odieuse propagande des collaborateurs. Il a fallu tout le génie d'un Malraux pour donner ses vraies lettres de noblesse à l'armée des ombres. Le fameux Français moyen préférait l'épopée des Forces françaises libres à celle des Forces françaises de l'intérieur qui déposaient des bombes, qui entraînaient la mort des otages (bien nombreux en juin 1944) et qui surtout donnaient infiniment plus mauvaise conscience à ceux qui, en France, n'avait rien fait, que les résistants qui étaient à Londres. Tout le monde n'avait pas pu aller à Londres... alors que chacun aurait pu participer au combat sur le territoire occupé.

Cela dit, la différence entre les deux résistances, entre les clandestins et ceux de Londres était bien réelle. Certes, il y a eu des « gens de droite » parmi les clandestins et des « gens de gauche » à Londres, mais l'état d'esprit était bien différent des deux côtés de la Manche ou de la Méditerranée, et pour cause. Cette différence est constante entre opposants de l'intérieur et états-majors réfugiés à l'étranger.

Curieusement, le maquisard qui se bat chaque jour, qui est poursuivi, traqué, peut être beaucoup moins... réaliste que le combattant de l'extérieur. En prenant une vieille mitraillette pour lutter contre des panzerdivisions, il fait le sacrifice de sa vie. Il se lance dans un combat fou tant il est dérisoire. Plus rien n'a donc d'importance. Il est un mort en sursis qui peut tout remettre en cause.

Chaque soir, qui sera peut-être le dernier, il peut rêver d'un monde meilleur, invraisemblable. Condamné, tout lui est permis puisque le futur qu'il imagine est en quelque sorte un au-delà !

Au contraire, le résistant de l'extérieur, lui, est en contact permanent avec un monde qui continue d'exister, dont il a besoin et qu'il doit ménager. Il ne peut pas se permettre de rêver, il faut qu'il joue les diplomates, les stratèges, les commerçants, les pourvoyeurs d'armes. Il doit séduire, charmer, manipuler ceux qui l'entourent alors que son camarade de l'intérieur doit « simplement » combattre ceux qui l'entourent. C'est une différence fondamentale. Elle explique beaucoup de choses.

Tous les résistants de l'intérieur ont rêvé. Ils excluaient toute concession, tout accord avec l'occupant, avec le régime de Vichy, même avec la société française telle qu'elle était et qui tolérait ce monde. Pour eux, tout allait s'écrouler et il allait donc falloir construire un monde nouveau sur des ruines fumantes. A Londres ou à Alger, au contraire, on pensait que les formidables armées des démocraties de l'Occident qui se mettaient en branle et qu'on voyait chaque jour, allaient, avec l'Armée Rouge qui, elle aussi, on le savait, se préparait, écraser l'ennemi et que tout pourrait rentrer dans l'ordre. On pourrait « retrouver la France », il n'y avait donc pas à en imaginer une nouvelle et toute différente.

Il y avait bien un malentendu, et le combat était ainsi plus politique à l'intérieur qu'à l'extérieur. Si d'un côté comme de l'autre tout le monde était volontaire, dans l'armée des ombres, il n'y avait pas d'uniforme, pas de discipline, pas de hiérarchie, alors que de l'autre côté, on avait repris toutes les bonnes vieilles habitudes des armées classiques avec salut militaire et revue de paquetage. Les F.F.L. étaient une société comme avant, les F.F.I. étaient un monde comme il n'en avait jamais existé, nouveau, incroyable, qui donnait des idées pour une société nouvelle, et que personne n'a sans doute jamais pu tout à fait oublier.

Et tout cela, quels que soient les « rêves » de chacun. Il est évident qu'un Claudius-Petit ne rêve pas pour demain d'une même société qu'un Frenay, qu'un Rol-Tanguy, qu'un Claude Bourdet. L'avenir prouvera qu'ils avaient tous tort — une nouvelle société n'est pas apparue au lendemain de la guerre — mais aussi qu'ils étaient en effet bien différents les uns des autres, chacun regagnant tant bien que mal une famille politique « normale », comme si de rien ou presque n'avait été. Si on a surtout vu le rêve des communistes, c'est tout simplement, non parce qu'il effrayait plus que ceux des autres, mais parce qu'il était plus imaginable : c'était un monde communiste.

Pour en revenir à Mitterrand, on ne saura sans doute jamais de quel monde il a rêvé en 1943 quand, un revolver dans sa poche, il allait de Vichy à Lyon ou ailleurs. Aujourd'hui, on dira sûrement qu'il rêvait déjà d'« un monde socialiste, de fraternité et de justice ». C'est, bien sûr, invraisemblable. Il a encore – mais les a-t-il jamais perdus ? – ses mythes de jeune homme, d'honneur, de patrie, de dignité, sans en exclure la fraternité et la justice, mais avec un indiscutable penchant pour l'aristocratie, l'élitisme, celui qu'il a acquis dans ses lectures de Jarnac chez ses « bons pères » d'Angoulême ou du 104 de la rue de Vaugirard, au 23e R.I.C. ou au stalag.

Écoutons-le raconter la suite de l'histoire : « J'atteignis cependant Alger après quelques détours. Le général de Gaulle me reçut. Ses premiers mots furent pour s'étonner de mon transport par avion anglais. Je fus confus de n'avoir pas songé à m'enquérir de la marque et de la nationalité de cet avion et d'avoir cru qu'entre Londres, Gibraltar et Alger, en pleine guerre, ce mode de communication pouvait être considéré comme normal. Le reste de l'entretien fut aimable. Néanmoins, comme j'hésitais à accepter de fondre en une seule formation et sous l'autorité de l'un de ses neveux, ainsi qu'il me l'ordonnait, les trois organisations de prisonniers de guerre qui militaient dans la Résistance, il me donna congé froidement. J'eus par la suite de la peine à regagner la France. » (*Ma part de vérité*, acte I, scène 1, serait-on tenté d'écrire.) C'est un peu court. Et on regrette que l'écrivain Mitterrand, qui aime tant s'étendre sur des couchers de soleil « où le temps et les choses parlent de Dieu comme d'une évidence », ne nous ait pas réservé quelques belles pages sur cette rencontre qui est un beau morceau de bravoure pour les « romanciers » de l'histoire. Quel face à face ! C'était non seulement un résistant de l'intérieur inconnu en face du chef de la France libre, c'était la jeunesse contre l'âge déjà mûr, un capitaine rebelle devant le général rebelle (qui n'a pas dû rencontrer beaucoup d'officiers subalternes d'une telle audace), mais surtout c'était la première scène, anodine, somme toute (de Gaulle n'a guère dû en garder le souvenir) d'un drame étonnant qui allait rebondir, comme ces vieilles querelles personnelles, quinze ans plus tard et marquer pendant plus de quinze ans en la faussant peut-être (nous y reviendrons) toute la politique de la France.

Michelet en aurait fait une page d'anthologie. Ou Saint-Simon ? Mais avant de nous y attarder, il faut tenter de se rappeler un peu à quoi pense de Gaulle quand il va recevoir ce capitaine Morland-Monier-Mitterrand qui vient d'arriver à bord d'un avion anglais.

La rencontre a lieu le 2 décembre 1943 dans la villa des Glycines. Le train de la Libération du pays est « sur les rails ». La Corse a déjà été libérée fin septembre et de Gaulle, qui s'y est rendu, a été accueilli en libérateur, en chef incontesté de la France de demain, même si, en fait, c'est Giraud qui a organisé cette libération (bien imprudente) et qui a foulé le premier le sol du premier département libéré, et même si les communistes se sont tout de suite emparés de plusieurs postes clés.

Depuis, Giraud a été éliminé par de Gaulle. Le 9 novembre 1943, il quittait la coprésidence du Comité de libération pour prendre un commandement en chef très symbolique et surtout pour laisser de Gaulle seul à la tête du Comité.

Le Général est inquiet. Il a quelque peu l'impression de perdre les rênes. A Alger, il est moins bien placé qu'à Londres pour « parler » à la France. Il sait que ses émissions de radio sont moins bien captées, les rapports, les émissaires continuent à arriver à Londres et ne parviennent qu'avec beaucoup de retard à Alger. L'année 1943 a été terrible pour la Résistance. Le 9 juin, le général Delestraint, commandant de l'Armée secrète, a été arrêté. Quelques jours plus tard, le 21, Jean Moulin, le représentant personnel de de Gaulle, a été arrêté à son tour à Caluire. Et le général a eu beaucoup de mal à lui trouver un remplaçant. Ce n'est qu'en septembre qu'il a nommé à sa place Émile Bollaert, un préfet courageux mais qui n'était peut-être pas l'homme qu'il fallait. Il sera à son tour arrêté en février 1944.

A Alger même, de Gaulle a le sentiment que les démons d'antan reviennent à la surface. Le 3 novembre 1943, il a mis en place l'Assemblée consultative. « Ce fut, écrit-il dans ses *Mémoires de guerre*, une cérémonie profondément émouvante. » Mais il ne cache pas son agacement devant certains délégués. « Si les éléments politiques consentaient, dans une certaines mesure, à faire, au plus fort du combat, abstraction de leurs ambitions, ils ne s'en dépouillaient pas, au moment surtout où ils entrevoyaient, avec la fin de l'épreuve, l'occasion du pouvoir. »

Certes, le Général note qu'il y avait « l'attachement qu'ils portaient à Charles de Gaulle, parce qu'il s'était dressé contre le conformisme, parce qu'on l'avait condamné à mort, parce que dans le pays sa parole lointaine et brouillée bousculait les prudences et secouait les nostalgies. Toutefois l'effort qu'il menait pour la restauration nationale, la sauvegarde de la souveraineté, le redressement de l'État, était moins accessible à la plupart des délégués. (...) S'ils n'imaginaient pas qu'un autre Français que moi fût à la tête du pays lors de la Libération, s'ils entrevoyaient que je pusse y rester tandis qu'eux-mêmes, devenus élus du peuple, marcheraient vers quelque rénovation imprécise et merveilleuse, ils demeuraient réticents quant aux attributions qu'il me faudrait pour diriger la tâche. Tout en acclamant de Gaulle d'un cœur sincère, ils chuchotaient déjà contre... le pouvoir personnel ». Et de Gaulle ajoute un peu plus loin : « Les " nouveaux " se montraient sévères quant au système d'hier. Ils y voulaient maints changements. Toutefois sous ces réserves, ils en subissaient à l'avance les attraits. (...) Sondant leurs âmes, j'en venais à me demander si, parmi tous ceux-là qui parlaient de révolution, je n'étais pas en vérité le seul révolutionnaire. »

Texte étonnant quand on le rapproche de la fameuse rencontre, où le Général parle ici de la fin de 1943. En décembre 1943, de Gaulle est donc obsédé par la notion de l'unité (« la chance du pays, dans la période qui commence, c'est l'unité nationale »). Il redoute que les chapelles d'autrefois ne se reforment dans « la course au pouvoir » qui débute, il ironise sur les « nouveaux » et ceux qui rêvent à des rénovations « imprécises et merveilleuses ». Et puis il s'insurge déjà contre ceux qui contestent son « pouvoir personnel ». Mitterrand, le jeune capitaine, arrive au bon moment !

Ajoutons aussi, car c'est fondamental pour la rencontre, que de Gaulle est alors angoissé pour sa famille et notamment pour sa sœur, Mme Alfred Cailliau qui a été arrêtée par la gestapo, qui est à Fresnes et qui va être déportée en Allemagne alors que son mari est déjà à Buchenwald et qu'un de leurs fils, Charles, jeune officier de Chasseurs, a été tué lors de la bataille de France. Or justement, Michel Cailliau, un autre fils de sa sœur, est en « concurrence » avec Mitterrand puisqu'il a, lui aussi, formé un réseau de prisonniers de guerre évadés.

Que sait de Gaulle de Mitterrand quand Henri Frenay le lui présente ? Peu de choses en vérité : que Morland a organisé un bon réseau de prisonniers (mais de Gaulle n'aime pas ce « corporatisme » issu de la défaite), qu'il n'a pas voulu se rallier à Cailliau, qu'il a fréquenté quelques nostalgiques de Giraud depuis son arrivée à Alger, qu'il a débarqué d'un avion anglais, qu'il a refusé de signer l'engagement à la France libre et de partir servir comme capitaine dans une unité combattante. Bref, ce jeune homme est une « mauvaise tête », un « rebelle » et le Général n'aime pas les rebelles ! D'où le malentendu entre de Gaulle et ses « compagnons » de l'intérieur.

Quand de Gaulle découvre le visage de Mitterrand qui est alors « furieusement romantique », il le classe, sans doute, dans ceux dont il dira plus tard : « Les poètes de l'action qui s'enchantaient de l'air d'héroïsme et de fraternité que respirait la Résistance. » Et il pense vraisemblablement qu'en quelques mots, en le « grondant » un peu, comme il l'a fait pour beaucoup d'autres, il va le remettre sur le droit chemin de la discipline. D'où ce « reproche » pour l'avion anglais. Mitterrand a beau jeu, après coup, de tenter de ridiculiser le Général pour un tel reproche, mais il faut se souvenir que pendant longtemps l'une des seules armes du fantastique « bluff » de de Gaulle, devant les Alliés qui ne le prenaient pas toujours au sérieux, a été, précisément, cet excès de nationalisme, cette susceptibilité exacerbée.

Le matin même de ce 2 décembre 1943 s'est tenue une séance de travail sur ce thème avec plusieurs membres du Comité de la Libération nationale. Henri Hoppenot, représentant de de Gaulle à Washington, venait d'envoyer à Alger un télégramme qui avait mis le Général hors de lui. Il s'agissait des « problèmes connexes au débarquement » et Hoppenot écrivait : « Les négociations poursuivies à ce sujet entre les Américains et les Britanniques n'ont pas encore abouti à un accord définitif (...) mais aucune discussion ne sera engagée avec nous. (...) Au sujet de la monnaie qui sera utilisée en France par les Alliés, Mr. Dunn n'a pas été moins catégorique. Il m'a déclaré que la question était purement d'ordre militaire et que la décision de pourvoir les troupes d'invasion d'une monnaie du commandement interallié (...) était irrévocable. A une observation de ma part sur le régime différent adopté pour les troupes qui entreraient en Belgique et en Hollande, Mr. Dunn m'a répondu : " Ces deux nations ont un gouvernement, vous n'en êtes pas un... ". »

De Gaulle était formel, il n'était pas question de céder sur aucun détail dès qu'il s'agissait de la souveraineté de la France qu'il représentait. Cette question de la monnaie pour les troupes alliées (que Hoppenot dans sa colère appelle « troupes d'invasion ») était certes insignifiante en face du problème du débarquement, mais c'était, précisément, en s'acharnant sur de tels détails que de Gaulle entendait, par moments, finir par se faire reconnaître des Alliés comme gouvernement légitime de la France. Une heure plus tard arrive Mitterrand débarquant de son avion anglais... Il tombait mal.

Et puis le jeune homme romantique, certainement désarçonné par une telle remontrance, se met à dire « non » quand on lui propose de se rallier au propre neveu du Général. C'est presque un crime de lèse-majesté ! Mais le Général ne peut pas admettre lui-même qu'il en fait... une affaire de famille, et c'est vrai que ce n'est pas son genre. Il cherche donc ailleurs. Cailliau est un homme de droite, voire d'extrême droite. Il écrira en 1944 un *Essai de prise de conscience objective de l'opinion française sans préjudice d'opinion personnelle (sic)* dans lequel il affirmera que la France veut la mise au second plan de « tous les juifs et de tous les francs-maçons ». De Gaulle connaît l'attitude politique de son neveu et la condamne, mais il en déduit – et Mitterrand ne le cache pas – que le jeune homme s'oppose politiquement à Cailliau : c'est donc un... communiste !

Pour de Gaulle, à ce moment, il n'y a dans la Résistance que trois familles d'esprit : les combattants, « simples absorbés par la lutte elle-même », les politiques (anciens ou nouveaux) et les communistes (avoués ou cachés). L'idée fixe de de Gaulle fin 1943 est « de faire en sorte que les forces (communistes) s'incorporent à celles de la nation, au moins pour la durée de la guerre ». Or poursuit de Gaulle, il y a parmi les communistes, « les violents qui, à la suite d'André Marty, voudraient que le parti ne se liât à personne et, à travers la lutte contre l'ennemi, préparât d'une manière directe l'action révolutionnaire pour la prise du pouvoir ».

L'entretien du 2 décembre a été trop bref, trop mal engagé, pour que de Gaulle puisse classer Mitterrand parmi les « politiques », anciens ou nouveaux ; et comme il disait « non », ce n'était plus un romantique, c'était sans doute un communiste.

Le 2 décembre, de Gaulle a-t-il été convaincu – mais sans y attacher grande importance – que Mitterrand était un communiste ? La question est amusante ! On affirme que, en 1946, de Gaulle aurait déclaré, notamment à Mendès France : « Méfiez-vous de ce Mitterrand, c'est un communiste ! »

Quel extraordinaire malentendu ! Quelle prodigieuse erreur de jugement si jamais, et on peut l'imaginer, tel a été son jugement ! A l'époque, Mitterrand est farouchement anticommuniste. En 1969, c'est-à-dire après avoir été, en 1965, le candidat de la gauche unie aux élections présidentielles, il avoue : « C'est dans la Résistance que je m'habituais à pratiquer les communistes. (...) Parmi d'autres bienfaits que je leur dois, ils m'ont rendu le service de m'apprendre à ne pas fermer l'œil si je voulais éviter d'être écrasé par leur redoutable machine. »

Ah! si de Gaulle avait pris la peine d'interroger Mitterrand, comme ils se seraient sans doute retrouvés! Ils auraient pu évoquer leur enfance où la famille pleurait aux chagrins de la France, au drame de 1870, cet amour du terroir, cette Église respectée, Chateaubriand, Barrès, Péguy, leur captitivité. De Gaulle aussi avait fait l'expérience des camps allemands lors de la Première Guerre et en avait été profondément blessé, et leur honte, et cet amour charnel pour la Patrie, et ce dégoût pour les politicards, et cette fascination pour la grandeur, et cette aversion pour les « veaux », ce rêve pour l'empire, cette grande tache rouge sur les cartes de géographie.

Certes, il est osé aujourd'hui d'affirmer que Mitterrand est l'un de nos personnages politiques les plus gaulliens. Et pourtant! Tout comme il est curieux de remarquer qu'au cours des quarante dernières années, la France s'est scindée devant deux duels sans pitié, qui ont opposé Pétain à de Gaulle et de Gaulle à Mitterrand. Or de Gaulle est longtemps apparu comme le « fils spirituel » de Pétain ou, en tout cas, son « enfant chéri » et on peut se demander si Mitterrand n'aurait pas pu, lui aussi, être le dauphin du Général!

Il lui ressemblait sans doute trop! Et dans ce qu'il avait de plus difficile : son orgueil, sa conviction d'être lui, lui seul, l'incarnation de la vérité, son refus de la soumission. On a souvent dit et écrit qu'il avait été bien dommage pour la France que Pierre Mendès France refuse d'être en 1958 le Premier ministre de de Gaulle car alors le pays aurait connu le plus beau « couple » de son histoire. Mais c'était, et un peu pour les mêmes raisons, impossible. Qu'aurait-on pu dire du « couple » de Gaulle-Mitterrand... ?

François Mitterrand en a toujours gardé une certaine nostalgie qui pointe au détour de quelques-unes de ses confidences. Nous y reviendrons. Contentons-nous pour l'instant de relire ces lignes qu'il a écrites en 1971, un an donc à peine après la mort du Général, et dans lesquelles il veut bien, un instant, oublier tout ce qui les a opposés : « Je l'ai rencontré quelques fois. En août 1944 j'ai participé sous sa présidence au premier conseil de gouvernement de la France libérée et j'ai encore dans l'oreille son monologue de ce jour-là. J'écoutais, j'observais, j'admirais. (...) J'avais vingt-sept ans, des réserves d'enthousiasme et une certaine propension à magnifier l'événement. J'avais aussi quelque raison d'ouvrir les yeux tout grands : c'était le début d'une époque et c'était le général de Gaulle. Je me demande parfois pourquoi cette heure ne m'a pas lié davantage à celui dont je recevais pareille leçon. (...) Nul n'a parlé comme lui le langage de l'État. (...) De Gaulle existait. Ses actes le créaient et la conviction qu'il avait d'être la France, d'exprimer la vérité, d'incarner le moment d'un destin éternel, qui plus est immuable, m'émouvait plus qu'elle ne m'irritait. Je n'ai jamais trouvé risible cette approbation. L'amour viscéral, exclusif qu'il portait à la France poussait le général de Gaulle à se battre contre des ombres. (...) La patrie était un sol mystique, dessiné par la main de Dieu et habité par un peuple de laboureurs et de soldats. »

Puis, après avoir évoqué le « rôle déterminant d'un homme qui se jette au travers de la fatalité, la saisit aux naseaux, l'oblige à changer de route et crée, par la vertu de son pressentiment et de sa volonté un cours nouveau des choses », Mitterrand va encore beaucoup plus loin :

« Soldat méditatif, patriote intransigeant, de Gaulle a osé démentir, par un acte initial d'indiscipline, sa classe sociale qui, dans l'embarras de la défaite, avait pris, comme souvent, le parti de ses intérêts en traitant avec le vainqueur – et quel vainqueur ! Mais lorsqu'ils ont l'âme haute, la carrière des armes délie les fils de la bourgeoisie des lois de leur milieu. Le soldat de métier ne possède pas de biens matériels, les dédaigne et tire orgueil de ce renoncement. Par vocation et par état, il a besoin de justifier sa vie selon d'autres valeurs que celles du profit. De Gaulle a vu pleurer sa mère aux souvenirs de 1870 et il ne s'est, à son tour, guéri de cette peine qu'en rompant, le 18 juin 1940, avec l'ordre établi, celui de sa mère et le sien, dès lors que cet ordre trahissait.

« J'ai connu cette tradition. (...) Le soir on récitait le Hugo de *L'Année terrible*. (...) La mémoire chargée d'angoisse, on aimait la France, terre et chair. Dieu, qu'on avait mal quand elle souffrait ! (...) Formé à cette école d'ancienne mode, de Gaulle était plus proche des soldats de l'An II et des poilus de 14 que des bourgeois de sa génération. Il dut à cet anachronisme de parler comme un visionnaire. Son retard devint de l'avance. En se détachant des siens il rencontra le peuple. Ni l'un ni l'autre ne se sont par la suite tout à fait séparés (...) » (*Le Monde*, 23 septembre 1971.)

Quel hommage ! Certes, on dira que le Premier secrétaire du parti socialiste n'avait plus rien à craindre du Général mort un an plus tôt et qu'au contraire il était temps pour lui d'essayer de « récupérer » les gaullistes quelque peu déçus par Pompidou et qui voyaient dans le « traître de Rome » un piètre Louis XVIII succédant à Napoléon. Mais ce serait sans doute un procès de mauvaise foi, un de plus. Mitterrand n'a pas écrit ces lignes en période de « racolage électoral », ni au lendemain de la mort du Général au milieu de l'inévitable unanime hypocrisie. Non, il a écrit ce texte sans y être contraint, à propos de la sortie du second tome de l'*Histoire de la République gaullienne* de Pierre Viansson-Ponté. C'est une critique de livre qui aurait pu ressembler à une « gentillesse » qu'on faisait à un journaliste ami et pour un livre d'ailleurs remarquable. Et puis, au fil de la plume, Mitterrand se laisse entraîner. Comme si, inconsciemment, il attendait depuis longtemps de trouver une occasion pour enfin dire ce qu'il avait sur le cœur.

Malraux, Mauriac, mis à part, peu d'écrivains ont sans doute rendu un aussi bel hommage à de Gaulle. Aucun homme politique gaulliste, en tous les cas, n'a dit de telles vérités, et dans un style aussi... gaulliste !

Fallait-il donc que Mitterrand comprenne profondément, personnellement, la personnalité du général ! « Saisir la fatalité aux naseaux », quelle belle image ! Mais d'ailleurs parle-t-il seulement alors de de Gaulle ? Tous les mots clés de l'hommage, on les retrouve dans ses écrits personnels, quand il parle de lui-même, de son combat, de ses rêves : le langage de l'État, se battre contre les ombres, le sol mystique, la main de Dieu, le peuple de laboureurs et de soldats, le dédain des biens matériels, etc., c'étaient des mots qu'on rencontrait déjà chez le jeune Mitterrand de 1938 ! Quant au « monologue », il en a fait, qu'il le veuille ou non, son style préféré, et les Soldats de l'An II, pour lui aussi, sont les grands héros. Surtout les unit le grand thème de la trahison de la classe bourgeoise par un bourgeois. On a l'impression que Mitterrand veut ici se mettre à l'abri de l'exemple de de Gaulle, qu'il a besoin d'une telle référence pour se rassurer, ou bien pour se persuader qu'il a lui-même trahi cette bourgeoisie dont il a honte mais dont il se sent imprégné jusqu'au bout des doigts. Pourquoi a-t-il tracé en 1971 un tel portrait de son ancien adversaire ? Voulait-il se faire pardonner quelque chose ? De n'avoir pas su admettre le malentendu dont il avait été la victime ? Peut-être.

5. LE HÉROS DÉÇU

« La République nous appartient à nous aussi qui ne sommes pas dans la course. »

Après la piètre entrevue du 2 décembre 1943 avec de Gaulle, Mitterrand a toutes les peines du monde à revenir en France. Les places sont rares et comme certains membres de l'entourage du Général préféreraient que Mitterrand, avec son mauvais esprit, ne regagne pas les rangs de la Résistance, on ne lui trouve pas d'avion. Il passe au Maroc et finalement obtient de l'état-major britannique une place pour Londres. Là encore, il tente de faire un peu de propagande pour son réseau. En vain, semble-t-il. Une vedette M.T.B. le prend en Cornouailles et le lâche à proximité de Bec-An-Fry, dans le Finistère, à la fin de février 1944.

« Beaucoup plus tard un document (il est toujours en ma possession) m'apprenait que pendant mon séjour à Alger, il avait été proposé au général de Gaulle, par l'un de ses familiers, d'expédier sur le front d'Italie ce voyageur de peu de foi gaulliste qu'on avait sous la main. Je ne saurai jamais si j'ai dû d'éviter cette inflexion du destin à la mansuétude du chef de la France libre ou à la hâte que j'avais mise à rejoindre mes camarades de la Résistance intérieure. » (*Ma part de vérité*, p. 27.)

Mitterrand reprend donc son activité de résistant. A-t-il été déçu par de Gaulle lui-même ? Certains disent qu'en retrouvant ses camarades de combat il aurait déclaré : « De Gaulle n'est pas un républicain ! » Il semble que ce soit ici ce genre de mot historique inventé a posteriori. Longtemps encore Mitterrand va déclarer : « Fions-nous au général de Gaulle qui, dès le mois de juin 1940, proclamait qu'une bataille perdue n'avait jamais signifié que la guerre l'était. » (article paru dans *Hommes libres,* en octobre 1944).

A l'époque Mitterrand en veut sans doute plus à l'entourage du Général qu'au Général lui-même. Il a été déçu par « l'administration » de la France libre, par sa paperasserie, par sa vieille hiérarchie reconstituée, par les officiers à l'esprit borné qu'il a rencontrés à Londres, par les cabales d'Alger où il n'a rien compris des querelles entre de Gaulle et Giraud. Homme de la Résistance intérieure, il a certainement été étonné de trouver dans la « Résistance extérieure » un appareil « normal », réaliste qui ressemblait presque, à première vue, à celui de Vichy avec ses vieilles culottes de peaux, ses clans et, en tous les cas, à celui de la IIIe avec ses anciens parlementaires à la recherche d'un emploi. Alors, bien sûr, il faisait figure de « jeune homme » sans expérience, de romantique idéaliste, lui qui pourtant était dans le « vrai » combat, au cœur de l'affrontement. Et il n'a pas dû aimer être sous-estimé ainsi.

Cette réalité du combat il la retrouve plus dure encore. Le printemps 1944 est terrible pour la Résistance. La Gestapo aidée par la Milice, porte des coups très durs à toutes les organisations clandestines. A plusieurs reprises, Mitterrand échappe d'extrême justesse à ceux qui le traquent et qui connaissent maintenant son importance. Il y a d'ailleurs un traître parmi les membres de son réseau. Ce qui explique l'hécatombe de juin 44.

Finalement, Mitterrand accepte de fondre son mouvement avec les deux autres organisations de prisonniers, celle de Cailliau et celle des communistes, comme le lui avait demandé de Gaulle. Mais, bien sûr, cette fusion se faisant en France, Cailliau ne bénéficie plus de l'appui direct de son oncle et Mitterrand, dont l'organisation est sans conteste plus importante que celle du neveu du Général, peut cette fois dicter ses conditions. Dans ce Mouvement national des Prisonniers de Guerre et des Déportés, le M.N.P.G.D., Mitterrand obtient 50 % des « parts », contre 25 % à Cailliau et 25 % aux communistes. Il devient donc tout naturellement le chef.

C'est ce M.N.P.G.D. qui, le premier, fournira, grâce à ses informations, des indications très précises aux Alliés sur les camps de concentration dont personne, jusqu'à présent, n'a pu dans l'état-major occidental soupçonner l'horreur et l'importance. Ces informations permettront aux troupes alliées, le jour venu, d'accélérer les opérations pour aller libérer à temps, ou du moins le plus rapidement possible, certains camps, avant que les S.S. n'aient la possibilité de massacrer tous les survivants pour faire disparaître témoins et victimes de leurs atrocités.

A la veille de la Libération, de Gaulle nomme Alexandre Parodi, alias Quartus, Délégué général du Gouvernement Provisoire. C'est une mission particulièrement délicate qui est ainsi confiée à ce grand commis de l'État. En fait, de Gaulle veut prendre de court à la fois les Alliés qui ne reconnaissent toujours pas son gouvernement et les communistes qui, selon lui, s'apprêtent à s'emparer du pouvoir dès la déroute des troupes allemandes. Parodi a donc pour objectif d'installer, avant même l'arrivée des troupes d'Eisenhower, un premier gouvernement au nom du général de Gaulle. Et Quartus forme ce « gouvernement ». Il nomme tout naturellement Mitterrand au poste de délégué pour les Prisonniers de Guerre et les Déportés, puisque Morland est le patron, maintenant incontesté, du M.N.P.G.D. Pasteur Vallery-Radot sera délégué à la Santé, René Courtin à l'Économie, Henri Vallon à l'Éducation, Robert Lacoste à la Production industrielle, etc.

On connaît tous les épisodes tragi-comiques de la libération de Paris. Au milieu des combats et des silences de la rue, alors que Leclerc n'est plus qu'à quelques kilomètres de la capitale, les « ministres » du « gouvernement » de Parodi, à bicyclette et armés de vieilles pétoires, vont « prendre d'assaut » leur ministère avec quelques compagnons. Ils n'y trouvent, le plus souvent, que des gendarmes endormis et des caisses d'archives en train de se consumer. Le 19 août 1944, Mitterrand s'empare ainsi du commissariat général aux Prisonniers, rue Meyerbeer, à deux pas de l'Opéra. Le voilà ministre ou presque. Il a vingt-sept ans !

L'euphorie est de courte durée. Le 25 août, le général de Gaulle fait son entrée dans Paris à peine libéré. C'est la joie qu'on connaît, l'explosion de fraternité, de retrouvailles. Seulement de Gaulle, immédiatement, prend les choses en main. On l'attendait à l'Hôtel de Ville où siégeait le Conseil de la Résistance et le Comité parisien de la Libération, le général fait savoir qu'il se rendra directement au ministère de la Guerre pour s'y installer. « Ce n'était point, écrit de Gaulle, que je n'eusse hâte de prendre contact avec les chefs de l'insurrection parisienne. Mais je voulais qu'il fût établi que l'État, après des épreuves qui n'avaient pu ni le détruire ni l'asservir, rentrait, d'abord, tout simplement, chez lui. »

Sur le chemin du ministère de la Guerre, le Général s'arrête à la gare Montparnasse où Leclerc a établi son poste de commandement. Leclerc lui présente alors l'acte de capitulation que Choltitz vient de signer. Colère du Général : on a noté sur le document que le commandant allemand s'est rendu à Leclerc *et* à Rol-Tanguy, le communiste. Leclerc explique que c'est Rol lui même qui a insisté pour qu'après coup, on ajoute cette précision. Le pauvre Leclerc se fait passer « un savon » par de Gaulle: « Vous êtes dans l'affaire l'officier le plus élevé en grade, par conséquent seul responsable. Mais surtout la réclamation qui vous a conduit à admettre ce libellé procède d'une tendance inacceptable. »

On comprend bien ce qui s'annonce. Pour de Gaulle, dans l'ultime « ligne droite », il n'a plus personne à ménager. Au contraire, il faut vite éliminer tous ceux dont il s'est servi, que les hasards de la guerre avaient rapprochés de lui, mais qui maintenant pourraient bien avoir d'autres ambitions que la sienne, c'est-à-dire restaurer un pouvoir fort, digne, le sien, celui de la France qu'il incarne. Tous ces résistants de l'intérieur, si utiles quand il s'agissait pour lui de « bluffer » sur son importance face à des Alliés méprisants, il va falloir les écarter, eux et leurs rêves d'un monde romantique. Et puis, surtout, il y a le danger communiste. Pour le Général c'est l'idée fixe. Qu'importe si, parmi ces gens de l'intérieur, il y a des gaullistes ; on ne peut guère faire le tri, dans cette course au pouvoir. L'enjeu est trop important ! On connaît l'anecdote : le 26 août, alors que de Gaulle s'adresse à la foule du haut d'une fenêtre de l'Hôtel de Ville, il est bousculé et chavire dans le vide. C'est François Mitterrand qui le retient avec Pierre de Chevigné.

Le 9 septembre, après avoir participé en août au premier Conseil de la France libérée, présidé par de Gaulle qui – en le reconnaissant – crie un célèbre : « Encore vous ! » (sans doute ironique si ce n'est amical), Mitterrand est éliminé. Le Général forme son « vrai » gouvernement et Henri Frenay devient ministre des Prisonniers de Guerre et des Déportés. De Gaulle a-t-il voulu délibérément écarter Mitterrand, comme on l'affirme parfois maintenant, redoutant en lui un communiste ou un antigaulliste ? Non, sûrement pas. Et il était parfaitement normal qu'Henri Frenay, qui avait été commissaire aux Prisonniers, Déportés et Réfugiés dans le Comité français de la Libération nationale constitué à Alger dès le 9 novembre 1943, retrouve ainsi son poste. En quelque sorte tout comme Parodi avait été le représentant du Général avant l'arrivée de de Gaulle, Mitterrand avait été l'intérimaire de Frenay, en attendant l'arrivée à Paris du gouvernement d'Alger. Ce qui prouve bien que de Gaulle n'en « voulait » pas à Mitterrand, c'est que Parodi avait fait connaître à Alger la liste de ses délégués et que le Général n'avait trouvé aucune objection à opposer au nom de Morland et surtout que, dès sa nomination à Paris, Henri Frenay avait proposé à Mitterrand de devenir secrétaire général du ministère, c'est-à-dire son adjoint direct, poste logique pour un intérimaire. Mitterrand refuse la proposition de Frenay qui écrit : « Les ambitions de Mitterrand sont ailleurs, et plus grandes encore. » Il est vrai que Frenay n'écrira cette phrase que trente ans plus tard.

Mitterrand, qui n'est pas choqué de son élimination puisqu'aucun des anciens délégués ne fait partie du gouvernement à l'exception de Parodi et Robert Lacoste, n'a pas pour autant envie de devenir... fonctionnaire. Il a pris goût au commandement, à diriger des hommes, il a un certain nombre d'idées qui pourraient bien être politiques, il a pris l'habitude d'écrire, de polémiquer ces dernières semaines dans le journal devenu officiel des prisonniers, *Libres*. Bref il pense déjà à la politique, comme toute cette génération dans laquelle « des hommes très jeunes avaient été admis dans des circonstances dramatiques à de hautes responsabilités qui ne leur avaient pas été disputées chèrement par les rares dirigeants disponibles des grands partis de la IIIe République. Ces responsabilités supposaient du courage, de l'esprit de décision, un sens aigu de l'opportunité dans la lutte contre l'occupant, de la ténacité et de l'habileté dans les interminables débats des réunions clandestines. Dure et belle école... « On pourrait, entre parenthèses, s'étonner de cette définition par Mitterrand, dans sa *Part de vérité,* du chef de la Résistance..., et donc de lui-même. Sur cinq qualités qu'il se reconnaît, quatre sont pour le moins inattendues, même si, en effet, elles étaient nécessaires : l'esprit de décision, le sens aigu de l'opportunité, la ténacité, l'habileté dans les débats : qualités nécessaires à un jeune homme qui veut se lancer dans la politique plus qu'à un héros de l'armée des ombres ! « opportunité », « habileté » sont des mots qui n'ont rien à voir avec l'héroïsme d'un combat tel que celui de la Résistance. Mitterrand donnera toujours, bien inopportunément et bien malhabilement des armes à ses adversaires...

La France connaît alors une bien curieuse période politique. Personne ne sait très bien se réveiller du cauchemar. Les vieux partis de droite et du centre hésitent à faire leur réapparition et on les comprend. Même ceux qui n'ont pas collaboré savent que l'opinion, qui cherche des boucs émissaires à sa propre lâcheté, les accuse de tous les maux de la défaite. C'est tout juste si on ne refait pas de nouveaux procès de Riom ! Les partis de gauche, dont la Résistance a redoré le blason, sont déjà préoccupés par leur propre stratégie. Les socialistes, notamment, qui veulent surtout éviter que les communistes ne tirent les marrons du feu. Les communistes, eux aussi, hésitent : faut-il forcer le destin, préparer « le grand soir », garder ses armes, attendre Staline, ou faut-il jouer le jeu, profiter du chaos général, de l'élimination momentanée de la vieille droite pour, enfin, entrer dans la réalité du pouvoir français en faisant les concessions nécessaires ?

Quant à tous les jeunes hommes qui n'ont eu d'autre formation politique que la clandestinité de la Résistance et qui y rêvaient d'un monde meilleur, ils sont comme éblouis par la lumière. Quelle était belle, hier, la France de demain ! Eux qui pensaient pouvoir reconstruire le monde avec leurs poings serrés et leurs mitraillettes un peu rouillées, s'aperçoivent que d'autres s'y préparent, mieux armés qu'eux. On va voler leurs rêves comme on vient de leur voler la victoire. Ils ne faisaient pas le poids.

Leclerc ne fut certes pas un politique. Mais c'était un homme qui savait juger les hommes. Il l'a prouvé en Indochine où, si on l'avait écouté... mais c'est une autre histoire. Après avoir libéré Paris, il a adressé un rapport à de Gaulle, qu'on a oublié mais que de Gaulle, lui, avait retenu. Leclerc écrivait : « L'énorme majorité de la population, magnifiquement française et nationale, ne demande qu'à être commandée pour refaire la France. (On veut de l'autorité). Les F.F.I. : 10 % très bons, très braves, réellement des combattants. 25 à 30 % suivant l'exemple de ceux-là. Le reste sans valeur ou négatif. Les officiers F.F.I. combattant effectivement m'ont affirmé que le Front national avait tout essayé pour utiliser, au profit du « parti », l'enthousiasme français. L'affaire a manqué... Impression sur les autorités à mon entrée dans Paris : les dirigeants, même nommés par votre gouvernement, sont... bien timides. Voilà, je crois, un des nœuds du problème. L'affaire ne me regarde nullement. Je suis uniquement un soldat. Mais ayant assisté à certaines scènes, je dois vous en rendre compte. Votre tâche ne sera pas facilitée, mon Général... »

Jugement sûrement sévère d'un militaire de carrière qui arrive couvert de la poussière de la victoire. Les généraux n'ont jamais cru aux maquisards ! Mais il y avait sans doute du vrai dans ce rapport expéditif. Les responsables, même nommés par de Gaulle, étaient bien « timides ». Ils étaient, en tout cas, intimidés par la victoire.

Mitterrand, lui, observe et il est déçu. Il y a d'abord la première Assemblée consultative (novembre 1944), puis les élections municipales (13 mai 1945) puis les élections cantonales (30 septembre 1945) qui voient les unes et les autres, des succès de la gauche, puis le double référendum et les élections à la première Constituante (succès du P.C., des socialistes et du M.R.P.), le 21 octobre 1945.

Mitterrand est visiblement mal à l'aise dans ce chaos. Il ne comprend pas que certains de ses camarades de la Résistance se rangent « benoîtement sous la bannière radicale » et se mettent « en devoir de conquérir leur place au soleil par la grâce des comités électoraux », que d'autres aillent à la S.F.I.O. « où l'on parlait, il est vrai, de fonder un nouveau parti socialiste » (déjà !), que « la mode soit aussi de se presser en foule aux guichets du parti communiste ». Certes, il ne souhaite pas que la Résistance, « en tant que telle, donne naissance à un grand mouvement politique qui aurait fatalement connu le sort des associations d'anciens combattants, tout juste bonnes, quand elles se mêlent aux luttes civiles, à produire des Chambres Bleu horizon et des 6 février. La fraternité des souvenirs ne peut se substituer à la communauté des intérêts ni servir de support durable aux combats idéologiques. Mais, à l'intérieur des partis classiques, la génération de la Résistance aurait pu jouer un rôle déterminant, imposer sa propre conception de la société, moderniser les méthodes de l'action et de l'information politique. Elle préféra se couler dans le moule des cadres établis et plaire aux caciques qu'elle avait (parfois injustement) décriés, afin de se glisser par l'intrigue sur les marches d'un pouvoir débile, mais trop haut pour son ambition. »

Bien plus tard, c'est de Gaulle qu'il rendra responsable de cette « timidité » voire de cette trahison des jeunes issus de la Résistance. Mais sur le moment, il est encore loin de reprocher quoi que ce soit au Général, puisqu'il le cite en juillet 1945 dans *Libres* avec Gabriel Péri (communiste fusillé par les Allemands, en décembre 1941), Berthie Albrecht (fondatrice du mouvement « Combat » torturée à mort par les Allemands, en mai 1943), Marc Bloch de *Franc-Tireur,* fusillé par les Allemands, en juin 1944), Gilbert Médéric (fondateur de « Ceux de la Libération » qui s'est suicidé de peur de parler sous la torture) « et puis tous ceux qui, dans leurs prisons, dans leurs camps, ont su reconquérir l'âme même de notre peuple et qui sont devenus nos seuls amis et nos seuls maîtres ».

En juillet 1945, de Gaulle fait donc partie des seuls « maîtres » que se reconnaît Mitterrand !

Certains affirment aujourd'hui que Mitterrand avait alors profondément changé, qu'il n'avait plus rien de commun avec de Gaulle, parce que, lui, il « trahissait » sa classe et qu'il avait compris, au cours de sa lutte, que ses vrais camarades, c'étaient les... ouvriers, et non plus les bourgeois. Et c'est vrai qu'il écrit alors : « Le dernier jour de l'insurrection, nous avons passé en revue quelques-uns de nos groupes francs. Mal habillés, mal équipés, sales, ils possédaient la marque d'une étonnante noblesse. Mais ils habitaient Courbevoie, Pantin, Bobigny ou Montrouge. Les autres, ou pour être juste, disons l'autre, la bourgeoisie, ils attendaient la treizième heure. » (*L'Homme libre,* 8 septembre 1944). Mitterrand aime bien citer « ses » résistants qui venaient de banlieue, il l'a fait à maintes reprises tout au cours de sa vie. Ce n'est pas de l'ouvriérisme, c'est du banlieusardisme ! Sorte d'élégance d'un habitant des beaux quartiers de la rive gauche.

Mais, objectivement, on ne peut pas voir en quoi cet hommage parfaitement légitime rendu en effet aux banlieusards le séparerait de de Gaulle qui, précisément, au même moment, recevant une délégation du patronat français, s'écriait : « Je n'ai rencontré aucun d'entre vous à Londres ! » Les deux « traîtres » à leur classe – si tant est qu'il y ait vraiment trahison – sont donc d'accord !

Tout comme ils sont d'accord, le prestigieux chef de l'État et le demi-solde de la Résistance inconnu, quand ce dernier écrit (*Libres,* 30 septembre 1944) : « La France n'a pas besoin de son histoire pour se présenter devant les nations, la face découverte. La France n'a pas besoin de son mémorial pour justifier sa présence dans la société des peuples. (...) La France combattante et la France résistante sont assez fières de leur présent et de leurs titres actuels pour refuser l'appui d'une très vieille histoire. C'est le moment de le savoir. Demain, la paix sera signée puis il faudra la construire. La France sera-t-elle écartée de ce bloc qu'on appelle curieusement " les quatre grands " ? »

En fait Mitterrand démarque ici purement et simplement le discours que de Gaulle a prononcé quelques jours plus tôt, le 12 septembre, au palais de Chaillot. Après avoir rappelé l'effort de guerre que vient de faire la France, le Général ajoutait : « Il n'est pas nécessaire d'expliquer comment et pourquoi cette continuité de la volonté, et j'ajoute, de l'effort de notre peuple dans la guerre, lui donne le droit, oui, le droit de faire valoir ses intérêts dans ce qui sera bientôt le règlement du conflit mondial. Aussi bien, voulons-nous croire que, finalement, ce droit ne sera plus contesté et que cette sorte de relégation officielle de la France, dont ont tant souffert ceux qui parlent et agissent en son nom, va faire place à la même sorte de relations que nous avons, depuis quelques siècles, l'honneur et l'habitude d'entretenir avec les autres grandes nations. »

Quand on lit les articles que publie Mitterrand à cette époque, on croit parfois s'être trompé de livre et parcourir plutôt, les *Mémoires de Guerre,* (tome III) ! Soulignons-le car Mitterrand, sans doute plein de bonne foi, mais sans beaucoup de mémoire, a affirmé, trente ans plus tard et en évoquant ces mois troublés de la Libération, qu'il voyait déjà alors « dans le gaullisme un détournement dangereux des valeurs révélées par la Résistance ».

Qui a écrit en novembre 1944 : « Les captifs ont bonne mémoire, soyez-en sûrs. Et la paix gâchée, origine de leurs maux, ils en discernent les éléments. Il n'est certainement pas abusif de s'attarder sur le premier d'entre eux qui est l'esprit de parti, qui a détruit notre unité et construit nos malheurs » ? C'est Mitterrand. Mais qui note au même moment : « Que la IIIe République ait, sans cesse, chancelé dans un fâcheux déséquilibre pour s'abîmer finalement au fond d'un gouffre d'abandon, les partis y voient chacun pour sa part des motifs de s'en prendre aux autres, mais non point la nécessité de renoncer aux mêmes errements. Les erreurs du passé, les réalités du présent, les menaces de l'avenir ne changent absolument rien à leur optique et à leurs exigences » ? De Gaulle. Qui a écrit, et toujours pendant ces mêmes semaines, nous ne jouons même pas sur les dates : « Au caractère fractionnel des partis qui les frappe d'infirmité, s'ajoute leur propre décadence » ? Qui a écrit : « La chance du fascisme en Europe fut dans la mollesse et la division des démocraties » ? De Gaulle la première phrase, Mitterrand la seconde ! Avouons qu'il est nécessaire d'avoir les références !

Nous pourrions continuer ce petit jeu des citations : même refus d'un retour à l'esprit de parti, même mépris pour les anciens de la IIIe République – et notamment pour Édouard Herriot auquel Mitterrand reproche d'être « le ministre type du régime que nous nous attachons à considérer comme défunt » et auquel de Gaulle reproche, en plus, d'avoir « à la veille même de la Libération de Paris eu la faiblesse de négocier et de déjeuner avec Laval et Abetz » – la même volonté de créer un monde plus juste (de Gaulle pense à la Sécurité sociale, au vote des femmes, aux nationalisations des houillières, du gaz, de Renault), même désir d'un État fort. Mitterrand reconnaît alors qu'il n'est pas de « ceux qu'obsède le souvenir du 18-Brumaire » et de Gaulle confesse : « La dictature momentanée que j'ai exercée au cours de la tempête et que je ne manquerais pas de prolonger ou de resaisir si la patrie était en danger, je ne veux pas la maintenir puisque le salut public se trouve être un fait accompli. » De Gaulle tente et parvient à limiter les excès de l'épuration, Mitterrand à son très modeste niveau aussi, en conseillant le pardon, à ses anciens camarades.

En fait, les deux « gaullistes » sont déçus. Le premier (de tous) parce qu'il est déjà abandonné : « Les résistants eux-mêmes, s'ils demeurent sentimentalement fidèles à l'idéal qui les rassemblait, m'ont déjà, pour beaucoup d'entre eux, politiquement délaissé et militent en sens très divers. » Le second, parce que les « hasards de l'histoire », les malentendus, la fierté aussi, l'ont écarté du pouvoir : « Notre République n'appartient ni à l'un [de Gaulle] ni aux autres [l'Assemblée consultative]. Elle appartient à ceux-ci comme à celui-là. Et elle nous appartient à nous aussi qui ne sommes pas dans la course. Cette République, c'est notre propriété commune. Allons-nous diviser l'héritage ? »

Dans les mois qui vont venir, l'homme au pouvoir déçu va décider de partir (mais, il est vrai, avec l'idée bien arrêtée de revenir très vite, ce en quoi il se trompera) et l'homme « hors de la course » déçu va décider de se lancer dans la bataille.

L'Assemblée constituante a élu de Gaulle chef du Gouvernement provisoire le 13 novembre 1945, mais le 20 janvier 1946, de Gaulle démissionne brusquement, ayant parfaitement compris que la Constitution que préparait l'Assemblée constituante serait pour lui inacceptable et pensant sans doute, par ce départ précipité, faire changer le cours de l'histoire ; le peuple français lui donne d'ailleurs raison et repousse, le 5 mai 1946, ce premier projet de constitution. Il faut donc élire une nouvelle Assemblée constituante. Mitterrand décide de tenter sa chance le 2 juin 1946.

6. GRÂCE AU « BON DOCTEUR QUEUILLE »

« Ni le diable, ni le Bon Dieu. »

« L'illusion lyrique » de la Résistance n'a pas duré longtemps et, en 1946, on sent déjà parfaitement que tout va rentrer dans l'ordre, ou presque. Les partis politiques d'antan ont refait bien vite surface, les vieux caciques sont revenus. Dans quelques mois, et tout le monde en a déjà conscience, les quatre principaux dirigeants de la France seront quatre anciens de la IIIe République : Vincent Auriol, président de la République, Édouard Herriot, président de l'Assemblée nationale, Champetier de Ribes, président du Conseil de la République (qui remplace le Sénat) et Paul Ramadier, président du Conseil, sans parler de Léon Blum ou de Maurice Thorez qui, l'un de retour de Buchenwald, l'autre de Moscou, dominent par leur stature une grande partie de la vie politique.

Les anciens compagnons de Mitterrand n'ont pas perdu de temps non plus. Après avoir compris que le programme du Conseil national de la Résistance qui leur avait servi d'idéal n'était qu'une utopie ou qu'un alibi dont tentaient de se servir les communistes, ils se sont tous dispersés dans des partis politiques. Mais Mitterrand, déçu, un peu méprisant pour ce spectacle, s'aperçoit soudain qu'il risque de voir partir le train sans lui et de ne plus être qu'un ancien combattant oublié. Ce n'est pas son genre.

En fait, on ne s'en souvient pas mais un grand espoir a été manqué au lendemain de la Libération : la création d'un parti « travailliste » français. C'était, peut-être, au fond, le rêve de de Gaulle. La vieille S.F.I.O., en dépit de la Résistance de nombreux de ses membres, était un peu discréditée aux yeux d'une grande part de l'électorat qui la trouvait, soit trop poussiéreuse, soit, pour la petite bourgeoisie (inconsciemment sensible à la propagande de Vichy) effectivement responsable de bien des malheurs de la France. D'autres lui reprochent de n'avoir pas été assez loin et surtout d'avoir « trahi » les Républicains lors de la guerre d'Espagne, cette répétition générale de l'invasion hitlérienne.

En même temps, une importante frange du catholicisme français avait considérablement évolué. Les quelques disciples du *Sillon* — Marc Sangnier vit encore — les lecteurs de la revue *Esprit* de Jacques Maritain, avaient rassemblé autour d'eux, dans les camps, dans le combat, grâce aussi à l'attitude souvent scandaleuse de la hiérarchie ecclésiastique, un grand nombre de jeunes chrétiens d'un type nouveau. Ces jeunes chrétiens étaient souvent très proches d'un socialisme idéal.

On aurait donc pu imaginer la formation d'un mouvement socialo-chrétien, issu de la Résistance et dans lequel on aurait retrouvé deux vieilles traditions françaises ; Mitterrand y aurait sans doute été très à l'aise. Il y aurait rencontré... Péguy, mais aussi ses anciens amis du collège d'Angoulême et plus encore du 104 de la rue de Vaugirard ainsi d'ailleurs que ses compagnons de Bobigny et de Pantin.

Malheureusement, les vieux démons de la S.F.I.O. et du catholicisme ont été les plus forts. On a peine à imaginer aujourd'hui qu'en novembre 1944 (on se bat encore sur la Meuse, La Rochelle, Nantes et Lorient ne sont toujours pas libérés, les prisonniers et les déportés ne sont pas encore rentrés, les Soviétiques sont encore devant Varsovie), la querelle de l'enseignement libre ait pu resurgir et briser un espoir de « réconciliation nationale ». C'est pourtant ce qui est arrivé.

Le 6 novembre 1944, le général de Gaulle avait demandé à René Capitant, ministre de l'Éducation nationale, de constituer une commission « en vue d'étudier les problèmes des rapports entre l'enseignement public et l'enseignement privé ». Capitant avait chargé le protestant, André Philip, juriste, socialiste dès 1920, député du Front populaire, ancien commissaire à l'Intérieur à Alger, de présider cette commission.

La querelle de l'école libre avait séparé, pendant des années, chrétiens libéraux et socialistes. Il était indispensable, si on voulait permettre ces grandes retrouvailles que les malheurs et la lutte commune avaient rendues possibles, de combler ce fossé. De Gaulle, dans cette démarche qui pouvait sembler bien prématurée dans les circonstances présentes, n'avait, en fait, pas d'autre idée. André Philip prépare un certain nombre de propositions que les chrétiens semblent sur le point d'accepter. Mais le groupe S.F.I.O. de l'Assemblée consultative (Auriol, Gouin, Le Troquer, Jules Moch, Pierre-Bloch, etc.) les repousse unanimement. André Philip est pris entre sa bonne volonté de protestant ancien résistant et sa fidélité à ses amis socialistes. La commission Philip meurt d'elle-même.

Pierre Limagne a sans doute raison quand, dans son *Ephémère IVe République*, évoquant ce « travaillisme manqué » de la Libération, il écrit : « Trop de sectarisme anticlérical rendra fatal, plus tard, une loi Barangé dont le vote brisera l'alliance sortie victorieuse d'élections récentes et rendra la France ingouvernable jusqu'au... 13 mai 1958. Certes, bien d'autres choses ont rendu la France ingouvernable et le rédacteur en chef de *La Croix* pouvait difficilement faire allusion au sectarisme du catholicisme français qui eut sa part de responsabilité. Mais il n'empêche que cette impossibilité d'un « travaillisme français » conduira, dès le lendemain de l'échec de la mission Philip, les catholiques (dont certains étaient d'ailleurs ravis) à se regrouper dans un parti chrétien, dès novembre 1944 : le M.R.P.

François Mitterrand ne peut pas y adhérer. Ce bon catholique dont la foi, ou du moins le respect envers l'Église de France, ont certainement été ébréchés pendant les années noires qu'il vient de passer, ne croit pas en la possibilité d'une « démocratie chrétienne » en France. Dans son enfance, on militait à la Conférence de Saint-Vincent-de-Paul, mais on aimait aussi Clemenceau. Il aurait pu devenir « travailliste » dans un parti socialo-chrétien, mais il ne pouvait adhérer ni à la vieille S.F.I.O. – selon Pierre Stibbe, il aurait hésité un moment – ni à ce nouveau M.R.P. Et pendant quelques mois, il semble se contenter de son rôle d'observateur sévère.

Mais, en juin 1945, Mitterrand qui est devenu journaliste à part entière, écrivant beaucoup dans *Libres* (suite de *L'Homme libre* qui n'a pas pu garder ce titre, involontairement « usurpé » à son propriétaire) et devenant même vice-président du syndicat des Publications périodiques françaises, décide d'adhérer à l'U.D.S.R. Les anciens résistants qui, comme lui, sont restés sur la touche et qui ont compris qu'en dehors de toutes formations classiques, ils seront les « dindons de la farce », ont, en effet, créé cette Union Démocratique et Socialiste de la Résistance. Tous, comme lui, ne voulaient pas entrer au M.R.P., trop clérical à leur goût et refusaient de rejoindre la S.F.I.O., trop sclérosée, malgré le retour triomphal de Léon Blum. Ils craignaient par ailleurs que cette S.F.I.O. ne soit rapidement attirée par le parti communiste et peut-être pensaient-ils qu'avec cette U.D.S.R. ils parviendraient à contrebalancer le P.C., à la droite des socialistes. On retrouve d'ailleurs tout le monde dans cette U.D.S.R. : des gaullistes inconditionnels comme André Malraux, Jacques Soustelle, Bourdan, Jacques Baumel, René Capitant, des socialistes comme Francis Leenhardt, des modérés comme René Pleven ou Claudius-Petit. C'est en fait le seul véritable parti de la Résistance, cette amicale d'anciens combattants que redoute justement François Mitterrand. Mais ce n'est pas un grand mouvement politique. En fait, l'U.D.S.R. c'est le M.R.P. car, comme lui, il refuse le diable (P.C., P.S.) mais avec le Bon Dieu en moins !

Curieusement – il est vrai que les peuples n'ont pas de mémoire et que la libération de Paris est déjà « vieille » de dix mois – l'U.D.S.R. suscite très peu d'intérêt dans le public et ne récolte guère d'adhésions. C'est un parti, non de militants, mais d'ambitieux, du moins d'anciens résistants qui veulent faire « quelque chose ». Leurs rapports avec de Gaulle sont alors assez équivoques. Ils ont compris que le général, inquiet de l'esprit de la Résistance intérieure parce qu'inquiet que les communistes ne l'aient totalement noyautée, voulait ressortir de leur oubli les anciens hommes politiques des grands partis pour avoir des interlocuteurs réels mais – sans doute – affaiblis. Ils lui en veulent un peu, mais, en même temps, ils jouent soudain son jeu en se déguisant presque eux aussi en hommes politiques traditionnels avec parti et appareil. Très tôt cependant, cette U.D.S.R. se retrouvera orpheline avec le départ inattendu (mais prévisible et en tous les cas à moitié simulé) de de Gaulle. Le Général, qui a permis le retour des hommes politiques de la IIIe, s'en va parce que les mauvaises habitudes de ladite IIIe reprennent le dessus et, à ce moment-là, ces anciens résistants qui condamnaient ces vieilles habitudes, eux aussi, sont devenus des politiciens.

Aux élections cantonales de septembre 1945 et aux élections pour la première Constituante d'octobre 1945, l'U.D.S.R. n'a aucun succès. Ce sont des triomphes pour la gauche (P.C. et P.S.), puis pour le M.R.P. nouveau qui, en fait, bénéficie curieusement de son image de marque de résistant si ce n'est de gaulliste. La droite et les radicaux étant les grands perdants, par là-même, de ces scrutins. L'U.D.S.R. n'a pas été comprise, étant sans doute confondue, en dépit de ses titres de la Résistance, avec les radicaux.

Ces échecs et cette confusion font réfléchir les membres de l'U.D.S.R. Certains décident de rallier la gauche, d'autres, parmi lesquels Mitterrand, au contraire, de continuer à jouer ce jeu d'opposition au P.C. et au P.S. et même d'apporter, s'il le faut, la caution de la Résistance qui manque tant aux radicaux. Pourquoi ? Toujours par crainte des communistes, par crainte aussi que les socialistes ne soient pas les plus forts en face du P.C., par antipathie pour le M.R.P. qui s'apprête d'ailleurs à entrer dans une coalition tripartite avec le P.C. et le P.S.

Et puis par calcul. Ils n'ont pas réussi, en quelques mois, à se constituer une clientèle dans le public. Les radicaux en ont une même si elle ne s'est pas manifestée ces derniers temps ; pour la retrouver ils ont besoin de la caution que peut lui apporter l'U.D.S.R. L'U.D.S.R. a donc ici une carte maîtresse dans cette alliance quelque peu contre nature, elle aussi. Si le « socialiste » Francis Leenhardt est le premier secrétaire général de l'U.D.S.R., le grand homme du parti est René Pleven. Il est ministre des Finances de de Gaulle et rappelons que Pleven s'est opposé à Pierre Mendès France alors ministre de l'Économie. Pour faire face à la dramatique situation économique de la France libérée, Pleven était favorable à des mesures très traditionnelles (emprunt et impôt exceptionnels) alors que Mendès France, lui, déjà moins sensible à la « popularité », souhaitait des décisions énergiques comme celles que venait de prendre la Belgique, par exemple, c'est-à-dire : échange des billets, blocage de tous les comptes, prélèvements massifs. De Gaulle avait arbitré en faveur de Pleven qui, après la démission assez retentissante de Mendès, était devenu ministre des Finances et de l'Économie. Les socialistes avaient soutenu Mendès le radical, contre Pleven l'U.D.S.R., ce qui donnait à l'union dont faisait partie Mitterrand une allure déjà très conservatrice.

L'U.D.S.R., ayant compris que, seule, elle ne pouvait plus aller au combat électoral, se rapproche donc des radicaux et forme avec eux le Rassemblement des Gauches républicaines. Et c'est sous cette étiquette R.G.R. que Mitterrand décide de tenter sa chance aux élections pour la seconde Assemblée constituante (2 juin 1946) puisque les Français ont repoussé, le 5 mai 1946, le projet de constitution qui leur était soumis (en fait un projet socialo-communiste) et qu'il faut donc refaire une constitution.

C'est le « bon docteur Queuille » qui préside à la fabrication des listes R.G.R. Il n'est pas « chaud » pour que le jeune Mitterrand soit candidat, mais il ne parvient pas à l'empêcher de se présenter dans la ve circonscription de la Seine. Mitterrand fait donc campagne à Neuilly, Asnières, Saint-Ouen, Clichy-Levallois, Saint-Denis, Courbevoie, Puteaux, Colombes, Boulogne-Billancourt. Certes, il y a Neuilly et ses bourgeois, mais il y a aussi ces banlieusards qui lui plaisent tant depuis quelque temps ! C'est le scrutin à la représentation proportionnelle. Mitterrand a contre lui des listes communistes, socialistes, M.R.P. et du Parti républicain de la Liberté d'Edmond Barrachin. Barrachin est d'ailleurs lui-même tête de liste dans cette v^e circonscription. C'est un homme de droite, mais somme toute, proche des radicaux avec lesquels il a d'ailleurs organisé une sorte d'alliance pour ces élections, alliance que vient donc trahir Mitterrand. C'est sans doute ce qui expliquera l'échec du jeune U.D.S.R. Il est vrai qu'il a fort à faire puisque le P.C. a comme tête de liste Étienne Fajon, le socialiste Albert Gazier, sans parler du prestige d'alors du M.R.P. représenté ici par Fernand Bouxom et Yves Fagon. Sans être déshonorant, le score de Mitterrand est faible. Il obtient 21 511 voix, derrière les communistes (131 642 voix), le M.P.R. (85 684), la S.F.I.O. (76 489), le P.R.L. (39 101). Le P.C. a trois élus, le M.R.P. deux, la S.F.I.O. deux, le P.R.L. un, l'U.D.S.R. n'a rien.

L'important c'est d'essayer de voir clair dans le premier combat politique de Mitterrand. Longtemps et même aujourd'hui on a accusé le premier secrétaire du parti socialiste d'avoir commencé sa carrière politique « à droite ». Il paraît que rien ne lui est plus désagréable que cette accusation, lui qui pourtant devrait avoir l'habitude de toutes les calomnies. Seulement voilà, il ne s'agit plus ici d'une calomnie ! Le Rassemblement des Gauches républicaines d'Henri Queuille, l'Union Démocratique et Socialiste de la Résistance de Pleven sont des formations de droite ou du moins du centre droit, même si le premier se dit « des gauches » et le second « socialiste ». Et même si on affirme que, très rapidement, Mitterrand va s'opposer à la tendance Pleven pour prendre la direction d'une tendance « de gauche » au sein de l'U.D.S.R., on ne peut pas nier que Mitterrand soit entré dans l'arène politique par la droite. Il est vrai que, refusant le P.C., le Parti socialiste et le M.R.P., il n'avait plus guère le choix.

Quelques jours après cet échec de Mitterrand, de Gaulle, qui s'est retiré des affaires cinq mois plus tôt et qui est furieux qu'on ne l'ait pas rappelé, n'admettant pas de se retrouver dans la situation de Churchill (ou de Clemenceau après 1918), prononce son fameux discours de Bayeux, le 16 juin 1946. En fait, le Général espère encore pouvoir influencer la rédaction du deuxième projet de constitution. Il est hostile à celui que prépare la deuxième Constituante, toujours dominée par les « marxistes », même si les socialistes ont perdu des voix et même si le M.R.P. apparaît de plus en plus comme le plus grand parti de France – pour un temps. De Gaulle ne veut pas d'une constitution qui donnerait tous les pouvoirs au législatif et ferait de l'exécutif un prisonnier de l'Assemblée. Il présente à Bayeux (puis à Épinal) le projet de... 1958, ou presque. En tous les cas, il est déjà fondamentalement hostile à ce que va être la IVe République. Mais il n'est pas entendu et le 13 octobre 1946, le peuple, fatigué de ces innombrables scrutins, rassuré par le M.R.P. qui fait presque oublier le P.C., vote pour cette constitution, non sans un très fort pourcentage d'abstentions (35 % de oui, 32 % de non, 33 % d'abstentions). De Gaulle est contre cette constitution, mais Mitterrand, encore peu connu, est tout aussi hostile à ce texte. Il ne cachera jamais qu'il a voté lui aussi « non » ce 13 octobre 1946. Mais si de Gaulle et Mitterrand étaient ainsi d'accord pour dire « non » à la IVe, ce n'était pas pour les mêmes raisons : de Gaulle pensait déjà à la Constitution présidentielle, Mitterrand, lui, regrettait le parlementarisme de la IIIe.

Le « provisoire » prend fin avec ce vote ; il faut maintenant élire les premiers députés de la IVe République. Mitterrand est volontaire pour tenter une nouvelle fois la députation et, le « bon docteur Queuille » lui donne le choix : le R.G.R. n'a de candidat ni dans la Vienne ni dans la Nièvre. S'il le veut, le jeune homme peut aller tenter sa chance dans l'une des deux circonscriptions où, lors des élections pour la seconde Constituante de juin dernier, les R.G.R. n'ont fait aucun score. Les radicaux envoient l'ancien résistant à l'abattoir ! Queuille d'ailleurs lui dit très franchement : « On vous offre cette chance parce qu'elle n'existe pas. Allez-y quand même. Vous réussirez si vous écoutez tout le monde et n'en faites qu'à votre tête. »

Mitterrand choisit la Nièvre et écoute sans doute le conseil de Queuille. Le 2 juin 1946, les habitants de la Nièvre avaient envoyé à la Constituante, deux communistes, un socialiste et un M.R.P. Mitterrand, avec peu de moyens, dans une circonscription qu'il ignore totalement et où il est parfaitement inconnu, fait feu de tout bois. Il faut prendre un siège à l'un des quatre sortants. Il se présente donc comme un adversaire du tripartisme (déjà moribond) ; en fait, il l'est réellement. Du coup, il devient le candidat de l'« ordre établi », contre le « mouvement » que représentent le P.C. et la S.F.I.O., un candidat de l'opposition au gouvernement en place à Paris. Or, ce gouvernement est encore et malgré le départ de de Gaulle, une équipe « issue de la Résistance ». Le M.R.P. c'est Bidault successeur de Jean Moulin, le P.C. et la S.F.I.O. c'est la Résistance intérieure.

En vérité, Mitterrand va bénéficier de la situation générale. A ce scrutin, la S.F.I.O. paraît presque s'effondrer, perdant vingt sièges et surtout environ 750 000 voix, tandis que la droite semble amorcer son retour sur la scène. Pourquoi ? Sans aucun doute parce que le public en a assez du tripartisme contre nature, des jeux politiques stériles de Paris alors que la situation quotidienne est loin d'être brillante en France. Et puis, le public comprend mal cette position du M.R.P. qui est encore au pouvoir, après le départ du Général, alors qu'on pensait que ces chrétiens de la Résistance devraient être fidèles à de Gaulle. Pour peu que ses candidats soient efficaces dans leur campagne, l'U.D.S.R. arrive donc au bon moment.

J. Pataut dans sa *Sociologie électorale de la Nièvre au XXe siècle* écrit : « La liste d'Action et d'Unité républicaine de Mitterrand, très ambivalente, réalisant l'union des forces centristes et conservatrices, a su tirer parti de la réunion des partis de l'ordre, M.R.P. exclu, et de la loi électorale, elle a groupé les suffrages radicaux, ceux de la droite classique. (...) Elle a su se réclamer de la Résistance et du général de Gaulle et attirer les voix catholiques, grâce à l'Église. » C'est là tout l'objectif de l'U.D.S.R. Parti de l'ordre qui récupérait les voix des partis traditionnels et conservateurs, l'U.D.S.R. bénéficiait de l'aura de la Résistance, des voix des catholiques et refusait farouchement le virage à gauche que communistes et socialistes (les seconds entraînés par les premiers) voulaient imposer à la France au lendemain de la Libération. Les slogans de Mitterrand se limiteront à : « Il faut barrer la route aux communistes pour sauver la République et repousser les naïfs qui font leur jeu dans une alliance (on ne dit pas encore l'union de la gauche) contre nature. »

Mitterrand n'a pas le choix. Il est bien obligé de reconnaître dans *Ma part de vérité* qu'il a été « élu contre le tripartisme (communistes, S.F.I.O., M.R.P.) qui, de Gaulle rentré à Colombey, gouvernait alors notre pays. Sous la houlette d'Herriot et de Queuille, dirigeants du parti radical lié à l'U.D.S.R. par le Rassemblement des Gauches républicaines, j'ai obtenu un cocktail de suffrages allant des pires antigaullistes aux gaullistes enragés qui rêvaient déjà au coup d'État. » Après ce qu'il avait écrit d'Herriot un an plus tôt, on comprend qu'il en soit gêné encore trente ans plus tard mais la « houlette » du « pantouflard » a du bon, deux ans après la guerre. Les héros sont fatigués et surtout l'héroïsme fatigue. Et en effet, le 10 novembre 1946, Mitterrand obtenait, avec sa liste de l'Action et Unité républicaine, 30 080 voix, et donc un élu, (lui), derrière la liste du P.C., 39 909 voix, un élu aussi, mais devant celle de la S.F.I.O. 28 509 voix, un élu et celle du M.R.P. 20 049 voix, un élu. Il était le seul non tripartite à avoir pu se faufiler dans la Nièvre. Beau succès!

Autant l'histoire de la francisque est claire et tout à l'honneur de Mitterrand, autant l'histoire de cette première élection est claire, elle aussi, mais en contradiction avec une légende entretenue par les amis du premier secrétaire du P.S. qui affirment maintenant que dès son premier engagement politique, François Mitterrand « avait compris ». Non. Mitterrand en novembre 1946 est élu sur une liste de droite, comme tête de liste, et bénéficie de toutes les voix de droite du département qui ne veulent voter ni communiste, ni socialiste, ni M.R.P. parce qu'ils reprochent aux chrétiens de Georges Bidault d'avoir fait alliance avec le diable!

Mitterrand le sait d'ailleurs mieux que tout le monde mais sa défense sur ce sujet est bien malhabile. Quand, dans *Ma part de vérité*, il évoque ce premier succès électoral, il plaide « non coupable » avec une maladresse déconcertante, surtout de sa part: « Venu à Nevers il y a peu pour me combattre, M. Pompidou prétendit s'indigner de cette étrange coalition [grâce à laquelle il fut élu en 1946]. Plaise au ciel qu'elle lui soit à jamais épargnée! Je suis resté vingt-deux ans au Parlement (...), je n'ai jamais changé ni de circonscription électorale, ni de parti, ni de groupe. (...) J'ai voté toutes les lois économiques et sociales d'origine socialiste. J'ai appartenu à onze gouvernements. (...) Sauf dans le ministère Laniel que j'ai quitté au bout de trois mois en raison de mon désaccord sur la politique coloniale et dans le ministère de Mendès France, j'ai toujours participé à des gouvernements où siégeaient les socialistes. (...) Ainsi n'ai-je été que par l'effet de brefs hasards séparé de ceux qui sont aujourd'hui mes compagnons » (*sic*!).

Ce raisonnement est difficilement acceptable. Affirmer qu'il a siégé au conseil des ministres avec « presque toujours » des socialistes, pour en déduire qu'il n'a pratiquement jamais été séparé de ses compagnons d'aujourd'hui, relève purement et simplement de l'imposture. Les socialistes ont fait partie de nombreuses combinaisons ministérielles de la IVe République tout comme Mitterrand et beaucoup d'autres.

Non, tout comme il reconnaît parfaitement ses origines bourgeoises, même s'il les atténue quelque peu (ce qu'on lui pardonne volontiers), Mitterrand devrait avouer ses origines politiques. C'est autrement plus important. Et après tout, il ne serait pas le premier à avoir évolué, si du moins il l'a fait.

François Mitterrand vient de fêter ses trente ans, il est député de la Nièvre à la première Assemblée nationale de la IVe République. Dans l'hémicycle il va retrouver bon nombre de ses amis de la Résistance, dispersés un peu partout sur les travées.

Et surtout il trouve le chaos le plus total : le M.R.P. ne veut plus des communistes et donc Georges Bidault n'a plus assez de voix ; les communistes ne veulent plus du M.R.P. et donc Thorez ne peut rien faire ; quant aux socialistes, qui ont perdu des « plumes » au profit de tout le monde (du P.C., du M.R.P. et même, aux dernières élections, des radicaux ou R.G.R.), ils peuvent bénéficier de leur rôle d'arbitre et du prestige de quelques-uns de leurs chefs (Blum, bien sûr, mais aussi Gouin – qui va être injustement abattu par le scandale des vins –, Auriol et Ramadier).

Quand Mitterrand est élu député, Léon Blum est encore président du Gouvernement provisoire (où il a succédé à Bidault, lequel avait remplacé Gouin). Immédiatement, les institutions de la IVe se mettent en place : on élit à Versailles le premier président de la République. Les socialistes présentent Vincent Auriol, président depuis un mois de l'Assemblée nationale, le M.R.P. présente Champetier de Ribes, président du Conseil de la République, le R.G.R. avance Gasser, doyen du Conseil de la République, le P.R.L. fait de la figuration avec Michel Clemenceau. Comme l'écrit Auriol lui-même dans son *Journal* : « L'explication du nombre de ces candidatures se trouve dans cette phrase d'un journal M.R.P. : « Au cas où ces rivaux ne pourraient se départager, un outsider serait susceptible de surgir et les mettrait d'accord. » Et Auriol ajoute : « Les combineurs de la IIIe ne faisaient pas mieux. »

Vincent Auriol est élu et il appelle immédiatement son vieil ami Ramadier pour former le premier gouvernement. L'Auvergnat, massif, discret, intelligent, lent, barbichu n'a guère le choix. Pour

« tenir », il lui faut 314 voix à l'Assemblée, sinon il n'aura pas l'investiture. Alors c'est le début de la IVe. Il ne forme pas un gouvernement pour diriger le pays, mais il rassemble autour de lui un « petit Parlement » pour avoir ses 314 voix. Un ministre est choisi, non pas en fonction de ses qualités, mais en vertu – si l'on ose dire – du nombre de ses amis qui voteront pour lui (et donc pour le gouvernement) au Palais-Bourbon.

Le gouvernement que Ramadier présentera à Vincent Auriol le 22 janvier 1947 est extraordinaire. Tous les partis sont représentés, des communistes aux modérés ! Il a fallu, pour passer la barre fatidique des 314 voix, nommer vingt-six ministres ! Auriol écrit : « Vraiment trop nombreux. Encore n'y a-t-il pas les sous-secrétaires d'État. Ils sont vingt-six, vingt-six statues vivantes de la joie et de la fierté. (...) Échange de compliments. Sourires heureux lorsque je leur dis : " Ne vous divisez donc pas. Votre action et surtout l'intérêt du pays sont entre vos mains. " »

Mitterrand fait partie de ces vingt-six « statues vivantes de la fierté » ! Ramadier lui a confié le ministère des Anciens Combattants, sa « spécialité ». Dans ce gouvernement qui compte neuf ministres socialistes, cinq ministres communistes (Thorez est vice-président du Conseil), cinq M.R.P. – ce qui rappelle encore le tripartisme –, les ministres U.D.S.R. et leurs collègues indépendants font, bien sûr, et à juste titre, figure d'hommes de droite. Mitterrand n'a pas de chance car justement son ministère a été totalement « noyauté » par Laurent Casanova qui l'y avait précédé avant Max Lejeune.

Au total, Mitterrand avait bien joué en adhérant à l'U.D.S.R. Cette réunion créée, au départ, sur une série de refus (refus de la S.F.I.O. refus du M.R.P. et donc refus du tripartisme) devait inévitablement devenir un élément clé de toutes les combinaisons politiques de la future République puisqu'elle héritait des avantages de la Résistance et de la clientèle partielle des radicaux. Elle avait en plus et surtout, pour des hommes comme Mitterrand, l'avantage considérable de n'être pas envahie par des caciques. Il fallait l'U.D.S.R. au gouvernement et donc Mitterrand y avait sa place.

7. UN ANTICOMMUNISME VISCÉRAL

« ... Le communisme est l'ennemi... »
(Aux frontières de l'Union française)

La carrière politique de François Mitterrand sous la IVe République est une très brillante carrière... banale. Il est onze fois ministre ! Avec de très beaux portefeuilles, puisqu'il aura les Anciens Combattants, à une époque où c'est encore important, l'Information, la France d'Outre-Mer (qu'on sous-estime alors mais qui est déjà essentielle), le ministère de l'Intérieur et la Justice.

Si cette carrière s'était arrêtée avec la IVe, on pourrait comparer Mitterrand à des hommes comme Bourgès-Maunoury qui fut onze fois ministre (et une fois président du Conseil), comme Félix Gaillard (qui fut six fois ministre et une fois président du Conseil), comme René Pleven (six fois ministre et deux fois président du Conseil) ou Edgar Faure (sept fois ministre et deux fois président du Conseil). Mitterrand, lui, n'a jamais pu être président du Conseil, alors que la IVe a eu vingt-deux chefs de gouvernement et il n'a jamais pu avoir l'un des trois « grands » ministères : les Finances, les Affaires étrangères ou la Défense.

On pourrait presque dire que cette carrière est décevante. Il a été au gouvernement pendant sept années sur les onze qu'a duré la IVe, mais il n'a pas réussi à « percer » ! Il est moins « homme d'État » qu'un Mendès France, moins brillant qu'un Gaillard, moins malin qu'un Edgar Faure, moins représentatif qu'un Mollet ou qu'un Pinay. Il ne représente ni un idéal politique, ni une famille politique.

Il est au second rang, bien placé certes, mais pataugeant dans un certain marais. Il est vrai que la vie politique elle-même de la France n'est pas très exaltante. Si Mitterrand n'était pas devenu ce qu'il allait devenir après 1958, qu'aurait-on retenu de lui ? Sans doute l'image d'un médiocre politicien mais d'un bon débatteur. Certains de ses discours méritent de rester dans les annales de l'éloquence de la IVe. Et puis aussi un bon manœuvrier. Tant au sein de sa petite U.D.S.R. qu'au sein de l'hémicycle. Son destin ultérieur conduit à l'observer d'un œil tout différent pendant cette IVe, creuset de tant d'événements.

Pour simplifier le récit, nous allons diviser cette IVe en deux parties : avant 1954 et après 1954. C'est-à-dire avant Mendès France et après Mendès France. Et ce n'est pas arbitraire. D'abord, P.M.F. a considérablement modifié l'état d'esprit de la vie parlementaire pendant son passage à Matignon (et on peut se demander jusqu'à quel point son purisme, son style n'ont pas, bien malgré lui, facilité la fin de la IVe). On le sait, Mendès a considérablement marqué un grand nombre d'hommes, politiques ou non, qui ne s'en sont jamais « relevés » et François Mitterrand fait partie du lot. La vie politique de Mitterrand sous la IVe se divise donc bien en un « en attendant Mendès » et en un « après Mendès ».

Commençons par l'« en attendant Mendès ». Trois grands thèmes dominent alors la vie politique française et donc celle du député de la Nièvre : les communistes qui vont très rapidement quitter le pouvoir et devenir « un État dans l'État hors de l'État » d'autant plus redoutable que c'est la guerre froide et une longue période de difficultés sociales ; deuxième thème : les colonies, puisque la IVe commence avec la guerre d'Indochine et le drame de Madagascar pour se terminer avec l'Algérie ; enfin, les institutions elles-mêmes de cette IVe, puisque partie à cloche-pied avec une mauvaise Constitution, elle vacillera de crise en crise jusqu'à sa chute. Nous allons donc observer notre héros sur ces trois thèmes, d'abord jusqu'à l'arrivée de Mendès. En effet, si son « impérialisme » d'alors n'a plus guère de signification pour l'hexagone d'aujourd'hui, il peut tout de même révéler un tempérament et une intelligence politiques ; quant à son « anticommunisme viscéral » et son exigence politique d'un État fort, ils peuvent être significatifs pour demain.

Commençons donc par « l'anticommunisme viscéral » de Mitterrand puisqu'il se révèle dès son arrivée au ministère des Anciens Combattants, en janvier 1947. Franz-Olivier Giesbert raconte dans son ouvrage l'arrivée de Mitterrand au ministère de la rue de Bellechasse : « Le ministère est occupé par les militants du P.C. Le piquet de grève le laisse entrer avec un seul de ses collaborateurs, Georges Beauchamp, son chef de cabinet. Et le voilà qui s'installe dans les lieux. Mais le vrai patron de l'endroit c'est Zilberman, le responsable de la C.G.T. Le député de la Nièvre ne tarde pas à s'en apercevoir. Dans son bureau, il y a vingt-cinq personnes et quelques lits où dorment les grévistes. Sa secrétaire est, bien entendu, communiste. Toutes ses communications téléphoniques sont écoutées. Pendant une journée, le personnel maintient prisonnier le nouveau ministre. Mitterrand ne se laisse pas intimider. Le 24, après une difficile négociation, il parvient à faire sortir Georges Beauchamp, lequel publie alors, sous la signature du ministre, un arrêté révoquant tous les responsables des départements en grève et nommant à leur place les présidents des Associations de prisonniers. Aussitôt, aux Anciens Combattants, c'est la consternation, les vieux routiers du parti communiste se frottent les yeux, ils n'en reviennent pas. (...) »

Zilberman, grave et résolu, se rend dans le bureau de Mitterrand à la tête d'une imposante délégation. Et c'est le bref échange. Zilberman : « Vos méthodes sont absolument inadmissibles ! C'est un véritable coup de force. Je vous préviens que nous ne nous inclinerons pas... » Mitterrand : « Écoutez, je n'accepte pas que vous me parliez sur ce ton. L'audience est terminée. Vous pouvez disposer [Mitterrand se lève]. Revenez quand vous serez dans de meilleures dispositions. En attendant, adressez-vous à mon directeur de cabinet. » Le 24 janvier, le P.C. et la C.G.T. décident de céder. Giesbert a raison. Dans cette difficile première épreuve, le novice a su se tirer d'affaire et montrer qu'il était un interlocuteur coriace.

Comment alors ne pas se souvenir de ce qui s'était passé, au milieu de 1945, alors que de Gaulle était encore au pouvoir. C'est ce que le général a appelé « l'affaire des prisonniers » et qu'il raconte dans ses *Mémoires*.

« Utilisant calculs et rancœurs, les communistes ont pris sous leur coupe le Mouvement national des Prisonniers qui entame une lutte contre le ministre Henri Frenay. Indépendamment des motions insultantes que le Mouvement publie dans les journaux et des discours que tiennent ses orateurs, il s'efforce d'organiser des manifestations aux points de rassemblement et dans les centres hospitaliers. Les cérémonies auxquelles donnent lieu le retour des captifs et surtout celui des déportés de la Résistance lui sont autant d'occasions de faire paraître des équipes vociférantes. A Paris même, des cortèges sont formés, parcourent les boulevards, défilent avenue Foch sous les fenêtres du ministère des Prisonniers aux cris de "Frenay, au poteau !" (...). Les meneurs espèrent que le gouvernement lancera la force publique contre les manifestants, ce qui excitera l'indignation populaire, ou bien que cédant à la menace, il sacrifiera le ministre vilipendé. Quant aux autres fractions politiques elles assistent à l'étalage de cette démagogie sans fournir au pouvoir aucune espèce de soutien. Pourtant l'affaire est vite réglée.»

A son bureau, le Général convoqua les dirigeants du Mouvement, leur dit que ce qui se passait était intolérable et exigea qu'ils y missent un terme, que c'était à eux d'en répondre. Ils lui affirmèrent qu'il s'agissait d'une explosion de colère justifiée de la part des prisonniers et que même eux ne pouvaient l'empêcher. Il leur déclara que l'ordre public devait être maintenu ; sinon c'est qu'ils étaient impuissants vis-à-vis de leurs propres gens et, dans ce cas, il leur faudrait, séance tenante, lui écrire et annoncer leur démission. Dans le cas contraire, ils étaient effectivement les chefs. Ils devaient alors lui donner l'engagement formel que toute agitation serait terminée le jour même ; sinon avant d'avoir pu sortir, ils seraient mis, dans l'antichambre, en état d'arrestation. Il ne pouvait leur accorder que trois minutes pour choisir. Ils allèrent conférer entre eux dans l'embrasure d'une fenêtre et revinrent aussitôt en lui disant qu'ils avaient compris et ils lui garantirent que les manifestations allaient cesser. Il en fut ainsi le jour-même. Avouons qu'il était, en effet, difficile de ne pas rapprocher les deux anecdotes. Elles sont bien révélatrices. D'abord du noyautage effectif du monde des anciens prisonniers par les communistes, ensuite du côté gaullien de Mitterrand.

Il ne fait guère de doute que Mitterrand, alors éditorialiste d'un des journaux des Anciens Prisonniers, a eu connaissance de la manière dont le général avait mis fin aux manifestations déclenchées par le P.C. contre Frenay (et en fait contre le régime) et qu'il en a pris bonne note. Arrivant rue de Bellechasse, ayant en face de lui les mêmes adversaires que le général, mais renforcés encore par quelques mois de chaos et par une entrée officielle dans l'appareil du régime (il y a cinq ministres communistes avec Mitterrand dans le gouvernement, et des ministres autrement plus importants que celui des Anciens Combattants) et n'étant qu'un « blanc-bec » juste élu député de la Nièvre et pris comme ministre pour parvenir au subtil équilibre d'une combinaison ministérielle, il se comporte pourtant exactement comme l'homme du 18 juin, le libérateur, le héros tout-puissant...

Mitterrand, dans son nouveau rôle de ministre, n'utilise pas seulement le style. Il manie déjà l'habileté. En effet, les communistes avaient toujours défendu les présidents des associations d'anciens prisonniers et reproché au gouvernement de ne pas leur avoir donné assez de pouvoirs. Ainsi en nommant ceux-ci à la place des fonctionnaires révoqués pour fait de grève, Mitterrand mettait-il très mal à l'aise le P.C. puisqu'en valorisant ainsi les présidents des associations il avait l'air de donner raison aux communistes !

Tout se clarifie rapidement dans ce chaos. Très vite, Thorez va être dépassé, si ce n'est par l'aile dure du parti qui n'a jamais été favorable à la collaboration du P.C. avec les gouvernements de Gaulle, Gouin, Bidault, Blum et Ramadier, du moins par les événements. Il n'était pas possible que les ministres communistes restent au gouvernement, en cette période de reconstruction nationale alors que le parti lui-même jouait encore sur l'espoir de la révolution, espoir qu'il avait acquis pendant la Résistance, comme de Gaulle l'avait soupçonné. Le gouvernement – qui allait jusqu'au centre droit –, voulait vite retrouver la stabilité, pour se « mettre au travail » alors que les communistes espéraient encore que, du chaos, pourrait sortir « quelque chose » pour eux. Ils voyaient tous les pays de l'Est tomber, les uns après les autres, sous la coupe de Moscou et de régimes communistes ; ils savaient que, comme l'avait dit de Gaulle, l'Armée Rouge n'était qu'à « deux étapes du tour de France » de notre pays.

La politique de Thorez, qui consistait à noyauter le pays en participant à un gouvernement pour le moins équivoque, n'était plus guère possible. Tout allait trop vite. Les blocs (occidental et communiste) étaient en train de se former. On s'apprêtait à la guerre froide. Aux États-Unis, certains extrémistes estimaient que l'Amérique devait profiter de l'avantage qu'elle avait encore avec sa bombe atomique, pour faire reculer les Russes ; d'autres, plus raisonnables, pensaient qu'au contraire, pour s'emparer de l'Est européen, l'Amérique se devait d'aider économiquement tout le monde avec le Plan Marshall. Mais les Soviétiques, en plein stalinisme, ne l'entendaient pas de cette oreille. Il fallait, à leurs yeux, que l'après-guerre continue à leur apporter cet étrange butin : les pays libérés européens. Moscou ne voulait donc pas que les P.C. jouent le jeu des démocraties qui tentaient de se relever de leurs ruines. Il fallait profiter du mécontentement inévitable dans tous ces pays appauvris, pour gagner du terrain jusqu'à la prise du pouvoir.

En France, on en arrive à des situations paradoxales : ainsi, quand les députés du P.C. s'abstiennent lors d'un scrutin et que les ministres communistes, eux, votent pour le gouvernement dont ils font partie, comme ce fut le cas lors du vote des crédits militaires pour l'Indochine. Mais en fait ce qui met les ministres communistes dans une situation plus que délicate, c'est moins « la volonté » de Moscou (la réunion du Kominform ne se tiendra que le 22 septembre 1947 à Varsovie) que la situation intérieure même. Le P.C. ne veut à aucun prix être débordé par la gauche. « Pas d'ennemi à gauche » reste le grand mot d'ordre intérieur. Les communistes ne veulent donc pas se désolidariser des nombreux mécontents et sont obligés de prendre tous les trains de la revendication en route, de faire une surenchère qui ne peut être que de l'opposition au gouvernement. Il leur faut à la fois faire partie de l'orchestre national et tenir le rôle du chef d'orchestre clandestin qui anime le mécontentement. Et ce d'autant plus qu'ils ont peur que ces mécontents ne rejoignent le Rassemblement du Peuple français que de Gaulle entreprend de mettre sur pied. Le P.C. demande donc des augmentations de salaires et des diminutions de prix !

Le « brave » Ramadier comprend que la coalition gigantesque qu'il a formée ne tiendra plus longtemps et veut, au moins, prendre pour lui l'avantage de la rupture. Le 5 mai 1947, il révoque tous ses ministres communistes et les remplace aussitôt.

C'est une espèce de coup d'État « pour sauver la République ». Les communistes ne sont jamais revenus au pouvoir depuis ! Mais, sur le moment, ils sont convaincus que leur disgrâce sera de courte durée et, curieusement, ils ne se déchaînent pas contre Ramadier ni même contre la politique générale du gouvernement. Ils ne protestent ni contre les projets du Plan Marshall, ni contre le début de l'Atlantisme. Thorez pleure au cours de son dernier Conseil des ministres. Il faudra attendre les « instructions du Kominform » pour les voir entrer, début octobre 1947, dans leur ghetto qu'ils transformeront en batterie d'artillerie contre le gouvernement, le « parti de réaction qui va de Blum à de Gaulle » *(sic)* et « Blum, ce valet de l'impérialisme américain » *(resic).*

Que fait Mitterrand dans tout cela ? Pas grand-chose à dire vrai ; il est bien jeune dans « la maison ». C'est Ramadier, aidé de

Blum, et surtout du M.R.P. qui mènera l'opération « expulsion » des communistes, avec la bénédiction de Vincent Auriol. Le président de la République a compris que, contrairement à ce qu'avait souhaité Blum dans son livre *A l'échelle humaine*, le P.C. ne réintègre pas plus la démocratie française que l'U.R.S.S. ne réintègre l'Europe « de grand cœur et sincèrement ».

En fait, l'U.D.S.R. n'était pas dans le coup. Il revenait aux anciens partenaires du P.C. au sein du tripartisme de chasser le parti que Léon Blum appelait le « parti nationaliste étranger ». Les socialistes surtout qui avaient des comptes à régler. Ils n'avaient pas oublié les grèves de 36 (fomentées par le P.C.) pour embarrasser le Front populaire; ils n'avaient pas oublié le pacte germano-soviétique; ils n'avaient pas oublié les conflits au sein de la Résistance après 1941 et encore moins les combats sans pitié que le P.C. leur avait livrés à chaque élection depuis la Libération, combats que les socialistes avaient très régulièrement perdus. Bref, ils n'avaient pas oublié le Congrès de Tours. Quant au M.R.P. par définition il détestait le P.C.F., son allié depuis la Libération. L'U.D.S.R., elle, se contentait de triompher. Elle pouvait enfin retrouver ses amis socialistes de la Résistance, elle qui s'était presque officiellement créée pour contrebalancer le P.C. sur la droite de la S.F.I.O. Comme écrit Vincent Auriol le 4 mai : « Il n'est pas douteux que le départ des communistes change l'axe de la majorité et qu'on va s'orienter vers le centre gauche. » C'est justement ce que cette U.D.S.R., alliée aux radicaux, espérait depuis sa création.

Mitterrand donc est ravi d'appartenir à ce gouvernement qui chasse les communistes du pouvoir ; lui s'occupe surtout des dossiers techniques de son ministère. Il gère bien les affaires de ses anciens camarades de stalag. Il réorganise l'Office des Combattants, crée la carte des combattants de 1939-1945, le statut des Déportés de la Résistance et fait augmenter les pensions de guerre de plus de 70 %, mesure tout à fait remarquable en cette période d'austérité.

A la fin de l'été 1947 ce sont de grandes grèves dans toute la France, organisées par le P.C. avec souvent des affrontements violents. Grève chez Peugeot, Berliet, Michelin, à Béziers, Troyes, Firminy, grève des transports parisiens, de la marine marchande, des dockers, émeute à Marseille, grève dans les mines du Nord, dans la métallurgie, etc. Ramadier est épuisé physiquement et politiquement. Ses amis de la S.F.I.O. le lâchent mais c'est surtout le M.R.P. qui multiplie les démarches hostiles.

Le M.R.P. doit «faire quelque chose» pour riposter au retour à la vie politique de de Gaulle qui, avec son nouveau R.P.F., risque de mordre considérablement dans la clientèle des chrétiens de la Résistance. *Exit* donc le « brave » socialiste barbichu qui est remplacé, après un tour de piste de Léon Blum, par le « brave » M.R.P. Robert Schuman, ministre des Finances de Ramadier. On prend les mêmes, ou presque, et on recommence. Mitterrand reste aux Anciens Combattants. Il est discret et l'U.D.S.R. devient de plus en plus indispensable pour lutter maintenant sur les deux fronts de l'opposition : les communistes et les gaullistes.

On peut alors se demander pourquoi Mitterrand n'a pas rejoint le R.P.F. Question fondamentale. En fait, c'est à partir de ce moment-là, et seulement, que commence la rupture entre Mitterrand et de Gaulle. Si le Général avait lancé son Rassemblement en 1944, il y a tout lieu de penser que Mitterrand, qui souhaitait alors que « l'esprit de la Résistance » puisse modifier l'esprit de la vie politique française, et qui écrivait «fions-nous au général de Gaulle» (septembre 1944), aurait rejoint ce mouvement. Mais, dès le 8 avril 1947, date de création du R.P.F., il lui est hostile. Il refuse de suivre ses amis Capitant et Baumel qui, logiques avec eux-mêmes, pensent que l'U.D.S.R., ce parti de la Résistance qui n'a pas pu trouver d'électorat sans les radicaux, doit rejoindre le parti du Général. Mitterrand reconnaît que « pratiquement les sept dixièmes des adhérents de l'U.D.S.R. » vont s'inscrire au R.P.F., que « quelques-uns des meilleurs dirigeants» de l'U.D.S.R. et quatorze de ses parlementaires vont gagner le R.P.F. ! Mitterrand se déchaîne. Tout en reconnaissant que «tout n'est pas mauvais dans l'action et le programme du R.P.F. », il l'accuse de «reprendre à son compte une entreprise très connue mais un peu vieillotte qui est l'entreprise des partis autoritaires», d'être «sans aucun doute un mouvement puissant, qui représente le quart, ou un peu plus, de la nation française, mais qui décèle aussi toutes les marques de la déchéance (...), tous les dangers que comporte un rassemblement de ce genre, parce que, quoi qu'on en dise, quoi qu'on en veuille, la France est un vieux pays et je ne crois pas que la solution soit dans la confusion, dans la disparition des nuances et sans doute non plus des partis».

Mitterrand qui, avec sa seule autorité, sa seule intelligence et son seul prestige, a redonné toute sa puissance au parti socialiste, doit relire ces lignes avec une certaine inquiétude aujourd'hui. Mais, en 1947 il était devenu un parlementaire, un « élu du peuple » et un ministre parce que son petit groupe était « trop faible pour être craint mais trop puissant pour être ignoré ». Il était donc entré de plain-pied dans le système (de la IIIe République) et il lui trouvait bien des avantages y compris avec ses partis politiques puisqu'ils évitent la confusion (!) et la disparition des nuances.

C'était trop tard pour lui. Sa première rencontre avec de Gaulle, à Alger, avait été un malentendu, sans que ni l'un ni l'autre s'en soit bien rendu compte ; cette fois, quatre ans plus tard, Mitterrand n'irait pas au rendez-vous.

L'erreur politique, d'ailleurs, c'est de Gaulle qui l'a commise. En lançant son R.P.F., le Général n'a pas compris qu'il était trop tard pour rattraper son départ maladroit, que le train qu'il avait lui-même mis sur les rails en ressuscitant la IIIe République (parce qu'il craignait tant l'esprit de la Résistance) était parti, irrémédiablement. Les hommes providentiels, les mesures exceptionnelles ne peuvent réussir que dans des situations exceptionnelles. 1944 en était une. Pas 1947. Il faudra attendre – ou provoquer – 1958. Le Général le comprendra rapidement, en 1953, quand il demandera à ses fidèles de ne plus utiliser le sigle du R.P.F.

Curieusement, la période qui sépare septembre 1944 (Mitterrand quitte le gouvernement provisoire de de Gaulle) d'avril 1947 (Mitterrand refuse d'entrer au R.P.F. de de Gaulle), donne l'impression d'un chassé-croisé. D'abord, l'éditorialiste de *Libres*, sur la touche, observe et s'inquiète de voir tous les espoirs s'estomper ; puis redoutant les communistes, déçu par la S.F.I.O. et refusant la « trahison » du M.R.P., il entre dans l'opposition au tripartisme que de Gaulle a certes, « objectivement », mis sur pied, mais qui maintenant lutte contre de Gaulle. Il est élu et entre dans un gouvernement tripartite qui, par là même, commence à ne plus être tripartite. Puis il participe, ou du moins assiste avec plaisir, à l'élimination du « grand compère des trois », le P.C., et se trouve donc être vainqueur en quelque sorte du tripartisme qui avait chassé de Gaulle. Mais à ce moment-là, de Gaulle ne s'en prend plus au tripartisme, mais au multipartisme. Mitterrand, satisfait de voir que le parlementarisme renaissant a réussi à éliminer le P.C.F., dans la légalité, ne voit pas alors pourquoi on se remettrait à pratiquer des méthodes qui frisent l'illégalité. De Gaulle ne veut pas de ce retour à la IIIe République, Mitterrand trouve que cette IIIe renaissante s'en sort assez bien. L'un et l'autre ont voté contre la IVe, mais Mitterrand va devenir l'un des caciques de cette République, avec tous ses défauts, alors que de

Gaulle n'aura de cesse de faire vaciller ce régime qui ne veut plus de lui, dans lequel il n'a d'ailleurs pas sa place.

Mais revenons-en au gouvernement de Robert Schuman. Mitterrand est donc toujours aux Anciens Combattants et le socialiste Jules Moch est ministre de l'Intérieur. Ce sont les grandes grèves ; les communistes n'ont plus à cacher leur jeu de « chef d'orchestre ». C'est pratiquement une époque pré-révolutionnaire. Mitterrand écrit : « La puissance du parti communiste à l'heure où l'Armée Rouge était devenue la force dominante en Europe, avait laissé craindre qu'il ne cédât à la tentation d'un soulèvement populaire, prélude à un coup d'État. (...) Avec les grèves de 1947 et 1948, inspirées par les communistes et la répression policière conduite par Jules Moch (...), la lutte entre les partis de gauche prit une tournure violente. (...) Pour les socialistes, le parti communiste avait trahi la France. Pour les communistes, les socialistes avaient trahi la classe ouvrière. »

C'est un bon résumé de la situation de 1947-1948 écrit en 1969, dans *Ma part de vérité*. A le lire on croirait que l'auteur a été un simple observateur, presque amusé devant la « répression policière » à laquelle se livre le socialiste Jules Moch contre le parti de Maurice Thorez. Mitterrand oublie une chose : c'est qu'il faisait partie du même gouvernement que Jules Moch, qu'il était parfaitement d'accord avec ce ministre de l'Intérieur qui sut faire preuve d'autorité et que c'était précisément la présence de radicaux ou de modérés comme lui dans cette combinaison gouvernementale qui permettait aux M.R.P. et aux socialistes de réprimer les émeutiers communistes. Moch rappelle certaines classes, 80 000 hommes, et envoie la troupe contre les grévistes, pour ne pas dire contre les communistes. Et Mitterrand est là encore satisfait. Quand en 1951, il se représentera devant ses électeurs de la Nièvre pour les nouvelles élections législatives, il fera le bilan de son action et se vantera d'avoir appartenu à des gouvernements qui « ont été marqués par l'éviction des communistes, en mai 1947, et par la lutte efficace contre les grèves politiques ».

Mitterrand est donc un farouche adversaire des communistes. Guère plus que les socialistes, il est vrai. Comme eux, il a en horreur cet univers communiste où l'on a entendu « Vychinski glapir à Moscou ses étranges fureurs, vipères lubriques, rats visqueux, Boukharine reconnaître le crime inventé pour le tuer, Krestinsky refuser l'aveu et revenir docile à l'audience le lendemain. O, nuit de l'âme ! » (*Le coup d'État permanent*, p. 265).

En 1947, Mitterrand a été élu conseiller municipal de Nevers; il s'installe donc bien dans la région où Queuille l'a «parachuté» un an plus tôt, et, en 1949, il devient conseiller général du canton de Montsauche, en battant le conseiller général sortant qui était... communiste. Son objectif est de battre partout les communistes et de les chasser totalement du pouvoir. Quelques mois plus tard, il dira: «L'U.D.S.R. entend mener la lutte contre le communisme sur tous les plans: démasquer sans répit ses mensonges, utiliser contre lui les lois existantes, au besoin les compléter, en particulier prononcer l'incompatibilité entre l'appartenance au parti communiste et l'exercice de fonctions administratives ou de sécurité.» (Manifeste de l'U.D.S.R.: «L'U.D.S.R., parti qui grandit.») Ce qui va, tout de même, très loin...

Si cet anticommunisme peut sembler excessif aujourd'hui alors que certains regrettent qu'on ait mis un quart des Français dans un ghetto, il faut se souvenir de l'atmosphère qui régnait en France, alors que l'U.R.S.S. s'emparait, par P.C. locaux interposés, de la Roumanie (30 décembre 1947), de la Tchécoslovaquie (24 février 1948).

On se bat dans l'hémicycle du Palais-Bourbon entre démocrates et communistes, il faut à maintes reprises que le président Édouard Herriot fasse évacuer la salle par les gardes républicains.

Si Mitterrand n'est pas un adepte du coup de poing contre les communistes, il est un des ténors de l'anticommunisme. Tous ceux qui y ont assisté, ont gardé en mémoire la célèbre séance du 29 novembre 1947, l'une des plus belles de la IVe ! Jacques Duclos se déchaîne contre le président du Conseil, Robert Schuman, qui, Lorrain, a servi dans l'armée allemande pendant la Première Guerre mondiale: «Schuman, pas le parachutiste [allusion délicate à Maurice Schuman qui selon une légende tenace n'aurait pas osé sauter en parachute au-dessus de la France libérée en 1944] non, l'autre, le boche, celui qui, affublé d'un casque à pointe, se mouche dans le drapeau français, sur les marches du Palais-Bourbon...» Il attaque aussi tous les membres du gouvernement: «Salauds, salauds, chiens couchants !», Jules Moch «bas policier», etc. Mitterrand prend alors la parole et s'écrie: «Je ne savais pas que Benoît Frachon pût être assimilé à Gorgulov» (assassin communiste de Paul Doumer). Thorez se lève et hurle: «Mitterrand, provocateur, vous parlez comme Gœring !», etc.

Les incidents de ce genre sont très nombreux. Visiblement,

François Mitterrand, cet ancien timide qui s'est aperçu qu'il était « très bon » à la tribune, ne laisse jamais passer une occasion de faire ses preuves. Son style s'affine. Il reste très droit, très calme, méprisant. Il manie les références historiques, littéraires, il a derrière lui toute la culture « bourgeoise ». Bref, il s'impose.

Mais il apparaît aussi, de plus en plus, comme un homme seul. La petite U.D.S.R. a, en effet, bien des difficultés. Avec l'apparition du R.P.F., elle a perdu la plupart de ses effectifs et, en son sein même, il y a de plus en plus clairement deux tendances : celle, animée par René Pleven, plus « à droite » et celle, plus « au centre » — ou moins à droite —, qu'anime Mitterrand avec bien peu de supporters. Mais, si l'U.D.S.R. n'est plus guère cet « État tampon » entre le R.P.F. et la « troisième force » dont parlait Bourdan ou ce « Cheval de Troie » qu'évoquait Jacques Fauvet dans *Le Monde*, Mitterrand, lui, devient, solitaire, un élément clé de la IVe puisqu'il est en première ligne aussi bien contre le P.C. que contre le R.P.F. Il a trente-deux ans quand Schuman lui propose le ministère de l'Intérieur ! Il est vrai que Schuman l'aime bien. Ils ont la même formation de chrétien-démocrate. L'U.D.S.R., sous la pression de la S.F.I.O., n'autorise pas Mitterrand à accepter ce poste et d'ailleurs ce nouveau gouvernement ne recevra pas l'investiture !

Le 26 juillet 1948, Mitterrand devient secrétaire d'État à l'Information dans le gouvernement d'André Marie, radical-socialiste. Il reste à ce poste dans les deux gouvernements suivants, celui de Robert Schuman (qui ne durera que douze jours) et celui d'Henri Queuille (jusqu'en octobre 1949). Là encore Mitterrand est un bon gestionnaire. C'est lui, notamment, qui décide du choix du procédé de télévision. Il choisit le « 819 lignes ». Il tente aussi de transformer la radio d'État qui était devenue un ramassis de chapelles politiques où chacun — et notamment les communistes — tentait d'imposer sa propre propagande. Dans la guerre des ondes que se livrent déjà les deux blocs, il fait répondre coup pour coup aux attaques de Radio Moscou contre les dirigeants français, c'est-à-dire, en fait, contre Léon Blum, « le valet des trusts ». Mitterrand fait alors partie de ces bons gestionnaires, grands travailleurs qui, quoi qu'on en ait dit, « sauveront » aux yeux de l'histoire la IVe République en lui permettant tout de même d'offrir un jour un bilan de reconstruction très honorable.

Mais c'est, bien sûr, en tant que débatteur politique qu'on le remarque le plus. A son combat contre le P.C.F. s'ajoute maintenant un combat contre le R.P.F., car si le P.C., ayant raté « son coup », semble moins dangereux dans son ghetto, le R.P.F., lui, devient très important. En octobre 1947, soit six mois après sa création, il compte déjà un million et demi d'adhérents ! Il a remporté des succès considérables aux municipales puis aux cantonales et tout le monde sent qu'aux prochaines législatives qui vont avoir lieu en 1951, il pourrait bien tout balayer. Tout, c'est-à-dire une République qui commence à s'installer et qui ressemble à la « bonne France provinciale » qu'aime Mitterrand avec des socialistes « bon teint », avec des chrétiens raisonnables, avec des résistants qui ont su s'intégrer dans des formations sans se figer dans des associations d'anciens combattants nostalgiques (« bonnes à faire des 6 février »), avec des notables radicaux, radicaux socialistes, etc. Finalement, Mitterrand en vient à préférer les « pantoufles » aux bottes des anciens combattants.

Ce R.P.F., pour Mitterrand, c'est l'aventure, mais l'aventure glorieuse, il l'a vécue et elle est terminée, la nouvelle peut être redoutable. Et Mitterrand n'y va pas de main morte ! Il met carrément dans le même sac P.C.F. et R.P.F. ! Il s'écrit : « Il nous semble que la mission de l'U.D.S.R., tout en gardant sa ligne située à gauche [et là il se reprend, ce qui est bien symptomatique], au centre gauche, dans le cadre des institutions républicaines, est de rappeler constamment que la République française a besoin d'être profondément modifiée, remaniée, modernisée, de rappeler aux républicains que c'est là le seul moyen d'échapper à la menace de ces deux formes de la même révolution qui s'appellent le communisme et le fascisme. » *(Les cahiers de l'U.D.S.R.)*

Par « fascisme », Mitterrand entend gaullisme, déjà ! Même s'il n'ose pas encore tout à fait le déclarer. Il faudra attendre le 3e congrès de l'U.D.S.R. en juin 1949, pour qu'avec bien des circonlocutions, il avoue : « Hier soir un ami me posait cette question : " Est-il exact que tu aies dit à Dijon qu'il fallait se méfier d'une égale manière d'un fascisme venu de l'Est ou d'un fascisme qui aurait trouvé son expression dans un homme [c'est-à-dire pratiquement le général de Gaulle] ? Est-il exact que tu aies dit cela ? " A quoi je lui répondais dans le privé : " Ce n'est pas exactement ce que je disais, mais je me garderais bien de le démentir, car c'est aussi un peu ce que je pense. » Bref, il ne l'a pas dit, mais il le pense, et il dit maintenant qu'il le pense. Pas très à l'aise, mais tout de même très clair. Il est vrai qu'il était encore difficile, en 1949, de traiter de Gaulle de fasciste !

Pourquoi cette rage contre ce parti auquel, à quelques années près, il aurait pu adhérer ? Il faut se reposer la question maintenant que Mitterrand n'hésite plus à déclarer : « Je ne puis m'empêcher de considérer le R.P.F. comme un adversaire » (11 juin 1949) et maintenant qu'on voit ce qu'est ce Rassemblement du Peuple français. Quinze ans plus tard, en 1964, dans *Le coup d'État permanent*, Mitterrand s'en prendra très violemment aux « néo-gaullistes ». Mais on peut se demander si, déjà, ces militants du R.P.F. ne le choquent pas pour les mêmes raisons. Il écrira : « Comme le gaullisme a vieilli depuis l'aube ! Mérite-t-il d'ailleurs son nom, ce gaullisme-là qui renifle (...) et qui, pour hâter la chance, conclut cette étonnante alliance qui, passant par-dessus le schisme de 1940, réconcilie, pour un temps, les deux fractions du nationalisme français ? Enfin l'heure de la revanche, de toutes les revanches, allait sonner (...). L'extraordinaire cocktail ! Les anciens des réseaux et du B.C.R.A., les doriotistes et les miliciens, la grande bourgeoisie d'affaires et la vieille garde d'Action française, les poujadistes et les activistes, les ratés et les nostalgiques du fascisme ! Personne ne manquait au rendez-vous. »

Beau texte, il faut le dire, et qui « fait mal » comme un discours de Mitterrand. Il s'adresse, certes, non pas au R.P.F. de 1947, mais à l'U.D.R. de 1958. Cependant il est très révélateur et on a l'impression que si on gommait quelques références à l'actualité de 1958, on y trouverait tout ce qu'a dû ressentir Mitterrand devant le R.P.F. On ne peut qu'être étonné par la phrase : « Comme il a vieilli ! Et mérite-t-il encore son nom, ce gaullisme-là ? » Elle ne peut être prononcée que par un vrai gaulliste, un nostalgique auquel on a volé quelque chose et qui s'insurge de voir que d'autres, des ennemis, se sont emparés de ce qu'il considérait comme étant un peu lui, même s'il ne l'avait jamais dit. Il ne fait aucun doute que Mitterrand, l'ancien du réseau qui appartient à l'autre « fraction du nationalisme français », est scandalisé en 1947 par les centaines de milliers de « ratés », de « laissés pour compte » (par la IVe débutante) qui se parent soudain, sous les couleurs du R.P.F., d'un drapeau qu'il a, lui, porté avec quelques amis et qui n'étaient pas si nombreux. On comprend de mieux en mieux pourquoi Mitterrand ne sera pas au second rendez-vous avec le Général.

En octobre 1949, le gouvernement d'Henri Queuille tombe et c'est Georges Bidault qui le remplace à Matignon. Mitterrand, cette fois, ne fait pas partie de la combinaison ministérielle. Il ne s'est jamais entendu avec l'ancien président du C.N.R. qui est, sans doute, le type même du chrétien et du résistant qu'il déteste.

Le hasard d'une tournée de conférences va conduire le député de la Nièvre, ancien ministre, en Afrique noire. C'est une nouvelle étape (importante) dans la vie de Mitterrand, mais non pas comme il le dira plus tard « l'expérience majeure de ma vie politique dont elle a commandé l'évolution [1] », si tant est que « l'observateur » puisse se permettre de savoir mieux que lui quelles ont été les expériences majeures de sa vie... Dans cette « étape coloniale » de Mitterrand, on retrouvera tous les ingrédients précédents : l'anticommunisme, hostilité au R.P.F., le goût de la légalité, un sens gaullien de la grandeur de la France, un amour (qu'on ose à peine appeler chrétien) pour une plus grande justice, bref, le Mitterrand que nous connaissons maintenant depuis Jarnac ou presque.

1. *Ma part de vérité*. Fayard, 1969, p. 35.

8. UN IMPÉRIALISME FAROUCHE

« La France des Flandres au Congo. »

Après avoir été surtout préoccupée par l'élimination du parti communiste français, la IVe République est marquée par les affaires coloniales. D'abord par l'interminable guerre d'Indochine (sans parler du drame de Madagascar) puis surtout par l'Algérie qui la tuera.

Mitterrand, nous venons de le voir, a été, comme tout le monde mais souvent plus que d'autres, un adversaire des communistes. Il faut cependant reconnaître que son action est restée relativement modeste, ne serait-ce que parce que le jeune ministre n'avait pas encore une grande influence au sein de la vie politique française. Il s'est contenté de purger les deux administrations dont il était responsable (les Anciens Combattants et l'Information) noyautées par les communistes à la Libération. Maintenant, il prend de l'ampleur et surtout, par hasard, il va s'intéresser à l'empire. Il se passionne surtout pour l'Afrique noire, délaisse les problèmes de l'Extrême-Orient qu'il ne connaît pas et qui, à ses yeux, ne méritent pas les efforts du gouvernement, et du Maghreb qui n'a pour lui qu'un seul intérêt : être le chemin direct vers « son » Afrique noire. Cela dit, il apparaîtra toujours comme un... « foudre de guerre ». Il défendra l'empire avec plus de vigueur que le R.P.F. de de Gaulle ; mais – homme politique intelligent –, il prônera aussi des réformes avec autant de lucidité que le Général lui-même.

En simplifiant, on s'aperçoit que si Mitterrand est d'abord un partisan de l'intégration des colonies, rapidement, par habileté, il comprend qu'il faut aller vers une autonomie interne si l'on veut sauvegarder l'empire. Les deux attitudes complémentaires sont très révélatrices du caractère politique de Mitterrand. D'une part, un nationalisme farouche, très « XIXe siècle » ou du moins très 1900, dans la lignée des Michelet, Jules Ferry ou Lyautey, qui aime voir l'immense tache rouge que représente l'empire français sur la carte du monde, et qui considère la France comme un pays « élu » pouvant apporter la civilisation au monde. D'autre part, un certain réalisme qui admet l'évolution, le « vent de l'histoire » – comme disait de Gaulle – et qui reconnaît qu'il faut bien accorder « quelque chose », si ce n'est à ces peuples primitifs, du moins aux idées de l'époque. Sans conviction, il acceptera de faire des concessions au modernisme environnant pour garder l'empire, c'est-à-dire toujours par intelligence, par réalisme, mais sans gaieté de cœur.

Ce nationaliste français ne comprendra jamais le nationalisme des Noirs, mais ce chrétien de l'ancienne école sera, en même temps, très profondément choqué par l'attitude des colons. Il aurait sans doute été un très bon missionnaire (lui qui avait pensé entrer dans les ordres), apportant aux « sauvages » la culture et le progrès de l'Occident, mais leur refusant le droit de développer eux-mêmes leur culture propre et surtout le droit de refuser l'allégeance à la mère-patrie.

De là, des phrases redoutables comme : « L'Algérie, c'est la France, la seule négociation possible c'est la guerre. » Il faut les connaître et les rappeler. A l'époque, l'opinion publique dans sa majorité était d'accord, et rares ceux qui eurent assez de lucidité ou de cœur pour ne pas s'accommoder de tels slogans. Pierre Mendès France lui-même s'est écrié en novembre 1954 : « A la volonté criminelle de quelques-uns doit répondre une répression sans faiblesse, car elle est sans injustice. » Et Pierre Mendès France doublera les troupes en Algérie. N'oublions pas que ce sera la S.F.I.O. de Guy Mollet, c'est-à-dire le plus « vrai » des socialismes français, qui déclenchera l'opération absurde de Suez et qui enverra le contingent en Algérie. Mitterrand sera d'ailleurs totalement solidaire de ces deux « initiatives » de Guy Mollet puisque c'est lui, notamment, qui ira au Conseil de la République présenter, en tant que Garde des Sceaux, l'opération de Suez ! Mais on a souvent oublié, aussi, que les députés communistes avaient voté les pouvoirs spéciaux à Guy Mollet, en 1957, qui permettaient précisément la répression en Algérie !

Au début de 1950, l'ex-ministre effectue une tournée de conférences au Sénégal, au Soudan (actuel Mali), au Niger et au Dahomey. Il est reçu avec tous les égards dus à son rang par les autorités coloniales. Nul doute qu'il ait été sensible à la grandeur de cette administration coloniale, même s'il a été quelque peu méprisant à l'égard de ces fonctionnaires souvent médiocres, qui ont dû lui rappeler bien souvent l'armée de 1939, à juste titre. Le poète de Jarnac est indiscutablement sensible à la beauté de ces grands fleuves, de ces forêts et touché par ce monde primitif qu'il ne soupçonnait pas. Vingt-cinq ans après Gide, il fait, lui aussi, son voyage au Congo ! Il écrit quelques poèmes (bien mauvais) sur le fleuve-dieu du Niger, la profondeur des forêts ou l'hébétude des bêtes (pour rimer avec solitude). Bref, du tourisme avant la lettre.

Mais ce jeune homme de trente-trois ans se rend compte qu'il y a là, pour lui, un domaine tout trouvé. Tout est à faire dans cet empire dont personne ne s'occupe au Palais-Bourbon, mis à part quelques trafiquants. C'est un terrain vierge où l'on pourrait faire ses preuves, dans un registre qui lui convient puisqu'il y est question de la grandeur de la France, du drapeau, d'une mission. Il en a assez des Anciens Combattants, voire de l'Information, poste toujours désagréable pour quelqu'un qui a été journaliste. Il lui faut donc trouver une nouvelle spécialité qui ne serait pas encore encombrée par tous les caciques de la IIIe République. L'Afrique, voilà l'empire qu'il lui faut !

Quand Mitterrand rentre à Paris, Bidault a été renversé, Queuille a fait long feu et « l'ami » René Pleven est chargé de former un nouveau gouvernement. Il appelle le député de la Nièvre, sans doute pour lui redonner les Anciens Combattants ou l'Information. Mais Mitterrand lui demande alors la France d'Outre-Mer, ce que lui accorde facilement Pleven, le 12 juillet 1950. En fait le calcul de Pleven est simple : l'Afrique noire, dont personne n'a le temps de s'occuper puisqu'il y a l'Indochine, commence à bouger. De jeunes intellectuels noirs ont formé le Rassemblement démocratique africain d'obédience communiste et peuvent mettre la brousse et la forêt à feu et à sang. Il faut donc un homme capable de briser ce communisme noir qui évoque déjà l'indépendance. Mitterrand, qui a fait ses preuves en éliminant les communistes des Anciens Combattants et de l'Information, fera merveille à l'Outre-Mer. Et puis, c'est effectivement là un domaine un peu à part où son « rival » (Mitterrand commence à ennuyer Pleven au sein de l'U.D.S.R.) pourra avoir les coudées franches et faire preuve de ses capacités, mais surtout être quelque peu éloigné.

Et Mitterrand pense, en effet, qu'il a affaire à « un nationalisme primaire, privé de tout contexte historique, naissant, se développant, nourri de déceptions et d'amertumes, parfois de haines qu'entretient un racisme latent qu'excite la propagande communiste ». Et pour lui, le communisme c'est toujours et plus que jamais l'ennemi. Il est convaincu que le P.C.F. va vouloir se venger de son échec en France en attaquant outre-mer sous les couleurs factices d'un nationalisme contre nature.

Mais Mitterrand fait preuve d'une grande habileté. Au lieu de « matraquer » le R.D.A. communisant comme s'apprêtait à le faire son prédécesseur, le M.R.P. Paul Coste-Floret, il va le récupérer. Il entre en contact avec le chef de file du R.D.A., Félix Houphouët-Boigny que toutes les polices de France et de Navarre recherchent, et le charme ! Houphouët-Boigny et derrière lui Sékou Touré, Diori Hamani, Léon M'Ba, Modibo Keita, Gabriel Lisette, c'est-à-dire pratiquement tous les futurs grands de l'Afrique francophone, voulaient l'indépendance. Mitterrand recevant Houphouët dans son bureau de la rue Oudinot lui promet un code du travail pour l'Afrique occidentale française, la possibilité pour les Noirs d'accéder aux fonctions électives dans leurs villes et leurs villages et un contrôle par les Poids et Mesures des balances dont se servent les Blancs pour acheter aux Noirs leurs récoltes ! Et Houphouët, qui a bien failli être arrêté à son arrivée en France sur ordre de Henri Queuille alors ministre de l'Intérieur, est satisfait ! Il lui signe même une lettre d'allégeance dont Mitterrand ne se servira jamais, pour ne pas « brûler » son homme mais aussi, il est vrai, parce que Houphouët sera fidèle à sa promesse.

Les historiens de l'Afrique et surtout ceux de la décolonisation auront longtemps à s'interroger sur cet entretien Mitterrand-Houphouët. Qui a piégé qui ? Mitterrand a désamorcé la bombe du R.D.A. en recevant, presque clandestinement, le « rebelle » Houphouët. Mais en même temps, bien sûr, il a accepté de reconnaître implicitement le leader nationaliste ivoirien comme un interlocuteur valable. Grâce à Mitterrand, le R.D.A. a pu travailler en toute impunité et avec la bénédiction de Paris même si les colons et leur lobby parisien s'insurgeaient contre cette politique procommuniste et dans tous les cas bien naïve.

Au total, Mitterrand a fait de Houphouët, dans un premier temps, un ministre de la IVe, mais aussi, dans un deuxième temps, un futur chef d'État indépendant, ce qui n'est pas un succès pour un ministre de la France d'Outre-Mer qui ironisait sur le nationalisme africain ! Mais ce n'est sans doute pas à ce niveau qu'il faut s'attarder. Houphouët était alors un dirigeant communiste ou presque. En tout cas, un « révolutionnaire ». Aujourd'hui, il fait figure de conservateur et est, avec Senghor, l'incarnation d'une certaine forme de néo-colonialisme. Alors qui a piégé qui ?

En 1950, on a l'impression que Mitterrand a gagné ; le R.D.A. se sépare du P.C.F., pour se rapprocher de l'U.D.S.R., et jouer le jeu de la IVe République. Mais dix ans plus tard, Houphouët, Léon M'Ba, Sékou Touré, Diori Hamani, Modibo Keita, Gabriel Lisette seront chefs d'État ! Oui, mais... vingt ans plus tard, la Côte-d'Ivoire, le Niger, le Gabon, le Mali, le Tchad seront des pays très proches de la France. Un seul échec : la Guinée. Mitterrand n'est, bien sûr, pas le seul responsable de ces vingt années d'histoire franco-africaine, mais l'entrevue de 1950 a été déterminante. Mitterrand la raconte ainsi : « Houphouët-Boigny était assez abattu, assez ému. Je l'ai traité un peu rudement. Je l'ai prévenu que j'avais doublé les garnisons en Afrique noire et que je le tiendrai personnellement responsable d'éventuels troubles. Je lui expliquais que les revendications humaines, sociales et économiques auraient mon plein appui si elles étaient justifiées. Mais que je n'admettrais pas qu'elles prennent un caractère politique [1]. »

Dans *Présence française et abandon* (1957), Mitterrand avait écrit : « J'exposai [à Houphouët] qu'il était temps encore d'arrêter la tragique méprise, que s'il s'agissait d'obtenir que les Africains fussent libres chez eux, libres de travailler, de se syndiquer, de lutter pour leur salaire et leur sécurité, de circuler, d'écrire et de parler ; s'il s'agissait d'abattre les privilèges scandaleux, d'imposer l'égalité sociale et humaine entre les communautés ethniques, de punir et de chasser les voyous arrogants qui fermaient leurs hôtels et leurs restaurants à la peau noire, s'il s'agissait d'instituer le suffrage universel et le collège unique à tous les échelons, d'en finir avec les catégories paradoxales, humiliantes, injustifiables, (...) j'offrais à l'Afrique noire la garantie du gouvernement de la France. Désormais nous serions alliés dans ce combat et je promettais de porter les coups les plus rudes aux profiteurs de la présence française qui condamnent la patrie, dont ils se réclament, à payer le prix de la haine qu'ils suscitent. »

1. Georgette ELGEY : *La République des illusions*, Fayard.

Au fond, ce qu'il propose à Houphouët-Boigny n'est rien d'autre qu'un « bon » colonialisme d'où seraient chassés les profiteurs, les racistes, les « voyous ». Il reprend à son compte les rêves utopiques de Brazza, de Galliéni, de Lyautey ! Comme si le colonialisme pouvait être autre chose, par définition, qu'un rapport de forces entre exploiteurs et exploités. Mais le plus curieux c'est que Houphouët ait semblé prêt à croire en la bonne foi (réelle, sans aucun doute) du jeune ministre de la France d'Outre-Mer.

Mitterrand n'est chargé que de l'Afrique noire. L'Indochine « appartient » au ministre des États associés ; l'Afrique du Nord revient en partie aux Affaires étrangères (Maroc et Tunisie), en partie au ministre de l'Intérieur (Algérie). Et s'il a quelque soixante millions de sujets à gouverner, personne ne s'occupe de Mitterrand. Au Conseil des ministres du mercredi matin, il est le dernier à s'exprimer puisqu'on parle par ordre d'ancienneté des ministères et que le sien ne date que de 1946. On l'écoute donc à peine, en refermant les dossiers et il arrive même que l'ordre du jour soit si chargé qu'on n'ait pas le temps d'arriver jusqu'à lui. Ce qui d'ailleurs lui convient souvent. Cela lui permet de mettre sur pied sa politique : désamorçage du malaise politique par le dialogue avec le R.D.A., du malaise social et économique par des mesures ponctuelles.

Mitterrand est très fier de « son » empire. Il répète à qui veut l'entendre que « l'empire français, des Flandres au Congo, est le plus vaste du monde après celui qui va de Léningrad à Vladivostok », que « ce qui compte c'est l'ensemble franco-africain » car « sans l'Afrique il n'y aura pas d'histoire de France au XXe siècle ». Ce raisonnement le conduit à se montrer favorable à « l'abandon » de l'Indochine. « Quand j'évoque l'Union française, écrit-il sans ambages dans *Aux frontières de l'Union française* (1953), c'est à l'Afrique d'abord que je pense, car l'Asie, dans le cadre des accords qui nous engagent, ne nous réserve que des déceptions, et les combats qui s'y déroulent empêchent toute construction valable. » Qu'aurait-il dit s'il avait fait sa fameuse tournée de conférences en Indochine ou s'il avait été nommé ministre des États associés ?...

Certes, du haut de la tribune de l'Assemblée nationale, il déclare : « Aucun d'entre nous ne dira à cette tribune : il faut terminer la guerre d'Indochine tout de suite et s'en aller. » Il n'est pas « bradeur » même pour l'Indochine, mais il regrette que Paris (de Gaulle en l'occurrence) ait donné raison à Thierry d'Argenlieu, « le boucher de Haïphong », contre Leclerc de Hauteclocque, l'interlocuteur de Ho Chi Minh. Il est vrai qu'à l'époque Mitterrand était encore loin du pouvoir. Mais maintenant il veut qu'on coupe le membre malade pour sauver le reste. « Parce que nous voulons arrêter la progression communiste, nous devons éviter la dispersion de nos efforts. (...) Nous sommes convaincus que la seule perspective de la France suit la direction Nord-Sud qui, de Lille à Brazzaville et sur quelque 7 000 kilomètres de longueur, est la plus vaste du monde si l'on excepte celle qui va de Léningrad à Vladivostok. » Bref s'il est partisan de la négociation avec le Viêt-Minh, qu'il appelle tout de même les « collaborateurs de Japonais » (ce qui prouve bien qu'il n'a aucune sympathie pour le nationalisme vietnamien), c'est tout simplement parce qu'il pense que la France ne peut plus faire face sur deux fronts et qu'il estime essentiel celui dont il a la charge, le front africain.

Dès qu'il s'agit de son territoire alors il sait se montrer intransigeant. Il prend, a posteriori, la défense de l'atroce répression qui a été ordonnée à Madagascar au lendemain des émeutes de 1947. Quand le parti communiste reproche au ministre de la France d'Outre-Mer, qui vient d'effectuer un voyage officiel à Madagascar, les cent mille morts qu'aurait faits la répression organisée par le haut commissaire Pierre de Chevigné, Mitterrand répond : « C'est faux. Les calculs sont difficiles à faire avec précision, de nombreuses victimes doivent être mises sur le compte des rebelles, une grande partie de la population a fui pour se réfugier à l'intérieur du pays. Le nombre des victimes ne doit pas dépasser les quinze mille. » C'est très en dessous de la vérité, mais déjà énorme, et pourtant cela ne semble guère choquer le ministre !

Mitterrand ne mâche pas ses mots, même quand il parle au présent : « Lorsque l'unité militaire est en péril, il faut agir avec vigueur. Lorsque des nationalistes, se trompant de siècle, veulent en Afrique dépasser leur temps, ou plutôt ressusciter un temps disparu ; lorsque dans leurs propos ou dans leurs actes, ils menacent l'unité diplomatique ou l'unité militaire, il faut alors les châtier. » (Débat de l'Assemblée nationale du 6 janvier 1953.) C'est clair. Si Houphouët-Boigny ne s'était pas rallié, Mitterrand l'aurait sans aucun doute impitoyablement pourchassé ; le « rebelle » ivoirien l'avait peut-être compris !

Mais Mitterrand est convaincu que sa politique impérialiste est la meilleure pour l'Afrique. Il écrit : « Paris est l'authentique et nécessaire capitale de l'Union française. Le monde africain n'aura pas de centre de gravité s'il se borne à ses frontières géographiques. Il se divisera, se morcellera, refera à son compte nos fâcheuses expériences. On y parle déjà de nationalisme, on s'y souvient encore de racismes irréductibles ! Lié à la France dans un ensemble politique, économique et spirituel, il franchira d'un coup quatre siècles et remplira pleinement son rôle moderne, à la fois original et complémentaire. Du Congo au Rhin, le troisième continent s'équilibrera autour de notre métropole. » (*Aux frontières de l'Union française,* p. 33.)

En même temps qu'il se montre intransigeant sur le prestige de Paris et l'intégrité de l'empire, précisément pour la sauvegarder, Mitterrand prend des mesures contre les voyous de la colonisation. Il fait sauter bon nombre d'administrateurs, rappelle à Paris des gouverneurs comme Laurent Péchoux, gouverneur de la Côte-d'Ivoire, s'attaque aux trafics de grosses compagnies, bref se met à dos le lobby africain de Paris incarné par Dronne (R.P.F.), Pellenc (R.G.R.) et Frédéric-Dupont (C.N.I.) qui a beau jeu d'affirmer que le dirigeant de l'U.D.S.R. est un « communiste ». Il a maintenant parmi ses meilleurs amis les députés du R.D.A. qui jusqu'alors siégeaient sur les bancs communistes. Rares sont ceux qui comprennent le jeu de Mitterrand. Il y a le président de la République, Vincent Auriol, et le président du Conseil, René Pleven, puis son successeur Queuille qui garde Mitterrand rue Oudinot. C'est à peu près tout.

Et pourtant il serait trés exagéré de dire que Mitterrand a inventé une politique originale. Il serait honnête de reconnaître (et Mitterrand est le premier à le faire) que la plupart des hommes de la IVe qui se sont retrouvés par hasard à la tête de l'administration coloniale ont réagi de la même manière que le député de la Nièvre. Si l'on exclut quelques médiocres ou quelques personnages par trop inféodés au lobby africain, on s'aperçoit que tous les parlementaires de la métropole, brusquement confrontés à l'avenir de l'empire par les hasards de la distribution des porte-feuilles ont tous compris que, pour sauver l'empire — et tous voulaient sauver l'empire même s'ils le nient aujourd'hui —, il fallait s'engager dans ce que Mitterrand appelait lui-même des « réformes audacieuses, c'est-à-dire sages ».

En fait Mitterrand se situe entre Édouard Depreux qui a commencé à s'attaquer dès 1947 aux racines du mal et Defferre qui en 1956 fera adopter la fameuse loi-cadre. Deux socialistes « bon teint ». Mais dans cette « lignée d'impérialistes de progrès » on trouve aussi des hommes comme Jacquinot, Pflimlin, Buron ou Pierre-Henri Teitgen. Eux aussi, partant du « rêve » de l'intégration, ont tenté de faire « quelque chose », ont évolué rapidement vers l'espoir de la fédération, d'un grand ensemble plus souple, avant, pour certains, d'en arriver à l'évidence que l'Afrique avait, elle aussi, le droit de perdre quelques siècles pour connaître les joies (et les malheurs) du nationalisme. Malheureusement il faut bien reconnaître que les meilleures intentions de ces quelques hommes de bonne volonté qui se sont succédé rue Oudinot n'ont mené à rien. Toutes les instructions ont été détournées, toutes leurs politiques contrées. Ils ont pu éviter le pire, certes, c'est-à-dire une Afrique à feu et à sang, mais ils n'ont pas pu réaliser le rêve qu'ils avaient tous caressé, Mitterrand comme les autres : un ensemble fraternel franco-africain. Il était sans doute déjà trop tard et la IVe République était trop fragile. Et puis ce rêve était bien irréaliste.

A ce propos, il est fort intéressant d'étudier les rapports Mitterrand-de Gaulle. Gaullistes et « mitterrandistes » revendiquent, en effet, tous deux la paternité de l'indépendance de l'Afrique. Et c'est vrai que le Général tout comme le futur leader de la gauche ont, l'un et l'autre, joué un rôle considérable dans cette question.

Tout part de la fameuse conférence de Brazzaville que de Gaulle avait réunie le 30 janvier 1944. De Gaulle ouvrant cette assemblée de tous les gouverneurs généraux et gouverneurs de l'Afrique française avait notamment déclaré : « S'il est une puissance impériale que les événements conduisent à s'inspirer de leurs leçons et à choisir noblement, libéralement, la route des temps nouveaux où elle entend diriger les 60 millions d'hommes qui se trouvent associés au sort de ses 42 millions d'enfants, cette puissance c'est la France. (...) Et tout simplement parce qu'elle est la France, c'est-à-dire la nation dont l'immortel génie est désigné pour les initiatives qui, par degrés, élèvent les hommes vers les sommets de dignité et de fraternité où, quelque jour, tous pourront s'unir. (...) Nous croyons, en particulier, qu'au point de vue du développement des ressources et des grandes communications, le continent africain doit constituer, dans une large mesure, un tout. Mais en Afrique française, comme dans tous les autres territoires où des hommes vivent sous notre drapeau, il n'y aurait aucun progrès si les hommes, sur leur terre natale, n'en profitaient pas moralement et matériellement, s'ils ne pouvaient s'élever peu à peu jusqu'au niveau où ils seront capables de participer, chez eux, à la gestion de leurs propres affaires. C'est le devoir de la France de faire en sorte qu'il en soit ainsi (...). »

Certes, dans ses recommandations finales, la conférence des

gouverneurs précisait que « les fins de l'œuvre de civilisation accomplie par la France dans les colonies écartent toute idée d'autonomie, toute possibilité d'évolution hors du bloc français de l'empire » et soulignait ce refus de toute évolution politique. De Gaulle lui-même, dans ses *Mémoires*, écrit : « Les travaux de la conférence aboutiront à des propositions qui seront surtout d'ordre administratif, social et culturel. Car la réunion des gouverneurs ne peut évidemment pas trancher les questions constitutionnelles que pose la transformation de l'empire en Union française. Mais la route est tracée qu'il n'est que de suivre. »

Mitterrand arrivant rue Oudinot, six ans après la conférence de Brazzaville, serait de mauvaise foi s'il désavouait les propos du Général. D'ailleurs, en 1945, dans le premier texte qu'il consacrait à l'empire (où il n'avait pas encore mis les pieds), il était beaucoup moins libéral que le Général, un an plus tôt, puisqu'avec un certain cynisme il écrivait dans *Libres* (25 juin 1945) : « Le droit que nous avons sur les terres conquises repose, il faut l'avouer, sur la force des armes. Encore fallait-il, par la suite, justifier ce droit. Et c'est là qu'il nous faut connaître ce en quoi nous aurions été " les plus mauvais colonisateurs du monde ". On ne donne que ce que l'on a. La France avait des ingénieurs, des médecins et des soldats. Elle avait aussi des prêtres serviteurs d'un Dieu qui enseignait la charité. (...) Mais les Français ont oublié de demander leur avis aux intéressés et ne se sont pas rendu compte à quel point nos protégés se moquaient de nos enseignements. (...) Cela dit essayons de voir les faits tels qu'ils sont : sous l'affreux aspect de l'utilitarisme, nos colonies nous sont nécessaires. Les abandonner serait s'abandonner. Changeons nos méthodes si elles sont néfastes. Mais évitons l'éternel complexe d'infériorité. Ne vantons pas exagérément nos vertus, ne daubons pas non plus éternellement sur nos fautes. Notre œuvre est imparfaite et mélange le bon et le mauvais, l'héroïsme et la cupidité, la générosité et la sottise. Mais qui donc a fait mieux ? »

On pourrait répondre de Gaulle à Brazzaville, et s'étonner du ton de cet article.

Cela dit, Mitterrand a fait de « grands progrès », grâce à son voyage en Afrique en 1950, et quand il arrive au ministère de la rue Oudinot, il en est au point qu'avait atteint de Gaulle en 1944. Il ne critique d'ailleurs pas la conférence de Brazzaville. Bien au contraire. A la tribune de l'Assemblée nationale, il déclare en juin 1953 : « Si on examine le destin actuel de l'Afrique, on constate qu'il est

rmes institutionnelles entre lesquelles il hésite : il y a
s pays qui ont conquis leur autonomie. Tel est le cas de
emment, cette Libye qui dispose aujourd'hui d'un roi,
ent, de fonctionnaires nombreux et même de deux capitales, ce qui n'est pas donné à tout le monde. La Lybie est libre ! [Bref, Mitterrand ironise toujours sur l'indépendance des pays africains.] Il y a d'autre part la construction tentée dans le Sud-Afrique que personne parmi nous, je le suppose, n'accepterait. (...) Et, enfin, il y a une troisième formule, intermédiaire, cela va sans dire, (...) cette tentative admirable mais pas toujours cohérente de l'Union française qui naquit à la conférence de Brazzaville. (...) La France, pays de la mesure et de la synthèse, doit pouvoir réussir une œuvre grâce à laquelle on pourra à la fois réaliser les plus légitimes espérances humaines et rester fidèle politiquement à la nation-mère porteuse d'un beau et nécessaire message de civilisation. La France reste celle qui conduit, celle dont on a besoin, celle à laquelle on se rattache. Il ne pourra pas y avoir d'histoire authentique de l'Afrique si la France en est absente. »

Pour Mitterrand donc, pas d'histoire de la France sans l'Afrique, ni d'histoire de l'Afrique sans la France. C'est du gaullisme en pire ! Pour le reste on le voit, le ministre U.D.S.R. de la France d'Outre-Mer de 1950-1951, est bien proche du Général de 1944 quant à l'avenir de nos colonies.

Beaucoup plus tard, Mitterrand critiquera cette même conférence de Brazzaville, pour écrire avec beaucoup d'injustice et surtout bien peu de mémoire : « Admirable ironie de l'histoire qui a voulu que le gaullisme s'identifiât à la libération des peuples colonisés alors que, de la conférence de Brazzaville au " Vive l'Algérie française ! " de Mostaganem, il a été le procureur de l'empire contre la décolonisation. A Brazzaville ce fut pour interdire à jamais l'espérance d'un self-gouvernement aux pays sous tutelle. Sous la IVe République, ce fut pour demander la mise à mort d'Houphouët-Boigny et de ses compagnons, et, plus tard, l'exécution des Algériens musulmans révoltés (...)[1]. » On est bien obligé de dire qu'ici Mitterrand « y va très fort » avec la naïveté de ses lecteurs. Même s'il écrit ces lignes en 1969, personne n'a oublié que Mitterrand, ministre de la France d'Outre-Mer, a glorifié la conférence de Brazzaville et tenté de mettre

1. *Ma part de vérité*, Fayard, 1969, p. 30.

sur pied la politique que de Gaulle avait alors dessinée ; personne n'a oublié que Mitterrand, lui aussi, s'était écrié plusieurs fois, emporté par la frénésie de la foule : « Vive l'Algérie française » ; personne n'a oublié que le ministre de l'Intérieur de Guy Mollet n'a pas, non plus, hésité à réclamer la tête des Algériens musulmans révoltés. Alors, Mitterrand serait-il le seul à avoir oublié tout cela ?

Encore une fois, cet antigaullisme qui frise le masochisme vient, sans doute, d'un certain dépit qu'il faudrait peut-être... analyser ! Mitterrand qui a beaucoup fait, c'est vrai, pour l'Afrique, admet mal que l'histoire soit si ingrate à son endroit. En outre, les gaullistes de la IVe, dans leur opposition systématique à tous les gouvernements et à toutes les initiatives (même celles inspirées par le Général), l'ont durement critiqué quand il tentait précisément d'appliquer l'esprit de la conférence de Brazzaville. Ce sont les gaullistes qui l'ont le plus souvent accusé d'être un « bradeur d'empire ». Ces même gaullistes, qui ont renversé la IVe République pour « sauver l'Algérie » et pour appeler de Gaulle, se sont trouvés à court d'arguments quand de Gaulle lui-même a donné son indépendance à l'Algérie et leur indépendance à tous nos territoires d'Afrique. Seul de Gaulle pouvait mener une telle politique. Mitterrand s'y était cassé les dents... D'où son aigreur, sans doute.

Finalement, Mitterrand est chassé par les extrémistes (souvent gaullistes) de la rue Oudinot. Il y était resté au total à peine un an. C'était bien peu pour agir alors qu'il aurait fallu tout « chambouler ». Le bilan de son ministère est cependant important : il a récupéré le Rassemblement démocratique africain qui, sans lui, aurait, peut-être, été définitivement absorbé par le P.C.F. Mais pour le reste, bien vite après son départ, ceux qu'il avait chassés sont revenus et se sont réinstallés dans leur trou.

La manière dont il a été écarté du gouvernement révèle l'état d'esprit qui régnait sous la IVe République. Les parlementaires radicaux et R.P.F., influencés par le lobby des affaires africaines, avaient organisé un véritable tir d'artillerie contre le ministre de la F.O.M. (en fait, la première véritable campagne de dénigrement contre Mitterrand l'accusant d'être « à la solde des communistes »). Quand Henri Queuille donna sa démission au lendemain des élections législatives du 17 juin 1951, Vincent Auriol demanda successivement à Petsche, Mayer, Bidault, Reynaud, Petsche de nouveau et enfin Pleven de former un gouvernement. C'est ce dernier seulement qui réussit. Vincent Auriol rencontra alors Mitterrand et lui dit : « C'est vous, pour l'Afrique, qui avez raison, mais il faut tenir compte de toutes ces protestations. » Le président de la République avait à plusieurs reprises soutenu ouvertement les initiatives du jeune ministre de la France d'Outre-Mer, mais il tenait à ce que Pleven puisse former un gouvernement et chaque voix comptait ! Mitterrand devait donc être sacrifié. Pleven, qui était d'ailleurs de plus en plus inquiet du prestige que Mitterrand prenait au sein de l'U.D.S.R., ne l'appela pas dans sa nouvelle équipe ministérielle.

Mais Mitterrand n'eut pas à attendre très longtemps pour retrouver un portefeuille. En effet le gouvernement Pleven tombait cinq mois plus tard devant l'opposition P.C., S.F.I.O., R.P.F. Après des tentatives de Pineau, Soustelle, Reynaud, Bidault, Delbos et Pinay, Edgar Faure faisait son entrée à Matignon. Il nommait Mitterrand ministre d'État avec pour mission de s'occuper notamment de la Tunisie. Mitterrand va enfin ouvrir vraiment les dossiers de l'Afrique du Nord qu'il avait jusqu'à présent regardés d'un œil distrait d'Africain noir.

De fait, la situation en Tunisie est particulièrement préoccupante. Paris a accumulé les maladresses. On a promis l'indépendance aux Tunisiens et puis on n'a plus rien fait d'autre. Nous avions commis les mêmes erreurs un peu partout et notamment en Indochine. Mais en Tunisie, il y a Bourguiba et son Néo-Destour et on peut difficilement faire croire à nos alliés occidentaux (qui ne font rien pour nous aider) qu'il s'agit de lutter contre le communisme et l'impérialisme de Mao. En octobre 1951, le Premier ministre du Bey, Chenik, était venu à Paris. Il avait rencontré le président Vincent Auriol et avait rappelé toutes les promesses et notamment celle que lui avait faite Robert Schuman, l'année précédente à Thionville, qui lui avait affirmé que la France entendait mener les pays sous mandat jusqu'à l'indépendance. Chenik avait fait remarquer que la Tripolitaine voisine allait accéder à l'indépendance, ce qui posait des problèmes pour les Tunisiens. Auriol, un peu gêné, lui avait répondu que la France serait « fidèle à ses engagements », mais qu'il fallait « être patient », que tout cela devait se faire « progressivement » et que « d'ailleurs, dans les temps où nous sommes, l'indépendance est peu de chose, l'interdépendance étant beaucoup mieux ».

Quelques semaines plus tard, le gouvernement tunisien avait tenté de déposer une plainte contre la France à l'O.N.U. et l'agitation avait repris à Tunis même. Le maladroit résident général Hauteclocque avait fait arrêter Bourguiba et interdire le congrès du Néo-

Destour qui devait se tenir les 18 et 19 janvier 1952. Le 20 janvier c'était l'émeute dans les rues de Tunis. On relevait huit morts. Le Cap Bon était ratissé par l'armée française (notamment par des unités de la Légion étrangère, à majorité italienne – ce qui était une grave erreur politique) et on relevait alors plus de deux cents morts. Le 1er février c'était la grève générale. Au milieu de tout cela, Maurice Schuman, qui était secrétaire d'État aux Affaires étrangères (dont Robert Schuman était le ministre) avait envoyé un télégramme sur la « co-souveraineté » qui avait été mal interprété par les tunisiens et qui était plutôt sibyllin.

Bref, Mitterrand qui est, cette fois, ministre d'État, se trouve précipité dans une situation pour le moins déplorable. C'est une espèce de caricature de ce que sera la fin de l'Indochine : sur place des colons qui n'ont rien compris et qui s'accrochent, prêts à tout, une administration entre leurs mains, des hauts responsables qui ne connaissent que la répression et n'hésitent pas à faire tirer sur la foule sans se rendre compte que, chaque fois qu'ils font arrêter les responsables nationalistes, ils font des martyrs et recrutent des militants pour les adversaires de la France ; à Paris un gouvernement instable – et c'est un euphémisme –, des lobbies, des combinaisons, voire des combines ministérielles, des promesses vagues des responsables puisqu'ils savaient très bien que ce ne seraient plus eux qui seraient au pouvoir quand arriverait l'échéance.

Mitterrand s'est en quelque sorte rodé à la France d'Outre-Mer. Dans son grand dessein africain, il a fait son deuil de l'Indochine, mais pas celui du Maghreb qui semble, en effet, indispensable pour un grand ensemble franco-africain. Et il prône pour l'Afrique du Nord ce qu'il imagine aussi pour l'Afrique noire. Pas question que la Tunisie ait ses nationalistes, mais accordons-lui une certaine autonomie. Il le dira clairement à la tribune de l'Assemblée (le 4 juin 1953) : « Quel est celui d'entre vous qui pourrait approuver le développement d'un nationalisme tunisien né pour la première fois dans l'histoire de l'Afrique ? Qui oserait contribuer à cette fâcheuse entreprise d'origine interne, ou sollicitée ou soufflée de l'extérieur, au moment même où en Europe nous sommes nous-mêmes tenus à tant de limitations pratiques de notre souveraineté nationale ? Qui, ici, accepterait de soutenir les nationalistes tunisiens, si leur but est de créer un État comme ceux dont la décadence est aujourd'hui indéniable ? » Bourguiba qui ne veut pas jouer les Houphouët-Boigny n'a qu'à bien se tenir.

Pour le protectorat tunisien, Mitterrand estime qu'il n'y a même pas, comme pour le reste de l'empire, à faire preuve d'originalité, pour créer les conditions d'une coexistence franco-tunisienne : « Quelle admirable chose, s'écrie-t-il à l'Assemblée le 19 juin 1952, que ce traité du Bardo, notre instrument diplomatique initial ! Il faudrait vraiment ne jamais l'avoir lu pour prétendre que, vieux de soixante-dix ans, il a besoin d'être remanié. En fait il est possible d'imaginer l'existence d'une première assemblée auprès de Son Altesse le Bey, assemblée qui dans une première étape serait désignée puis, rapidement, dans deux années, au cours d'un second stade, à la demande de Son Altesse elle-même, élue à plusieurs degrés. Cette assemblée aurait les pouvoirs que couvre exactement le concept de l'autonomie interne. D'autre part, le gouvernement tunisien serait homogène, réserve faite des dispositions inscrites dans les traités de base quant aux ministres des Affaires étrangères, des Affaires militaires, de Sécurité, de Police et des Finances. » Rappelons tout de même que ce traité du Bardo, qui semble si actuel à Mitterrand, fut signé en 1881 par le Bey Mohamed al Sadok sous la menace d'une intervention militaire française !

Les Tunisiens demandaient donc beaucoup plus. Cependant, ce « plan de réformes » fut mal accueilli par les Français de Tunisie et leurs représentants au Parlement qui furent d'ailleurs bien rapidement rassurés puisque le gouvernement Edgar Faure tombait au bout de cinq semaines, le 20 février 1952, et qu'Antoine Pinay, succédant à Faure, à Matignon, enterra immédiatement ces projets au bénéfice de la force.

Mitterrand va maintenant s'intéresser de très près au Maghreb, c'est-à-dire d'abord à la Tunisie et au Maroc. Toutefois il est encore un farouche colonialiste, même si, par intelligence, il est prêt à accepter, ou plutôt à suggérer certaines concessions ; il ne sort pas du cadre de l'ensemble français, sous le drapeau tricolore.

Le gouvernement d'Antoine Pinay tient presque un an : un record à l'époque. Il tombe en janvier 1953. Un gouvernement René Mayer lui succède pour cinq mois à peine. René Mayer « tombe » sur l'Indochine et plus encore sur la situation financière de la France qui est catastrophique. En Indochine, le Viet-Minh a lancé une attaque massive sur le Laos. Luang-Prabang est menacé, Sihanouk est allé aux États-Unis déclarer que si Paris ne donnait pas une plus grande autonomie au Cambodge, il ferait cause commune avec le Viet-Minh. En Tunisie, le résident Hauteclocque « veut tuer » du nationaliste. Au Maroc, le résident Guillaume ne comprend rien et fait le jeu du Glaoui contre le sultan. En France, la situation économique et sociale, la vie politique même provoquent l'une des plus longues crises ministérielles de la IVe, elle va durer trente-six jours !

Pour se souvenir de l'atmosphère qui régnait alors à Paris et de la dégradation de ce régime qui allait encore agoniser pendant cinq ans, il faut relire les notes que prenait Vincent Auriol, souvent bien solitaire dans son palais de l'Élysée. Elles permettent de mieux comprendre pourquoi Mitterrand, qui n'aimait pas cette IVe République, y jouait pourtant un rôle de cacique. Voici ce qu'écrivait le président de la République auquel l'histoire rendra sans doute un jour justice : « Si l'on veut ramener ce pays [la Tunisie] à nous, il faut faire des réformes sociales profondes ; il faut avoir le peuple avec nous ; il faut changer les méthodes, c'est-à-dire changer les hommes et tant que M. de Hauteclocque sera là, rien ne sera possible ; il faut qu'il s'en aille. (...) C'est l'heure de dire la vérité. Si l'on n'y prend garde, l'immobilisme, la stagnation, l'enrichissement des uns dans la misère des autres et l'inquiétude de tous, l'instabilité gouvernementale, risquent de compromettre l'œuvre pour laquelle nous avons lutté, la République, c'est-à-dire la Liberté. (...) Certes, il faut des partis politiques. Ils sont la base essentielle de la démocratie. (...) Mais des partis qui ne servent qu'à permettre à des hommes de conquérir des places et à des élus de conquérir des portefeuilles ne sont plus des partis, et c'est cette multiplicité et ces divisions qui risquent de faire le malheur de la démocratie. (...) Ces radicaux et parlementaires de tout poil sont élevés à l'école des pourrisseurs de crise. Ils misent sur l'échec des autres et non sur la force, l'idéal et la foi, etc. »

Pour sortir de la crise Vincent Auriol pressent successivement : Guy Mollet, André Diethelm, Paul Reynaud, Pierre Mendès France, Georges Bidault, André Marie, Paul Reynaud de nouveau, Antoine Pinay et enfin Joseph Laniel ! La tentative de Mendès France était courageuse ; pendant quelques heures, on avait cru qu'un vent nouveau allait souffler sur le monde politique français. Auriol avait lui-même été téméraire de l'appeler ; il savait ainsi qu'il se condamnait à ne pas être réélu à la présidence de la République, six mois plus tard (mais il ne souhaitait pas « replonger » pour sept ans). Le tour de piste de Pierre Mendès France avait, lui aussi, été « héroïque ». Mendès avait refusé de consulter les partis avant de se présenter devant l'hémicycle. C'était là un véritable défi lancé aux absurdes traditions de la IVe. Il voulait ainsi montrer qu'avec lui les choses changeraient. Il avait donc, comme il fallait s'y attendre, été battu, mais un espoir était maintenant « en réserve ». On allait en avoir besoin avant longtemps.

Bidault avait été battu d'une seule voix ! Et si Laniel était passé, au trente-sixième jour de la crise, c'était parce que tout le monde en avait assez. Auriol écrit d'ailleurs, commentant le succès de Laniel et de son programme : « 313 voix au gouvernement. Or les impôts sont plus lourds que ceux demandés il y a plus d'un an par Edgar Faure et par Pinay, car celui-ci n'en demandait même pas. Les pouvoirs accordés sont plus étendus et plus durs que ceux demandés par René Mayer et Pinay. On a voté les impôts sur l'alcool, alors qu'en fait c'est sur cela qu'on renversa le gouvernement précédent et qu'on a fait trois crises pour aller finalement plus loin que ce qu'on refusait ! La Chambre est folle, prise de panique devant la colère du pays. Elle est inconsciente, car il n'y avait personne en séance pour le vote de ces projets. Et ces messieurs se plaignent de ce qu'ils appellent mon anti-parlementarisme. Ils ne voient donc pas que je les défends ? »

Laniel forme son gouvernement. Pour la première fois des gaullistes du R.P.F. entrent dans une combinaison ministérielle — quittant leur ghetto d'opposants systématiques et méprisants. En fait, ces trois ministres ne sont plus R.P.F. puisque de Gaulle, le 26 mai 1953, a demandé qu'on ne se serve plus du sigle du Rassemblement du Peuple français, ils sont donc devenus membres de l'Union des Républicains d'Action sociale (l'U.R.A.S.). Mitterrand, lui, hérite d'un portefeuille de « ministre délégué pour le Conseil de l'Europe ».

Le gouvernement Laniel « de droite » pouvait difficilement lui confier l'Afrique, puisque, tout colonialiste qu'il était, Mitterrand faisait maintenant figure de « libéral » et était devenu l'une des bêtes noires des lobbies coloniaux avec ses plans de réformes. En fait, on avait appelé le député de la Nièvre pour avoir les voix de ses amis de l'U.D.S.R. Mais l'Europe n'était pas une inconnue pour Mitterrand. Il avait voté résolument pour la Communauté européenne du Charbon et de l'Acier, la C.E.C.A., de son ami Robert Schuman ; plus tard, il sera partisan du Marché commun, de l'Euratom et même de la C.E.D., la Communauté européenne de Défense qui ne verra jamais le jour. Pour lui, « le XXe siècle dénie aux nations isolées le droit de vivre. Il est celui des grands ensembles ». Mitterrand est donc européen. Mais il ne cache cependant jamais vers quel ensemble vont ses préférences : « La Méditerranée et le bloc africain avant l'Europe et l'Atlantique, l'Europe avant l'Asie. » C'est là pour lui la hiérarchie des politiques. Ce qui fait que, si le député de la Nièvre pouvait en effet être nommé ministre délégué au Conseil de l'Europe, il était évident que ce ministre délégué allait continuer à s'occuper davantage de l'Afrique et notamment du Maghreb que de la construction européenne.

D'autant plus que tout continue à se dégrader sur les deux « ailes » du Maghreb, sans parler de la situation en Indochine. Sa position est simple : « Pour moi, le maintien de la présence française en Afrique du Nord, de Bizerte à Casablanca, est le premier impératif de toute politique nationale. Rien n'est plus important. Or, on n'y parviendra pas en opposant je ne sais quelle politique dite « de force » à une politique de réformes. Je crois aux vertus de la fermeté, à la nécessité du prestige. Mais il faut les mettre au service d'une évolution qui se fera contre nous si elle se fait sans nous [1]. » Il y a là toute sa philosophie : maintenir le drapeau français sur toute l'Afrique du Nord pour sauvegarder le bloc franco-africain (qui représente toute la politique nationale), faire des réformes, avant qu'il ne soit trop tard, mais aussi faire preuve de fermeté et pratiquer une politique de prestige.

Laniel est incapable de mener une telle politique. D'abord il est assez médiocre, ensuite il est débordé par la situation sociale en France (des grèves très dures vont éclater pendant l'été 1953) ; il est effrayé aussi par les proportions que prend la guerre d'Indochine ; et enfin le gouvernement a perdu tellement d'autorité que chaque ministre, voire chaque haut fonctionnaire, se croit autorisé à mener sa politique personnelle au gré de la clientèle qu'il s'est constituée. On ne sait plus par exemple qui dirige la politique française au Maroc : Laniel, Bidault, Juin, le général Guillaume, les grands propriétaires, le pacha de Marrakech ?

Vincent Auriol écrit, en août 1953 : « Que se passe-t-il au Maroc ? Quelles instructions ont été données au général Guillaume ? Celle de faire signer les réformes ? De protéger le sultan ? D'apaiser le Glaoui ? Peut-être. Mais comment se fait-il que M. Boniface [chef de la région de Casablanca] – lui, toujours ! – qui n'a rien à faire à Marrakech ait été délégué auprès du Glaoui, avec Vallat [directeur de l'Intérieur à la résidence], Vimont [chef de cabinet de Bidault alors ministre des Affaires étrangères] directement envoyé par Bidault et de mèche avec tout le monde et enfin Blesson [chargé de

1. Article paru dans *L'Express* en 1953.

mission à la résidence] qui a reçu le Glaoui en souverain ? Il faut les liquider. On est en pleine folie. Le sultan qui veut abroger le protectorat demande à être protégé. La résidence, qui veut conserver le protectorat, veut livrer le sultan. Il n'y a aucune politique, sauf celle des services, en complicité avec les actifs de la résidence et les grands colons. Schuman a raison de dire que les ministres ne savent pas exister. J'apprends en fin de soirée que l'Assemblée réunie par le Glaoui a nommé un iman, chef délégué religieux du Maroc, à la place du sultan. (...) Qu'est-ce que ça donnera ? »

Tout simplement, un absurde complot, fomenté plus ou moins par Bidault, Juin et sur place, Guillaume qui, ne comprenant pas qu'ils sont « roulés » par les ambitions personnelles du Glaoui, vont déposer le sultan pour le remplacer par une potiche, le vieux Sidi Moulay Mohammed Ben Arafa et surtout pour faire de ce sultan qui commençait à être contesté par les nationalistes marocains un héros, un martyr du nationalisme et le futur roi Mohammed V. Aucun ministre, mis à part Bidault, n'est au courant des initiatives du résident général, le général Guillaume !

Le 20 août 1953, Auriol écrit dans son *Journal* : « Ce matin je lis que Guillaume a déclaré, hier, avoir nommé un nouveau sultan, celui désigné par le Glaoui. Or, hier, Bidault a donné lecture, en conseil des ministres, d'un communiqué disant que Guillaume était chargé de veiller à l'avenir du trône ! Où donc est la vérité ? (...) Quelle comédie ! Le gouvernement délibérait, Bidault faisait de belles instructions, lues au conseil des ministres et approuvées par lui, mais tout était décidé par ailleurs, arrangé, arrêté. A 14 heures, les instructions ; à 16 h 30 tout était en place, le départ pour la Corse [le sultan déposé fut d'abord expédié en Corse avant de gagner son exil de Madagascar], les tanks dans le palais, la destitution du grand vizir, la nomination du nouveau sultan. (...) Il n'y a plus de gouvernement, plus d'État en France, il y a des messieurs là-bas qui décident selon leurs intérêts et leurs passions. (...) Laniel est-il inintelligent ou hypocrite ? Ou trop habile ? Je crois plutôt à la première hypothèse ! Bref, tout cela est triste ! C'est un pauvre homme. Je ne voulais pas l'appeler, je m'y suis résigné, j'ai été même contraint. J'avais donc raison dans mes hésitations, j'aurais préféré Jacquinot... »

Le ministre délégué au Conseil de l'Europe qui se passionne tant maintenant pour les affaires du Maroc et de la Tunisie fait partie de ce Conseil des ministres qu'on a ainsi berné. Lui qui a le sens de l'État, qui est imbu de la dignité et du rôle d'un gouvernement fort, issu d'un Parlement qui représente la volonté du peuple, qui n'a jamais hésité à faire sauter des fonctionnaires qui étaient sous ses ordres et qui se permettaient d'avoir une politique personnelle en contradiction avec ses instructions, ne peut pas tolérer une telle carence de l'« inintelligent » Laniel et de telles initiatives de toutes ces fractions.

Pour l'Indochine, là encore c'est l'incohérence. Bao-Daï, le « mauvais cheval » que la France a choisi et auquel elle a promis beaucoup plus que ce que lui avait demandé, quelques années plus tôt, Hô Chi Minh (qui aurait été « le » bon cheval) vient à Paris en août 1953. On peut juger du niveau de la visite quand on sait qu'au cours des entretiens entre l'empereur et les ministres, à Rambouillet, Paul Reynaud demande à Bao-Daï de donner l'exemple de l'honnêteté et de... cesser d'aller chaque soir dépenser des fortunes dans les casinos. L'empereur prend très mal la réflexion et répond : « Si vous veniez dans les salles de jeux, vous y rencontreriez davantage de colonels français que de Vietnamiens ! »

Mitterrand est écœuré par tout ce spectacle. Tout comme il est affolé quand il assiste aux réunions du « Comité de défense » qui traite de la guerre en Indochine. Il ne comprend pas qu'on tente encore de s'accrocher dans ce coin d'Asie perdu alors qu'il y aurait tant à faire en Afrique. Il est nettement partisan de la négociation et ne le cache plus. Au Parlement, dès janvier 1953, il avait déclaré : « Il s'agit d'une guerre malgré nous, qui ne correspond à aucune définition et dans laquelle nous nous sommes trouvés engagés par la trahison des uns, l'incompétence des autres ou tout simplement le malheur du temps. » Et au Conseil des ministres du 22 juillet, il n'a pas hésité à suggérer à ses collègues : « Pourquoi pas une négociation directe avec Hô Chi Minh ou Mao Tsé-toung ? » A l'époque, au milieu de la lâcheté et de la trahison générale, de tels propos pouvaient apparaître comme de la... haute trahison. Mitterrand ne pensait qu'à son Afrique et qu'à amputer au plus vite le membre malade pour sauver le reste du corps. Cette attitude lui coûtera d'ailleurs très cher. Ce sera, un an plus tard, l'affaire des fuites !

Mitterrand est donc fort mal à l'aise dans ce gouvernement, moins — contrairement à ce que disent ses amis d'aujourd'hui — parce qu'il s'agissait d'un gouvernement de « droite » que parce que ce gouvernement ne savait plus se faire respecter. S'il prône la négociation avec le Viet-Minh c'est parce qu'il veut sauver le reste de l'empire et s'il est furieux de la « déposition » de Mohammed V, ce n'est pas parce qu'il apprécie ce souverain qui commence à flirter avec le nationalisme, mais parce que cette déposition a été décidée par des fonctionnaires sans l'accord du gouvernement.

La goutte d'eau sera l'affaire tunisienne. Le 2 septembre 1953, Mitterrand apprend au Conseil des ministres que Pierre Voizard a été nommé, la veille, résident général de France en Tunisie, en remplacement de Hauteclocque. Certains, pour politiser mieux encore la réaction qu'aura Mitterrand, font aujourd'hui de Voizard (cet ancien préfet qui fut le plus jeune médaillé militaire français en 1915 et le premier soldat allié à entrer dans Rome libérée en 1944) un homme « de droite ». C'est faux. Certes, c'était Georges Bidault qui, dans le dos de ses collègues du Conseil des ministres, avait « fait le coup », mais Voizard était au contraire un « politique », un homme de dialogue, arabisant, entretenant d'excellentes raisons avec le Bey mais aussi avec de nombreux nationalistes tunisiens. Et d'ailleurs sous son « règne », les choses commenceront à s'améliorer entre Tunis et Paris. Mitterrand ignore-t-il qui est Voizard ? Difficile à croire. En fait, il s'insurge simplement contre les méthodes de gouvernement pratiquées depuis quelques mois. Et il donne sa démission du gouvernement Laniel moins pour protester contre une mauvaise politique dans l'empire que pour protester contre la carence du régime.

Certains diront, en s'étonnant d'une telle démission, que Mitterrand a quitté le gouvernement parce que, trois semaines plus tôt, Vincent Auriol, mis au courant des « fuites » du conseil de Défense, avait déclaré : « Messieurs, il y a parmi nous un traître, il faut qu'il donne sa démission. » La démission de Mitterrand tombait donc fort mal et les ennemis du député de la Nièvre s'en sont servi avec d'autant plus de mauvaise foi qu'on savait parfaitement que Mitterrand était innocent. Non, la démission de Mitterrand (qui n'est pourtant pas homme à abandonner facilement le pouvoir qu'il aime tant, il le prouvera plus tard, quand il ratera maintes occasions de démissionner dans des circonstances autrement plus graves, notamment du gouvernement Mollet avec Mendès et Savary), s'explique tout simplement parce qu'il s'est rendu compte qu'il était embarqué dans une mauvaise galère. Le navire faisait eau de toutes parts et il n'y avait plus personne sur la passerelle ! Il le reconnaît d'ailleurs volontiers, quand, dans *Ma part de vérité*, il évoque son départ du gouvernement Laniel. Il ne se vante pas d'avoir été un homme de gauche favorable aux thèses des nationalistes africains et en butte à des collègues de droite réactionnaires, comme il aurait pu facilement le faire en truquant l'histoire et comme le font certains « mitterrandistes excessifs ». Non, il écrit lui-même : « La IVe République ne s'était pas dotée d'institutions politiques à la mesure de ses obligations. L'instabilité érigée en règle de gouvernement, l'habitude prise de consommer un ministère par problème, le surplace – comme dit le langage des vélodromes – exécuté par les chefs de parti, plus habiles à manœuvrer dans l'obscurité des crises en tapinois, qu'à agir au plein jour des responsabilités, préparèrent sa ruine. La grande affaire de la décolonisation la dépassa. Elle tomba dans les derniers vestiges de l'empire. Son autorité n'était plus acceptée ni par l'armée ni par l'administration. Robert Schuman s'en plaignit un jour dans un article fracassant de *La Nef*. C'est ainsi que la déposition du sultan du Maroc fut organisée par le résident général et par les fonctionnaires locaux, avec la complicité de deux ministres, sans que le gouvernement fût informé. Le nouveau sultan avait pris déjà possession du trône que l'on cherchait encore à l'Élysée à connaître son identité. La politique tunisienne ne fit l'objet d'aucun débat sérieux au Conseil des ministres. Un jour que je m'en inquiétai, M. Georges Bidault m'opposa que « Tunis était un grand village » et que le gouvernement n'avait pas à se substituer au ministre compétent et il ferma le dossier. Je démissionnai. (...) Quant à la guerre du Vietnam, elle fut conduite par l'état-major et non par le pouvoir civil. » Les raisons de sa démission sont donc bien claires.

On le voit, la fin du chapitre « colonial » de Mitterrand (le problème algérien mis à part) se place déjà moins au niveau des affaires coloniales elles-mêmes qu'à celui des institutions que nous allons aborder « en attendant Mendès ».

Pour en terminer avec l'empire, permettons à Mitterrand de faire sa propre autocritique, tant une critique accablante serait facile, mais somme toute bien injuste, vingt-cinq ans plus tard [1] : « J'imaginai alors – reconnaît-il – un système dont aujourd'hui je discerne la faiblesse, fondé sur un vaste ensemble d'États autonomes fédérés autour de la France. L'autonomie aurait hâté l'accession des territoires africains à la pleine responsabilité politique et à l'égalité des droits économiques et sociaux. La fédération aurait justifié l'existence à Paris d'un pouvoir central fort et la participation de tous les États fédérés aux décisions suprêmes. Je suis resté longtemps fidèle à cette idée que j'ai défendue par la suite durant la première phase de

1. In *Ma part de vérité*.

la guerre d'Algérie avant de l'exprimer en termes institutionnels, le 4 février 1958, par le dépôt à l'Assemblée nationale d'une proposition de résolution qui prévoyait la création d'une « Communauté franco-africaine », loin de me douter que le général de Gaulle, un an plus tard, prétendrait à l'originalité en insérant dans la Constitution de la Ve République des dispositions proches de mon texte. L'échafaudage du général de Gaulle n'a pas résisté à l'épreuve des faits car il avait commis l'erreur de rendre contradictoires les notions d'indépendance et de communauté. Rien de moins émancipateur sur ce point que la Constitution de 1958 ! Mais j'avais tort de mon côté de vouloir concilier les contraires. Il n'est d'émancipation coloniale comme il n'est de révolution sociale que globale et irréductible. (...) »

On pourrait longuement analyser cette autocritique relativement honnête. Et faire remarquer que d'abord Mitterrand a oublié ici sa « première époque coloniale » celle pendant laquelle il prônait, non pas la fédération, mais bel et bien l'intégration. Mais ce qu'on retiendra avec le plus d'intérêt c'est cette nouvelle rencontre avec de Gaulle qu'il est bien obligé lui-même de souligner. Décidément ! Et on oubliera que le futur dirigeant de la gauche française a été un « affreux colonialiste », comme tout le monde ou presque à cette époque.

9. EN ATTENDANT MENDÈS...

De Gaulle, Schuman, P.M.F.

Le ministre démissionnaire de septembre 1953 est un homme déçu. Il s'en va écœuré par le spectacle que lui a offert cette IVe République qu'il a pourtant incarnée, servie et dont il a bénéficié. Il a une très belle carte de visite : neuf fois ministre, sur quatorze gouvernements. Un très beau score ! Ministre à trente ans, ministre d'État à trente-cinq ans. L'un des ministres les plus brillants, en tout cas le benjamin. Et brusquement, alors que certains évoquent déjà son nom pour former un futur gouvernement, voilà qu'il part en claquant la porte. Les démissions sont rares dans les gouvernements ! S'aperçoit-il qu'il a fait fausse route depuis des années, qu'il s'est laisse entraîné peu à peu, amusé par le combat quotidien et qu'il a oublié ses promesses de jeune homme, ses ambitions de 1944 ? Elles lui reviennent soudain en mémoire et il a un peu honte, lui qui ironisait sans pitié sur les pantoufles d'Édouard Herriot, d'être devenu un jeune cacique au milieu des caciques de la IIIe qui ont refait surface et qui se disputent avec lui les maroquins. Il s'aperçoit surtout qu'il sert une République bien éloignée de celle pour laquelle il s'était battu il y a dix ans. Le contrat lyrique de la Résistance n'a pas été rempli.

Il est d'ailleurs amusant de noter que c'est au moment précis où les « vrais » gaullistes du R.P.F., fabriqués de leur exil, acceptent de faire leur rentrée dans la vie politique que Mitterrand, ce « faux » gaulliste, fatigué de cette vie politique, fait une sortie. C'est l'éternel chassé-croisé !

L'attitude de François Mitterrand est très claire : en face des crises gouvernementales qui se succèdent et interdisent toutes les politiques de longue haleine comme celle qu'il voudrait voir entreprendre notamment pour l'empire et son grand dessein franco-africain, il souhaite une réforme de la Constitution de 1946 – il ne l'a pas approuvée, ne l'oublions pas ; et en face de la médiocrité qui sévit aussi bien sur les bancs du Parlement que parmi la plupart des membres des Conseils des ministres, il rêve qu'apparaisse, quelque part, un « style ». En fait, le jeune homme qu'il est encore, rage, bout et piaffe devant l'imbécillité de la situation et des hommes qui l'entourent.

Il est loin d'être le seul. Nous avons vu que le « vieil » Auriol, tout président de la République qu'il était, était parfaitement d'accord avec lui, sans le savoir, tant les hommes qui partageaient les mêmes angoisses s'ignoraient les uns les autres, rejetant sur l'autre la responsabilité d'une situation dont tout le monde se plaignait. Un mois avant le départ de Mitterrand du gouvernement Laniel, Auriol rencontre le ministre délégué au Conseil de l'Europe à propos de la situation en Indochine ; il écrit dans son *Journal* : « Vraiment, il est bien léger ce Mitterrand, brillant par son assurance mais est-il très solide intellectuellement ? » Bref, ils étaient sans doute plus nombreux qu'on ne le pensait à partager l'écœurement de Mitterrand, à espérer quelque chose ou plutôt quelqu'un de nouveau, mais le système politique était tel que ces hommes ne pouvaient pas se rencontrer.

En fait, une fois de plus, Mitterrand est parfaitement d'accord avec de Gaulle. Mais il ne peut pas et surtout ne veut pas le savoir. Comme le « solitaire de Colombey-les-Deux-Églises », il pense que cette Constitution est catastrophique et que « si on les laisse faire, vous verrez qu'ils finiront par nous faire perdre l'Algérie, la Corse, la Bretagne et l'Alsace », comme le murmure de Gaulle à quelques fidèles qui viennent encore le voir.

Seulement de Gaulle et surtout les gaullistes se sont lancés dans une stratégie qui, bien sûr, interdit à Mitterrand d'aller vers eux. Opposants systématiques, ils sont prêts à tout pour embarrasser les gens de la IVe République. En fait, pour eux, tous les collaborateurs de ce régime se valent, ils ont tous trahi de Gaulle et le rêve de 1944 en acceptant de rallier le tripartisme de jadis. Même ceux qui furent farouchement hostiles au tripartisme et même si le tripartisme a fait long feu depuis longtemps. Alors, ils les attaquent sans ménagement, faisant feu de tout bois. Quand Mitterrand est strictement fidèle à l'esprit de la conférence de Brazzaville, ils lui reprochent d'être un « bradeur de l'empire », avec une mauvaise foi évidente car Mitterrand ne veut surtout pas brader l'empire et eux-mêmes seraient favorables aux réformes qu'il prône s'ils étaient au pouvoir ; la même mauvaise foi dont ils se servent pour lui reprocher sa francisque, eux qui sont loin d'avoir tous la croix de la Libération.

Cependant le R.P.F., dans son exil et sa rancœur, a considérablement évolué. Le régime proposé par le discours de Bayeux est devenu de plus en plus autoritaire, ou du moins présidentiel. Mitterrand, lui, par tradition, mais aussi parce qu'étant à l'intérieur du régime et il en croyait donc la modification possible, était resté foncièrement parlementariste.

Sans « terre d'accueil » (mais d'ailleurs Mitterrand n'est guère homme à se rallier), l'ancien ministre déçu ne peut donc que retourner chez lui, c'est-à-dire à l'U.D.S.R.

Mitterrand ministre n'a pas perdu son temps non plus au sein de son parti. Le départ des gaullistes (Capitant, Baumel, etc.) en 1949, qui avaient rejoint le R.P.F., s'il avait décimé le « petit parti charnière issu de la Résistance », avait fait de Mitterrand l'une des rares « vedettes » de l'Union, en dépit de son jeune âge. L'U.D.S.R. ce n'était plus que Pleven, Claudius-Petit et Mitterrand, ce qui, bien sûr, facilitait considérablement la carrière ministérielle de ces trois hommes. On les retrouvait régulièrement dans toutes les combinaisons qui voulaient dépasser à l'Assemblée la barre fatidique des 313 voix.

Mais Mitterrand n'a pas le sens de la soumission ; il aime être maître chez lui ; il accepte mal la présidence de Pleven et l'importance de Claudius-Petit. D'abord, il n'a jamais eu de sympathie pour ces deux chrétiens qu'il verrait mieux ailleurs et notamment au M.R.P.

Il ne s'est jamais entendu réellement avec Pleven, résistant de l'extérieur, qui avait été à Alger l'un des grands de l'appareil gaulliste et avait pratiquement rejeté le jeune chef du petit mouvement des prisonniers. Commissaire à Alger, c'est-à-dire ministre, successivement aux Finances, à l'Économie, aux Colonies, aux Affaires étrangères, Pleven, plus tard, allait être, lui, compagnon de la Libération. Il connaissait, lui aussi, l'Afrique (Pleven présida la conférence de Brazzaville et fut ministre des Colonies de de Gaulle en 1944). Tous deux avaient trop de points communs pour ne pas finir par se détester. Et puis, tout au long des premières années de la IVe, ils s'étaient, souvent, dans les mêmes gouvernements, trouvés en opposition. Mitterrand reprochait au ministre des Finances et de l'Économie de 1945 de l'avoir emporté sur Mendès France en prônant des mesures prudentes et timorées que la situation ne permettait guère ; il reprochait au ministre de la Défense de 1949 et de 1952, une politique médiocre en Indochine. Bref, le « grand Breton » manquait d'allure à ses yeux et représentait un centre-droit sans saveur.

Mitterrand ne s'entendait pas non plus avec Claudius-Petit. Dès leur première rencontre, l'austère professeur de dessin moustachu de Firminy s'était montré très « réservé » à l'égard du « beau ténébreux » et pourtant la rencontre s'était faite dans la clandestinité, fin 1942, sur les quais du Rhône, à Lyon. Le chrétien de gauche n'avait pas apprécié la désinvolture du jeune homme, et l'idéaliste avait trouvé sans panache et ennuyeux l'envoyé des Mouvements unis de la Résistance.

On s'était tous retrouvé un peu par hasard dans le même parti ; et si on faisait cause commune, c'était parce qu'on bénéficiait les uns et les autres de ce tout petit parti charnière. C'était peu.

Mais le solitaire de la Nièvre a compris qu'il avait besoin d'une certaine clientèle s'il voulait imposer ses vues, et surtout s'il ne voulait pas être entraîné, de gré ou de force, par ses compagnons de parti. Pleven n'avait pas hésité à le sacrifier, en août 1951 : appelé à succéder à Matignon à Henri Queuille, il n'avait pas voulu maintenir Mitterrand au ministère de la France d'Outre-Mer où il l'avait pourtant appelé une première fois, treize mois plus tôt. Alors Mitterrand va créer son propre parti au sein de l'U.D.S.R. !

Mitterrand est, tout le monde le dit, un excellent manœuvrier. Bon à la tribune, il est encore meilleur dans le dialogue intime, à mi-voix. Il sait persuader, convaincre, charmer en un mot. Il va donc faire du porte à porte ou presque, et récupérer un certain nombre de militants (l'U.D.S.R. en compte très peu, à dire vrai). Il leur rappelle l'enthousiasme de 1944, que Pleven représente bien mal, leur fait comprendre que la véritable place de l'U.D.S.R. se trouve au centre gauche pour tenter d'attirer une part de la clientèle de la S.F.I.O. trop sclérosée, mais aussi pour jouer un rôle d'animateur entre ces socialistes, inévitablement déçus, et un M.R.P. qui s'essouffle de lui-même. En même temps, il fait remarquer que si on suit Pleven vers le centre-droit, on risque bien de tout perdre parce qu'on se rapprochera alors trop du R.P.F. et que les électeurs déserteront comme ils ont commencé à le faire aux élections législatives de 1951.

Mitterrand grignote quelques voix au sein du parti. Pleven, peu élégant, affirmera que c'est en trichant sur le nombre des adhérents de certaines régions. C'est possible, mais qui ne l'a pas fait ?

Et puis surtout, Mitterrand va devenir un homme important à l'U.D.S.R. grâce... au R.D.A. On a vu comment le ministre de la France d'Outre-Mer avait su, habilement, récupérer les nationalistes africains qui étaient alors inféodés au parti communiste. Il avait répété inlassablement à Houphouët-Boigny et à ses amis que « le parti communiste, sachant fort bien que le stade d'évolution économique des peuples noirs n'offrait qu'un champ étroit à l'expansion de sa propre doctrine, se rangeait habilement sous la bannière nationaliste » *(Présence française et abandon)*. Et il leur avait fait remarquer combien cette politique nationaliste du P.C.F. était contre-nature pour le parti de l'internationalisme. Le ministre avait donc bien joué, mais le dirigeant de l'U.D.S.R. n'avait pas perdu son temps non plus.

Il fallait bien, en effet, que ces membres du Rassemblement démocratique africain qui se séparaient du P.C.F. trouvent un autre parti métropolitain pour les accueillir. Il était tout trouvé, c'était l'U.D.S.R. ; et Mitterrand n'avait plus besoin de tricher avec des militants fantômes de métropole pour avoir du poids au sein de son parti, il arrivait avec la masse africaine et surtout avec quatorze parlementaires des territoires d'Outre-Mer, ce qui était d'autant plus important que l'U.D.S.R. ne comptait, elle, que neuf parlementaires de la métropole...

Quatorze plus un égalent quinze, neuf moins un égalent huit, quinze contre huit, Pleven n'en avait plus pour longtemps ! Même si l'U.D.S.R. devenait ainsi, curieusement, un parti... africain.

En juin 1951, Mitterrand est naturellement élu président du groupe parlementaire de l'U.D.S.R. C'est un premier pas qui lui permet de faire officiellement figure d'opposant à la tendance Pleven – Claudius-Petit. On parle déjà dans la presse des deux familles de l'U.D.S.R. et, pour la première fois, on place Mitterrand « à gauche » ; à la gauche de Pleven il est vrai, mais c'est surprenant car il vient d'être réélu dans la Nièvre sur une liste franchement « de droite ».

En octobre 1951, Mitterrand s'impose au Ve congrès national de l'U.D.S.R. qui se tient à Marseille. Dans un grand discours, il définit d'abord le « créneau » dans lequel l'U.D.S.R. peut se placer, c'est-à-dire à mi-chemin « entre les deux maux qui guettent la France » et qui sont « ces deux formes de la même révolution : le communisme et le fascisme ». Par fascisme Mitterrand entend le R.P.F. Mais surtout il évoque « la rénovation nécessaire de nos mœurs politiques, de nos méthodes de gouvernement et peut-être même de nos structures traditionnelles ». Ce jeune homme prend des allures de révolutionnaire, mais aussi, il attaque violemment la « révolution moderne qui est une révolution antilibérale. A Rome, à Berlin, à Madrid et maintenant dans tant de capitales de l'Est européen, elle est partout la même. » En fait, il prend, avec le ton de Saint-Just (qu'on lui attribuera souvent par la suite), la défense de 89 : « Je pense, s'écrie-t-il, qu'en 1951 la meilleure façon de libérer les hommes est de rester fidèle à la grande Révolution de 89 et de faire ce qu'elle n'a pas pu faire car, malheureusement pour nous, elle nous est arrivée un peu trop tôt. » Ce que les militants entendent, c'est surtout un style nouveau, jeune, qui s'oppose à celui qu'emploient maintenant tous les ténors essoufflés de la vie politique française. Cela plaît. Mitterrand le sent. Il devine que d'autres cherchent ce qu'il cherche lui-même : un style épique dont ils avaient rêvé en 1944, qui est peut-être celui de 89, qu'ils ne veulent plus reconnaître à de Gaulle mais qu'ils ne savent pas où trouver.

En 1952, Mitterrand est réélu président du groupe parlementaire (toujours grâce à ceux qu'on appelle maintenant « les bons nègres de Mitterrand »). En novembre 1953 (deux mois après son départ du gouvernement Laniel), au congrès national de Nantes, il est prêt à porter l'estocade finale à Pleven : sa tendance compte 51 représentants, celle de Pleven n'en compte plus que 19. C'est le triomphe des jeunes, de ceux qui refusent maintenant des gouvernements comme celui de Laniel, trop à droite, trop incapables. Mitterrand a bien fait de démissionner, d'autant plus que Pleven, lui, est resté au gouvernement. Pire, Pleven est ministre de la Défense nationale, c'est-à-dire, pour la gauche, responsable de la « répression » et, pour la droite, responsable de la défaite en Indochine.

Le 24 novembre, Mitterrand est élu président national de l'Union Démocratique et Socialiste de la Résistance. Il est maintenant un homme très important sur l'échiquier politique puisqu'il est le « maître » d'un parti charnière qui, même s'il compte bien peu de militants et d'électeurs, peut faire et défaire des gouvernements. Seulement, il vient de démissionner du gouvernement Laniel parce que, précisément, ce jeu l'écœure. Il a l'instrument pour agir, mais il ne sait pas dans quel sens.

Tout ce qu'il peut dire c'est : « J'approuverai pleinement tout ce qui contribuera à la stabilité gouvernementale » (il s'était pourtant opposé à un courageux projet de réforme constitutionnel de Paul Reynaud qui voulait qu'une assemblée ne puisse plus faire tomber un gouvernement avant dix-huit mois). Il rêve à un « nouveau courant sanguin dans ce pays fatigué par deux guerres atroces qui répondrait à l'attente, au besoin d'une génération politique qui a tenté jusqu'à présent, vainement, de s'exprimer ». Cette génération politique, c'est la sienne.

Dans la médiocrité qui régnait au Parlement, il a rencontré quelqu'un qui pouvait répondre à ses espérances : Pierre Mendès France. Un homme en marge, mal aimé, qui s'est toujours refusé à entrer dans les combinaisons du sérail (contrairement à Mitterrand), mais qui, grâce à ses exils, est entouré d'une certaine aura. Il a été le plus jeune député de l'Assemblée de 1932 (il avait juste 25 ans), il a été collaborateur de Blum en 1938, commissaire aux Finances à Alger en 1943, et puis surtout il a démissionné (ou été démissionné par de Gaulle) en avril 1945 parce qu'il prônait des mesures impopulaires mais efficaces que refusait le Général. Depuis, il a la réputation d'être remarquablement intelligent, d'avoir effroyablement mauvais caractère (et il en joue), de mépriser souverainement le monde politique qu'il ignore, d'être à part, avec son « style ». Petit à petit, il s'est forgé l'image « d'un homme recours » qui attend son heure et qu'on finira bien par appeler en sachant qu'il ne fera pas de concessions. C'est une espèce de de Gaulle, qui n'a pas fait Saint-Cyr, qui n'a pas lancé l'appel du 18 juin (mais qui aurait pu), qui est parlementaire, radical... Bref Mendès France pourrait bien être le de Gaulle dont a tant besoin « cette génération qui a tenté jusqu'à présent vainement de s'exprimer ».

Et Mendès, à son corps défendant, vient justement de faire un « tour de piste », pendant l'interminable crise de trente-six jours qui s'est terminée par la formation du gouvernement Laniel. Depuis ces quelques heures, pendant lesquelles tous les projecteurs étaient braqués sur lui, on pense beaucoup à Mendès. Ce « tour de piste » a été très révélateur et essentiel pour l'avenir de la vie politique française. D'abord, Mendès n'avait pas voulu se lancer. Il avait fallu que Vincent Auriol le « viole » pour qu'il accepte d'aller à l'abattoir. « Vous m'envoyez me casser les reins » avait-il dit au Président qui insistait.

L'entretien de l'Élysée, connu grâce aux « confidences » d'Auriol, est important :

Auriol : « Maintenant il faut quelqu'un, un homme qui peut répondre à la double nécessité : être compétent et avoir de l'influence à l'intérieur et à l'extérieur [la conférence des Bermudes : États-Unis - Grande-Bretagne - France est annoncée] et cet homme c'est vous. D'autant plus que je voudrais sortir des sentiers battus. Un homme jeune s'appuyant sur des jeunes, avec un esprit nouveau. (...) Vous pouvez faire une nouvelle majorité basée sur un programme hardi. »

Mendès : « Il y a des années que je travaille dans le but d'établir une nouvelle direction pour la France et je me permets de dire que je l'ai fait avec courage. Je suis détesté de ce qu'on appelle les " grands " hommes politiques de ce pays, ça m'est égal. J'ai, par contre, de grands encouragements des jeunes et c'est ce qui compte. J'essaie de les aider. Je considère qu'à l'heure actuelle on doit utiliser les hommes avec un maximum de chances. J'ai l'impression que, jusqu'ici, vous n'avez pas su tirer le maximum de parti de ce que je pouvais donner. Aujourd'hui, j'ai peut-être une toute petite chance de servir à quelque chose. Je suis une petite carte, mais je ne voudrais pas que cette carte soit brûlée. Je ne veux pas faire un gouvernement comme les autres, pour aboutir à une crise comme les autres. Je souhaiterais donc être à l'œuvre dans les meilleures conditions ; aujourd'hui elles ne sont pas bonnes. Vous avez désigné Reynaud. Avec une procédure insolite, il a tout de même proposé quelque chose. Il a fait un appel à l'opinion publique et au Parlement qui sera de toute manière utile. Un jour ou l'autre quelqu'un en profitera. Une seconde tentative dure est à mon avis inutile et néfaste. (...) Comment pouvez-vous imaginer que j'aurai 314 voix en mettant les pieds dans le plat, alors que Reynaud ne les a pas eues ? »

Auriol est obligé de « lutter jusqu'à la violence des mots » et de s'écrier : « Vous êtes un velléitaire, il n'y a rien à faire avec vous, je perds mon temps ; eh bien écoutez, j'ai depuis une heure ," les mousquetaires de l'Armagnac " qui m'attendent et ils sont plus intéressants, je vais les voir ! » Il laisse Mendès « époustouflé » et ne revient dans son bureau que trois quarts d'heure plus tard. Mendès accepte de former un gouvernement. Mais il avait raison, il allait se casser les reins.

Il se présente seul à la Chambre. Auriol, qui est un bon observateur, écrit : « C'est la pestilence des marais. Des inconnus sans talent viennent à la tribune faire étalage de démagogie. Ils exhalent le mécontentement des gens, c'est certain, mais ils ne voient pas l'ensemble, c'est-à-dire la colère qui monte contre le Parlement ; ces gens-là seront balayés. Ce sont des inconnus, mais d'une bassesse électorale sans nom. Un nommé Hénault [R.P.F. de la Manche, c'est-à-dire des bouilleurs de cru] parle du cidre et de la betterave. On entend un homme sérieux dire : « Mais la décantation n'est pas encore faite dans les esprits pour avoir fait appel à un doctrinaire comme M. Mendès France et pour un programme aussi hardi. »

Mitterrand prend position, il va voter pour Mendès. Il aime ce « jeune », qui « sort des sentiers battus », avec « un esprit nouveau », et qui « met les pieds dans le plat ». Mais visiblement, c'est le « souffle » de Mendès qui lui plaît, beaucoup plus que le programme qu'il ne devine pas encore et que, peut-être, il ne serait pas encore prêt à accepter.

A propos de la Tunisie, par exemple, il déclare, au cours du débat d'investiture : « Il me semble que nous pourrions tous être d'accord, et vous plus particulièrement, monsieur le président du Conseil désigné, sur la formule adoptée par Jules Ferry, il y a de cela soixante-douze ans, au moment du débat sur la ratification du traité du Bardo. Jules Ferry disait que la Tunisie est la clé de notre maison. Il ne faut remettre aujourd'hui cette clé à personne, sinon la maison sera menacée. Quel est celui d'entre vous qui accepterait que la présence de la France en Afrique du Nord fût discutée ? (...) Il s'agit de trouver le meilleur moyen d'y rester. Et si vous avez le droit de discuter le moyen qui vous est proposé par tel ou tel d'entre nous, surtout s'il s'agit d'un président du Conseil désigné, vous n'avez pas le droit de questionner ainsi à cette tribune, ce que j'ai entendu dans la bouche de certains : " Êtes-vous partisans du maintien de la France ? " Cela n'est pas tolérable. »

On peut se demander si, dans ce discours au cours duquel il évoque aussi la nécessité de faire des réformes, Mitterrand n'est pas déjà un habile avocat de Mendès. Cependant il restera pendant quelques mois encore très « impérialiste ». On peut plutôt penser que c'est sa rencontre avec Mendès qui sera décisive.

Mendès n'obtient pas les 313 voix. Il ne parvient à réunir que 301 voix ! La ronde des tractions-avant va se poursuivre dans la cour de l'Élysée, mais un « beau souffle » est passé. François Mauriac, dans *Le Figaro*, félicite Vincent Auriol d'avoir fait appel à Mendès et le Président écrit : « Mendès vient de faire un coup formidable qui le classe parmi les plus grands. Avec franchise et autorité, il a déclaré qu'il choisirait les ministres sans en discuter avec les groupes politiques, seulement d'après leur compétence, leur sens civique et leur souci du bien public, et il leur a demandé de s'engager à ne pas faire partie du cabinet suivant. Cela a été le pavé dans la mare et le coup a été terrible. (...) Il a créé un courant formidable. En tout cas, le pays va sûrement être agité et c'est cela qui importe. »

Auriol écrit le soir même à Mendès cette lettre : « Je viens de voir les chiffres. J'en suis attristé, mais le résultat n'est pas décourageant. Je suis heureux que vous ayez refait une majorité de résistance et de gauche. De plus vous avez bouleversé l'opinion. Je vous répète ce que je vous ai dit hier soir : de mon cœur jeune, je vous embrasse. Je dis comme Mauriac : restez dans l'antichambre. »

Quand on voit l'attitude de Vincent Auriol, on comprend que le « jeune Mitterrand » ait été fasciné par P.M.F. C'était bien l'homme qu'il attendait. Plus tard et bien après que les deux hommes se seront séparés, Mitterrand évoquera, avec pudeur, cette fascination. Mendès fait partie de « ces hommes qui ne jouent pas avec les tricheurs, [...]. Mendès ne fut pas admis dans le cercle fermé des maîtres du système et n'y prétendit point. » Bref, quand Mitterrand veut se défendre d'avoir été un homme de la IVe, il appelle au secours Mendès, ce qui est évidemment efficace, aux yeux de l'histoire.

Mais le plus bel hommage qu'il a rendu à Mendès jusqu'à présent, on le trouve dans le texte qu'il a consacré au général de Gaulle, à propos du livre de Viansson-Ponté : « J'ai été le ministre et l'ami de Robert Schuman et de Pierre Mendès France qui furent deux des chefs de gouvernement de la IVe République à tenter de lui donner un style et des idées. De Gaulle avait certainement plus de style, peut-être moins d'idées, mais nul n'a parlé comme lui le langage de l'État. Mendès France était brûlé de la passion d'avoir raison. Le même scrupule habitait Schuman qui redoutait toujours d'avoir tort. De Gaulle ne posait pas le problème en ces termes. Il existait [1]. » (...) Les psychanalystes pourraient certainement commenter longuement ce texte essentiel dans l'œuvre écrite de Mitterrand. Les phrases sont étonnamment belles, nous l'avions déjà noté. C'est la mort du père détesté, envié, admiré, qu'on n'avait pu rencontrer. Et comme par hasard, les deux autres « pères » qui apparaissent, le « vieux » Schuman, chrétien, Lorrain, honnête, avec l'esprit de la Conférence de

1. *Le Monde* du 23 septembre 1971.

Saint-Vincent-de-Paul de Jarnac, et Mendès, brillant, implacable, intransigeant. De Gaulle, Schuman, Mendès, trinité étonnante et pourtant parfaitement logique aux yeux de Mitterrand...

On comprend dès lors beaucoup mieux pourquoi Mitterrand, embauché, comme d'habitude, dans la combinaison Laniel, s'est rapidement senti si mal à l'aise. Il avait pendant quelques instants humé un air différent. C'était moins à cause de la politique tunisienne en elle-même que par dégoût de l'incurie du régime qu'il était parti. On peut cependant se demander s'il n'avait pas compris qu'au fond quand Mendès, du haut de la tribune, au cours du débat d'investiture, avait demandé par avance à ceux qui seraient ses ministres de refuser d'entrer dans des nouveaux gouvernements, il s'était aussi adressé à lui...

10. AVEC MENDÈS

« La vieille division droite-gauche est emportée par le grand vent de l'Histoire. »

Pierre Mendès France était, selon la formule et le vœu de Mauriac, « resté dans l'antichambre ». Il attendait son heure, sachant fort bien que les réformes draconiennes qu'il estimait indispensables ne pourraient être admises par le pays, et surtout par le Parlement, que lorsque tout irait au plus mal. On a souvent reproché – à juste titre – à de Gaulle d'avoir attendu la catastrophe pour pouvoir apparaître comme l'homme providentiel et reprendre les rênes du pouvoir. Mendès lui-même a écrit au lendemain de la mort du Général : « Beaucoup de ses fidèles qui se disaient ses interprètes et qu'il ne désavouait nullement, aggravaient les choses [sous la IVe] par leurs surenchères nationalistes. Peut-être n'a-t-il pas vu sans quelque satisfaction un régime qu'il condamnait se perdre, jour après jour, dans les conséquences d'un mauvais choix auquel lui-même avait à l'origine contribué d'une manière décisive. A-t-il parfois, selon la terrible formule de Chateaubriand, mis les malheurs de son pays au nombre de ses espérances ? L'agonie de la IVe République, en tout cas, ne fut glorieuse ni pour elle ni pour lui... [1] » Mitterrand, à plusieurs reprises, a formulé les mêmes accusations contre de Gaulle.

Mais – à croire finalement que tous les « hommes providentiels » se ressemblent, – Mendès France aussi entendait bien n'intervenir

1. In *La Vérité guidait leurs pas*, 1977, p. 199.

qu'au plus profond des malheurs du pays. N'avait-il pas dit à Vincent Auriol alors qu'il refusait encore, en 1953, de tenter sa chance : « Si un jour vous vous trouvez dans une impasse, je vous demande de m'appeler, car ce jour-là je serai candidat. Si le monsieur que vous allez faire appeler ou le suivant résout la crise, le lendemain de sa chute, faites-moi appeler, je suis candidat. »

Et c'est finalement ce qui s'est passé. Auriol avait appelé Joseph Laniel qui n'avait rien résolu, bien au contraire, mais qui avait pu tenir un certain temps. Puis Auriol fut remplacé à la présidence de la République par René Coty, après une pitoyable élection qui ne demanda pas moins de treize (!) tours de scrutin, sous les regards sidérés des Français qui, pour la première fois, grâce à la télévision (et donc un peu grâce à l'ancien ministre de l'Information, Mitterrand), purent suivre tous les magouillages sur leur petit écran. Puis, tout continua à se dégrader. Laniel restait président du Conseil, encore plus affaibli après son échec à la présidence de la République ; les grèves avaient repris ; la situation devenait catastrophique au Maroc et en Tunisie ; le personnel politique était divisé plus encore par l'affaire de la Communauté européenne de Défense. Le monde entier nous méprisait. En Indochine, c'était Dien Bien Phu.

La conférence de Genève commence. Le 7 mai 1954, Laniel annonce lui-même à l'Assemblée la chute de Dien Bien Phu. Georges Bidault, ministre des Affaires étrangères, retourne sur les bords du lac Léman. Le 11 mai, le débat est houleux au Palais-Bourbon. Le président du Conseil propose la création d'une commission parlementaire de contrôle pour les affaires d'Indochine. Le grotesque s'ajoute au drame. Mitterrand se lève et interpelle Laniel : « Nous avons moins besoin d'une commission parlementaire que d'une politique ! Il faut savoir si nous envoyons en Indochine le contingent pour compenser les pertes du corps expéditionnaire, ou si en internationalisant le conflit, comme il semble que nous avons essayé de le faire déjà, nous obtiendrons les concours de nos alliés ? » Laniel chancelle sous le coup. Tout le monde sait que le président de l'U.D.S.R. est sans illusions quant au concours de nos alliés car, pour lui, « si la France a des alliés, l'Union française n'en a guère ». Et tout le monde se souvient de l'ordre du jour qu'il avait déposé, deux mois avant la chute de Dien Bien Phu, sur le bureau de l'Assemblée et qui affirmait « solennellement que les Français sont unanimes à souhaiter régler le conflit d'Indochine par la voie de la négociation ».

Le 12 juin, le gouvernement Laniel tombe, à l'issue d'un débat au cours duquel Mendès avait prononcé un réquisitoire sans pitié, que certains jugèrent presque excessif et que *l'Année politique* qualifia de « déclaration d'investiture prématurée ». Mendès savait son heure arrivée. La défaite de Dien Bien Phu avait abasourdi le pays et fait le vide parmi les éternels candidats à la présidence du Conseil. Jacques Julliard écrit : « Toutes proportions gardées, le service que Pierre Mendès France a rendu à son pays en cet été 1954 est de la même nature que l'action de Charles de Gaulle le 18 juin 1940 : il l'a sauvé de l'humiliation, il l'a empêché de désespérer de soi. Dans les deux cas, c'est au fond même de son abaissement qu'on lui a fait découvrir les raisons et les moyens du redressement [1]. »

Le président Coty, qui se serait bien contenté d'un nouveau cabinet remanié par Laniel, n'a pas le choix : il fait appel au maire de Louviers. Les drames nationaux faisant toujours disparaître les velléités des médiocres, P.M.F. est facilement investi par l'Assemblée nationale. Il est vrai que dans son discours d'investiture il s'était placé sous le triple parrainage de Raymond Poincaré, Léon Blum et Charles de Gaulle, ce qui lui apportait les voix des gaullistes, des socialistes, de ses amis radicaux (pas tous), plus quelques M.R.P. et quelques indépendants. Mais aussi celles des communistes qui, pour la première fois depuis Ramadier, acceptaient de soutenir un gouvernement. Cela posait d'ailleurs un problème bien intéressant à P.M.F. Les voix communistes ressemblaient encore furieusement à la poignée de main d'un pestiféré, et nombreux étaient les amis du futur président du Conseil, à commencer par Mitterrand (qui dans sa circonscription de la Nièvre, comme dans ses interventions sur l'empire se présentait toujours comme l'adversaire du P.C.F.), qui lui déconseillaient d'accepter ce cadeau empoisonné. P.M.F. fit prudemment savoir qu'il ne retiendrait pas, dans le décompte de ses voix pour l'investiture, l'apport des communistes. Même si Staline était mort, la guerre froide n'était pas encore oubliée, pas plus que l'action des amis de Maurice Thorez dans les grèves nationales. Résultat du scrutin : 419 « pour », 47 « contre » (l'extrême droite), 143 abstentions (74 M.R.P., 6 radicaux, etc.).

Comme prévu, sachant parfaitement qu'il avait les coudées franches, Mendès ne consulte aucun cacique pour former son gou-

1. La IVe République, p. 172.

vernement ; il se refuse aux dosages des combinaisons ministérielles et c'est avec Mitterrand, chez lui rue du Conseiller-Collignon, qu'il forme son équipe. La S.F.I.O. a d'ailleurs refusé d'entrer dans ce gouvernement qu'elle soutient. Tout comme le M.R.P., ce qui n'empêchera ni Robert Buron ni André Monteil d'être parmi les seize ministres et les quinze secrétaires d'État. Mitterrand qui aurait bien aimé avoir un « super-ministère » de l'empire a finalement choisi le ministère de l'Intérieur, plus prestigieux mais qui, surtout, lui permettra, d'une part, de s'imposer sur le plan national (il y a pris goût et en a compris l'intérêt depuis sa prise de pouvoir au sein de l'U.D.S.R.) et d'autre part lui donnera la haute main sur l'Algérie où on peut prévoir que la situation va devenir critique.

Trois « grands » gaullistes entrent au gouvernement : Chaban-Delmas, président du groupe gaulliste à l'Assemblée, qui devient ministre des Travaux publics, Koenig, ministre de la Défense nationale, et Christian Fouchet, ministre des Affaires marocaines et tunisiennes.

Mendès reprend une coutume de la IIIe République : il garde pour lui un ministère important, celui des Affaires étrangères, en raison de la conférence de Genève ; il fait d'ailleurs venir deux anciens ministres de la IIIe (Guy La Chambre, ministre de l'Air de Chautemps, Blum et Daladier, qui devient ministre des Relations avec les États associés, et André-Paul Bardon, ancien secrétaire d'État aux Beaux-Arts en 1934, qui devient secrétaire d'État aux P.T.T.).

Investi le 18 juin, P.M.F. en profite pour envoyer un message déférent à de Gaulle ! Entre hommes providentiels ! Et d'ailleurs, immédiatement, Mendès adopte un style qui sidère tout le monde. Il a été appelé parce qu'il y a eu Dien Bien Phu et parce qu'on veut des négociations sans capitulation, en dépit de l'écrasante défaite du général de Castries. Alors P.M.F. a l'idée géniale de ce qu'on appellera par la suite son « pari ». Il déclare à l'Assemblée : « Nous sommes le 18 juin. Si le 20 juillet, je n'ai pas obtenu un cessez-le-feu en Indochine, je demanderai au Parlement d'envoyer là-bas le contingent puis je démissionnerai. » Coup de bluff fabuleux, hors de toutes les traditions, digne d'un de Gaulle et préparé par Mitterrand dès le 11 mai (on l'a vu). Le 20 juillet, l'armistice sera signé à Genève...

Les huit mois pendant lesquels Mitterrand est ministre de l'Intérieur de Pierre Mendès France sont particulièrement importants pour le député de la Nièvre. Il le reconnaîtra à maintes reprises. Il a été profondément marqué par la personnalité de « son patron » ; il a, pour la première fois (et la seule) accepté de se soumettre à l'autorité de quelqu'un et de faire partie d'une équipe dont il n'était pas le capitaine ; il a, presque au plus haut niveau, dû faire ses preuves d'homme d'État. Et pourtant, même s'il aime (et ses partisans plus encore) rappeler qu'il a fait partie de ce gouvernement, ces huit mois ne sont guère glorieux pour Mitterrand. Le bilan qu'on pourrait établir serait même accablant pour lui.

Ses deux grands « dossiers », ce sont l'Algérie et l'affaire des fuites ; ministre de l'Intérieur, il sera le ministre de l'Algérie, de la répression, de la torture et dans l'affaire, pour atteindre Mendès, c'est Mitterrand qu'on attaque. Ces deux dossiers auraient pu (et dû) « couler » à tout jamais n'importe quel homme politique, (si tant est qu'un homme politique ne soit pas insubmersible). Pour le premier, c'eût été justice, pour le second c'eût été un scandale, mais l'histoire est injuste, tout comme elle a l'habitude de ne pas avoir de mémoire. L'èxpérience « mendésiste » de Mitterrand a toutefois revélé des éléments positifs.

Sans aucun doute cette expérience lui aura montré que le jeu politique de la IVe République, auquel il avait participé avec son « petit groupe charnière », était voué à l'échec et que le pays n'en voulait plus. C'était la première fois que Mitterrand était appelé à siéger dans un gouvernement pour ses qualités propres (en l'occurrence son admiration pour P.M.F.) et non plus pour acheter les quelques voix de l'U.D.S.R. et de ses « bons nègres ».

Il a compris aussi que les cartes et les couleurs dont on se servait depuis des décennies pour définir ce jeu n'avaient plus guère de sens. Ce gouvernement qui lui plaisait tant était soutenu par une majorité de droite « qui ne supportait Mendès qu'en raison de son prestige qu'elle n'osait pas encore attaquer [1] », et par les voix socialistes et communistes. Lui, homme du centre, qui se méfiait et de la droite et, surtout, de la gauche, comprend — et il l'écrit dans *Combat,* en septembre 1954 — que « la vieille division droite gauche est emportée par le grand vent de l'histoire. Les hommes contre qui Mendès France s'est dressé représentaient un régime disparu dont la survivance n'était qu'une apparence, des hommes qui n'exprimaient que la sénilité de leur régime... Mendès France a été un catalyseur... Un nouveau régime est né. » Or, et il ne s'en souvient plus, Mitter-

1. Mitterrand au *Nouvel Observateur,* septembre 1965.

rand a fait partie de cet ancien régime puisque, par réalisme, il avait cru pouvoir oublier ses attaques de 1944 où justement il s'en prenait aux « pantouflards » comme Herriot. Mendès lui rappelle, en fait, tous ses engagements de la Résistance et de la Libération. Ce n'était pas inutile !

Et puis, plus important encore, Mendès a sans doute dessillé les yeux de Mitterrand quand, le 31 juillet 1954, il s'est rendu à Carthage et qu'il a annoncé l'autonomie interne de la Tunisie. Sur le moment, Mitterrand n'a rien compris. A long terme, il a sans doute perçu quelle était la vraie politique de son « maître à penser ». Elle était bien loin de la sienne...

Enfin, sur un plan plus personnel, l'exemple du grand patron va sans doute lui permettre – mais on ne s'en rendra compte que beaucoup plus tard – d'affiner son fameux style. Jusqu'à présent, le style de Mitterrand était très réactionnaire, on l'a vu, très démodé. C'était de la littérature à la Chateaubriand ou à la Barrès, c'était la ligne bleue des Vosges et la gloire de l'empire, le drapeau qui claquait et Lyautey. Mendès, au contraire, possède un style d'avant-garde, sans fioritures, brûlant mais comme la glace ; ce n'est pas un littéraire mais un homme d'État, un économiste. Il n'est pas fait pour enflammer les saint-cyriens mais pour subjuguer les énarques, les grands commis de l'État, les lecteurs de *L'Express* qui commençaient à former les premiers rangs de la petite armée des mendésistes. Il ne fait pas d'effets oratoires, mais raisonne, chiffre, décortique les dossiers. Ce n'est pas Moro Giafferi, c'est Floriot. Et les Français sont sensibles à ce nouveau genre et surtout aux « conversations hebdomadaires », à la radio que Mendès instaure, en s'inspirant des méthodes américaines ; il s'adresse ainsi directement au peuple, passant au-dessus du Parlement. De Gaulle allait reprendre l'idée plus tard. Quant au style du discours lui-même, Mitterrand ne pourra jamais atteindre la netteté coupante de P.M.F., mais il s'y essayera.

Ouvrons maintenant l'épais dossier algérien. Aujourd'hui, certains de ses amis, se servant de phrases à peine murmurées, d'attitudes pouvant prêter à équivoque ou de confidences faites a posteriori et bien faciles, vont jusqu'à dire que Mitterrand, lucide, n'était pas pour l'Algérie française et que s'il a bien prononcé certaines phrases malheureuses, c'était précisément pour mieux pouvoir mener à bien sa politique libérale, sans déchaîner les foudres des tenants de l'Algérie française. Ces mêmes commentateurs qui reprochent à de Gaulle d'avoir fait croire, en 1958, à ceux qui lui avaient permis de revenir au pouvoir qu'il les avait « compris » et donc qu'il était des leurs, trouvent que Mitterrand n'était ici qu'un habile manœuvrier qui n'avait d'ailleurs pas le choix mais qui savait très bien où il voulait en venir. Mitterrand lui-même qui pourtant d'habitude fait preuve d'une meilleure bonne foi déclara, en 1965 : « On me reproche d'avoir dit à la tribune de l'Assemblée nationale au début de l'insurrection algérienne : l'Algérie c'est la France. Mais on isole cette phrase de son contexte. Qu'on reprenne l'ensemble de mes discours. D'ailleurs, si j'avais dit autre chose à cette époque où, étant ministre de l'Intérieur, l'Algérie qui était composée de départements français, relevait de ma compétence, cela aurait provoqué la chute du gouvernement Mendès France et je ne vois pas ce que notre politique libérale et d'évolution y aurait gagné. »

Avec de tels raisonnements — où, au fond, on reconnaît faire la politique de l'adversaire pour le désarmer, et donc on lui donne raison — on peut aller très loin et défendre toutes les attitudes politiques. Même les plus mauvaises. S'il faut, par moments et par machiavélisme, tromper son adversaire en le rassurant, il faut bien au bout d'un certain temps lever l'équivoque et faire ce qu'on a envie de faire, même si, à ce moment-là, l'adversaire en question se met à pousser de hauts cris. De Gaulle a bien une fois, à Mostaganem, prononcé le fameux : « Vive l'Algérie française », cela ne l'a pas empêché, plus tard, d'imposer la politique qu'il souhaitait.

Or Mitterrand, pendant tout son ministère, a constamment répété que l'Algérie c'était la France et il n'a jamais prouvé qu'il avait l'intention de faire quelque chose d'autre que d'assurer la présence française en Algérie. Jamais. Certes, il n'était pas le seul, mais il est le seul à être devenu, par la suite, un dirigeant de gauche !

Il venait d'écrire quelques mois plus tôt, *Aux frontières de l'Union française,* livre dans lequel il présentait sa « philosophie impérialiste ». Il y tirait les leçons de la défaite indochinoise : « Si les Français avaient montré plus d'audace, peut-être auraient-ils drainé vers eux les intellectuels non communistes, rompus aux finesses de notre culture et désireux d'occidentaliser les mœurs et les institutions de leur pays. L'amiral Decoux s'y essaya avant le maréchal de Lattre de Tassigny. Mais l'un disparut trop tôt et l'autre tenta cette évolution dans le cadre d'un système autoritaire dont le mécanisme dépendait de lui seul au lieu d'être remis méthodiquement aux meilleurs éléments de l'élite nouvelle. » On voit qu'a posteriori et pour l'Indochine (dont il s'est toujours désintéressé), Mitterrand comprend les erreurs commises par la France. Mais pour l'Afrique, et maintenant plus spécialement pour l'Algérie, il est beaucoup moins libéral. On touche en effet à son grand rêve franco-africain.

En fait, il est très légaliste (et il le sera toujours, ceci est fondamental chez lui). Il ne veut rien donner de plus que ce qu'il y a dans les textes. Dans le cas de la Tunisie, il trouve que le traité du Bardo, vieux de soixante-dix ans est excellent, pour l'Algérie, il trouve que le statut de 1947 (élaboré par le socialiste Depreux, son prédécesseur à l'Intérieur) est parfait, puisque d'abord il respecte la Constitution qui décrète que l'Algérie c'est la France et qu'ensuite il permet de satisfaire tout le monde. Tout ce qu'il veut – ce qui le fait apparaître à certains extrémistes suicidaires comme un « dangereux communiste bradeur d'empire » sera une chance pour lui plus tard –, c'est que le statut soit appliqué correctement.

Que dit ce statut ? Qu'il y a une Assemblée algérienne et que cette Assemblée est élue, pour moitié, par le premier collège composé des Français français, et, pour moitié, par un second collège composé, lui, des Français musulmans (quelques musulmans, notables ou anciens combattants décorés de la Légion d'honneur, pouvant faire partie du premier collège). C'est l'équation : un Blanc égale six Arabes ! Elle est totalement en contradiction avec le prologue du statut qui évoquait l'égalité « entre tous les citoyens ». Le statut prévoyait aussi la suppression des communes mixtes – euphémisme pour parler des communes à majorité musulmane – et qui étaient administrées par un fonctionnaire nommé par le gouvernement général.

En 1954, Mitterrand estime que ce texte de 1947 est excellent et qu'il faut le faire appliquer. Car ce statut avait provoqué une levée de boucliers chez tous les colons de l'Algérie et il n'avait jamais pu être mis en vigueur honnêtement. Les élections, surtout celles du second collège, avaient toutes été scandaleusement truquées, en 1948 comme en 1951 ; les dirigeants musulmans nationalistes, pour les plus chanceux, s'étaient retrouvés en résidence surveillée, comme Messali Hadj, le fondateur du M.T.L.D., qui était lui-même en résidence à Niort ; et les communes mixtes n'avaient jamais cessé d'exister.

Tous les efforts de Mitterrand – et ils seront bien timides – vont donc porter sur l'application du statut de 1947. Mais ce statut est parfaitement colonialiste et Mitterrand, d'ailleurs, ne cache pas son jeu. Ce qu'il veut faire, comme naguère pour l'Afrique noire, c'est du « bon » colonialisme qui permettra à la France de rester indéfiniment. Pour lui, les nationalistes sont des fous qui n'ont rien compris aux temps modernes, qui sont intoxiqués par le communisme et qu'il faut écraser par la force.

Erreur de jugement, bien sûr, mais qu'il est trop facile de condamner aujourd'hui. Rappelons-nous que tout le monde à l'époque, mis à part quelques « traîtres » particulièrement lucides (et courageux), pensait comme lui. Ce qu'on peut, somme toute, davantage reprocher à Mitterrand qui était alors le « premier flic » de France, c'est de n'avoir pas su deviner ce qui se préparait en octobre 1954, c'est-à-dire la « Toussaint sanglante »; or certaines informations étaient parvenues place Beauvau indiquant très clairement qu'un dénommé Ben Bella, en exil au Caire, et un dénommé Krim Belkacem, qui avait pris le maquis, préparaient « quelque chose, avec des bombes, pour le début de novembre ». L'exemple indochinois avait encouragé ces nationalistes.

Or, en octobre 1954, Mitterrand fait un voyage en Algérie; il prend en quelque sorte possession de son royaume. Il y est relativement bien accueilli. On sait que c'est lui qui a imposé à « Mendès-le-bradeur » de prendre comme secrétaire d'État à la Défense nationale Jacques Chevallier, député-maire libéral d'Alger, et ce que dit le jeune ministre devant l'Assemblée algérienne est somme toute très rassurant :

« Qu'est-ce que la République française? C'est, selon les termes mêmes de notre constitution, le territoire de la métropole, ce sont les départements d'Algérie, ce sont les départements et territoires d'Outre-Mer. Et si l'on va de l'Est à l'Ouest, du Nord au Sud, sur les territoires de notre République commune, c'est sur des milliers et des milliers de kilomètres, sur l'étendue la plus vaste du monde — j'aime à le rappeler [il l'avoue, lui-même], après celle qui va de Léningrad à Vladivostok, avant celle qui va de Washington à San Francisco, que se développe le drapeau national. Où se trouve l'Algérie dans ce vaste ensemble? Au centre même, là où les forces se rassemblent. »

Il est vrai qu'il ajoute (et les mitterrandistes d'aujourd'hui ne retiennent que ces phrases) : « Il faut que la démocratie s'instaure davantage; il faut que le plus grand nombre trouve plus de joie, plus de bonheur et plus de volonté de participer à la collectivité nationale, sans quoi, ce que vous dites, ce que je dis, ne signifie plus rien. Songeons à cette masse qui ne sait pas toujours mais qui espère en nous. Croyez-moi, l'espérance est comme le torrent qui dévale la montagne : rien ne l'arrêtera. Seulement, suivant l'endroit où se situe la digue, le torrent va ici ou là, mais dites-vous bien que l'espérance du peuple existera quand même. Voilà pourquoi le devoir sacré, fondamental, de tous les Français, est de faire que l'espérance humaine s'appelle par notre nom. » Cette deuxième partie du discours peut donc, aujourd'hui, permettre à certains d'affirmer que Mitterrand était un réformiste, voire un révolutionnaire pour l'époque. Cependant, il faut en toute bonne foi reconnaître que, quand il s'écrie « l'Algérie c'est la France », il parle comme tout le monde ; quand il demande davantage de justice, de progrès, là encore, il ne fait que reprendre les slogans de l'époque. Il n'y a pas un partisan de l'Algérie française, même le plus fanatique, qui n'évoque pas, lui aussi, tout ce qu'il faut faire pour que « nos frères musulmans » se sentent mieux intégrés encore dans l'ensemble français.

Quoi qu'il en soit, Mitterrand semble satisfait de son voyage. Certes, tout n'ira pas sans problème, il faudra imposer certaines réformes, mais grâce aux leçons d'Indochine et au prestige de Mendès que personne n'ose contredire encore au Parlement, on arrivera sans doute à mettre sur pied le « grand dessein africain » de la France qui passe par l'Algérie. Fin octobre, il quitte l'Algérie en déclarant : « J'ai trouvé les trois départements français d'Algérie en état de calme et de prospérité. Je pars empli d'optimisme. » Dans la nuit du 31 octobre au 1er novembre des attentats sont commis dans différents points d'Algérie, soixante-dix « actions de sabotage », il y aura sept morts : c'est le début historique de la rébellion, de ce qu'on ne va pas tarder à appeler la guerre d'Algérie. Mitterrand avait senti, en prenant le ministère de l'Intérieur, que quelque chose risquait d'arriver en Algérie, qu'il fallait s'occuper de ces trois départements, mais... il n'avait rien compris.

Et pourtant, aujourd'hui, on a l'impression que tout aurait dû lui paraître bien clair. Trois mois avant son voyage en Algérie, c'est lui qui a ordonné de faire cesser la rude détention à laquelle était soumise Habib Bourguiba dans l'île de Groix, et qui le fit transférer dans la région de Montargis. Mendès s'apprêtait à aller à Carthage « prononcer un discours fameux qui lui valut d'être dénoncé comme traître et bradeur par la presse et les partis dits, abusivement, " nationaux " et cependant amorçait dans la paix la marche vers l'indépendance. Nous fûmes couverts d'injures [1] ». Pourquoi Mitterrand

1. *Le Courrier de la Nièvre,* 4 mars 1961.

(pas plus que Mendès) n'a-t-il pas fait le rapprochement entre la Tunisie et l'Algérie ? La Tunisie avait demandé son indépendance en faisant remarquer que la Tripolitaine l'avait acquise, il était évident que l'Algérie regarderait à son tour l'exemple de la Tunisie.

Mais il y avait les textes, cette fameuse légalité qui, une fois de plus, s'opposait à la légitimité, et, là, comme souvent, les « bons » ne s'en rendaient plus compte. Le traité du Bardo autorisait à aller vers l'indépendance de la Tunisie qui n'était qu'un protectorat, même si Mitterrand avait encore déclaré en 1953 : « Il n'est pas question d'approuver le développement d'un nationalisme tunisien » et même si en novembre 1954 — c'est-à-dire quatre mois après le discours de Mendès à Carthage — (ce qui montre bien que Mitterrand n'a pas compris la politique de son président du Conseil), il semble récidiver en s'écriant : « L'avenir, la sécurité, la grandeur de la France sont fixés, en premier lieu, dans notre ensemble africain et ne peuvent être assurés que par notre contrôle du bassin de la Méditerranée occidentale. » Tandis que les textes sur l'Algérie, eux, étaient formels, l'Algérie, c'était la France...

On peut aussi, si on veut absolument chercher des excuses à la dramatique erreur de Mitterrand, remarquer que les structures politiques de la Tunisie et du Maroc (protectorats) et les structures sociales de l'Afrique noire (absence d'une grande colonie française, bien organisée) avaient permis, dans ces protectorats et dans ces territoires africains, l'éclosion d'une élite politique autochtone qui offrait à des hommes de bonne volonté comme Mitterrand des interlocuteurs possibles et qu'on pouvait espérer récupérer. C'étaient l'opération de Mitterrand sur le Rassemblement démocratique africain, et l'opération que tentait Mendès France avec Bourguiba. Au contraire en Algérie, les circonstances étaient telles (échec du statut de 1947, etc.) que la plupart des interlocuteurs possibles n'avaient même pas pu espérer pouvoir jouer le jeu et étaient déjà partis vers Le Caire ou dans le maquis. Messali Hadj, dans sa résidence forcée de Niort, était dépassé depuis longtemps.

Et puis, surtout, l'opinion française n'était pas prête, après la perte de l'Indochine, à admettre que trois départements français puissent être encore remis en question. Et Mitterrand faisait partie de cette opinion, comme tous les parlementaires français.

Au fond, et très paradoxalement, ce manque de clairvoyance chez Mitterrand devrait être porté à son actif, si on tente de deviner ce que sera demain (en 1978), le premier secrétaire du Parti socialiste, en observant ce que fut le ministre de la IVe République. On s'aperçoit que Mitterrand se montre nationaliste comme beaucoup mais plus que d'autres, très « ferme », on va le voir, et surtout parfaitement « légaliste », conscient de (et représentant parfaitement) la volonté nationale, même dans l'erreur.

Bref, toutes ses bonnes intentions arrivent beaucoup trop tard. On pourrait se demander, en faisant un peu de politique fiction, si ses « réformes téméraires, donc sages » mises en place à temps (mais quand ?) auraient changé le cours de l'histoire. C'est un vaste sujet de thèse, mais il y a tout lieu de croire que même son « bon colonialisme » n'aurait pas empêché les pays colonisés d'avoir envie, comme tout le monde, de connaître les joies de l'indépendance et du nationalisme. Mitterrand affirme que les rapports entre anciens colonisateurs et anciens colonisés en auraient été profondément modifiés, c'est sûr, mais dans quel sens ? L'aigreur des anciens colonisateurs n'en aurait été, très certainement, que plus vive, la crise – inévitable – plus longue. Il vaut souvent mieux opérer « à chaud ». Mais c'est là un tout autre problème...

Mitterrand, le 1er novembre, n'a plus le temps de jouer au « missionnaire », il lui faut (c'est le piège dans lequel il est tombé avec Mendès) devenir le « flic » qu'il est de par ses fonctions. On doit alors relire ce qu'il déclara à l'époque. Le 12 novembre, à l'Assemblée, c'est le premier débat sur l'insurrection algérienne. Mitterrand présente très franchement la situation :

« ... Au cours de cette nuit tragique [31 octobre-1er novembre], en Algérie, sept personnes furent tuées, quatre blessées. Une vingtaine d'attentats à la bombe à Constantine, à Alger, beaucoup dans le département d'Alger, pas du tout dans le département d'Oran. Par contre, dans ce département, de nombreux sabotages, des incendies. C'est une action terroriste, dans son esprit comme dans ses moyens, qui a soudain éclaté. La situation la plus sérieuse se cristallisa immédiatement, comme ce fut le cas au cours d'événements historiques, dans les Aurès. Divers groupes de bandes armées s'y révélèrent (...) Il y a un état de fait. Le hors-la-loi, le criminel de droit commun qui échappe aux recherches et se réfugie dans la montagne et la forêt, se pare soudainement, pour les besoins d'une cause qui n'est même pas la sienne, de ce faux héroïsme grâce auquel on tente aujourd'hui d'exciter les foules qui ne peuvent mesurer exactement les bienfaits de la présence française. Mais, c'est ainsi. Voilà les faits que l'on observe : sept morts, hélas et une tentative de caractère insurrectionnel, je ne m'attarderai pas à une querelle de mots – dans l'ensemble de l'Algérie... Mais le gouvernement a fait son devoir... Les mesures ont été immédiates. Vingt bombes ont éclaté dans cette nuit tragique. Cinq cents bombes ont été saisies depuis, fabriquées ou en cours de fabrication. Des cellules ont été détruites et des gens arrêtés qui s'apprêtaient à agir... Au moment où tant de forces se conjuguent à travers le monde pour attenter à la présence de la France en Afrique, n'avez-vous pas le sentiment – et j'en ferai, le cas échéant, la démonstration que l'organisation qui s'attaque à nous a été, prématurément par rapport à ses propres desseins, au moins démantelée ? Ah certes, je ne puis deviner l'avenir, mais je puis exprimer une volonté : tout sera réuni pour que la force de la nation l'emporte, en toutes circonstances, quelles que soient les difficultés, quelle que soit la difficulté de la tâche qui s'impose à nous... Des Flandres jusqu'au Congo, s'il y a quelques différences dans l'application de nos lois, partout la loi s'impose et cette loi est la loi française. Telle est notre règle ; non seulement parce que la Constitution nous l'impose, mais parce que cela est conforme à nos volontés.

« Les mesures que nous avons prises ont été immédiates... En l'espace de trois jours, seize compagnies républicaines de sécurité ont été transportées en Algérie, ce qui a porté à vingt le nombre total de ces compagnies sur le territoire algérien (...) Quant aux renforts spécifiquement militaires, il n'est pas nécessaire d'en révéler l'étendue. Aujourd'hui, à l'heure où je vous parle, les opérations qui se déroulent sous commandement civil – il n'y a pas d'état de siège – ont atteint les objectifs fixés. Il n'y a pas de cité, même de moyenne importance, qui ne soit, à l'heure actuelle, garantie par la présence de nos troupes, il n'y a pas de nœud de communication, pas une voie de communication importante qui ne soient gardés... Les forces militaires ? Comme l'a dit monsieur le président du Conseil, nous sommes décidés à en envoyer et en employer plus qu'il n'en faudrait, plutôt que de risquer de n'en avoir point assez. Il faut reconstituer – le général de Monsabert a eu parfaitement raison de le dire – une véritable armée d'Afrique. (...)

« Si une organisation s'est ainsi installée dans l'ensemble du territoire algérien et a pu se manifester au cours de la même nuit, au même moment, par les mêmes moyens, c'est évidemment parce que, dès l'abord, un état-major politique s'est servi de pauvres gens emportés sottement et tragiquement dans une aventure imbécile. C'est vers les leaders, vers les responsables qu'il faudra orienter notre plus rigoureuse répression. Si nous avons cru qu'il était nécessaire de dissoudre le Mouvement pour le triomphe des libertés démocratiques et de procéder à des mesures de police extrêmement sévères, à la fois sur le territoire de la métropole et dans les trois départements d'Algérie, c'est parce qu'un certain nombre de constatations nous ont conduits à penser que, s'il n'avait pas toujours pris l'initiative directe des attentats, il avait au moins fourni des éléments de propagande et participé à l'action en prêtant ses hommes, les plus fanatiques. Oui, la responsabilité du M.T.L.D. est directement engagée (...)

L'Algérie c'est la France, et qui d'entre vous, mesdames et messieurs, hésiterait à employer tous les moyens pour préserver la France ? »

Ce discours, le premier d'une interminable série, méritait qu'on en cite de longs passages. Il y a là toutes les erreurs accumulées. C'est une espèce de caricature du discours type d'un ministre de la répression coloniale : l'organisation rebelle est « au moins démantelée », nous avons tous les moyens et « plus qu'il n'en faut », nous avons arrêté les responsables politiques, même s'ils ne sont pas directement... responsables, nos adversaires sont des « criminels de droit commun » ou de « pauvres gens emportés sottement dans une aventure imbécile », etc.

Cela dit, on imagine avec peine le « génie » politique qui aurait réagi autrement. Mendès, ne l'oublions jamais, appuyait son ministre de l'Intérieur. On oublie trop souvent que de Gaulle n'avait pas dit autre chose en 1945 quand éclatèrent, les 8 et 9 mai, les dramatiques « incidents de Sétif ». La population musulmane, affamée, décimée par la guerre, s'était soulevée et avait massacré dans des conditions particulièrement atroces cent trois Européens. De Gaulle avait fait donner l'armée et l'aviation. Les représailles furent ignobles : plus de quinze mille morts. On l'a oublié. Les Algériens s'en souviennent encore. Mendès (et Mitterrand) ne reprenaient donc que la « méthode de Sétif » selon laquelle « l'Arabe ne comprend que la force ». Qu'auraient-ils pu faire d'autre ?

Peut-être aurait-il fallu entrer discrètement en contact avec les « gens du Caire », mais pour leur offrir quoi ? Peut-être aurait-il mieux valu ne pas arrêter les modérés du M.T.L.D. et les mettre soudain en avant, mais quelles auraient alors été les réactions des pieds-noirs ? Il aurait, en tout cas, certainement fallu faire preuve d'imagination et ne pas, soudain, se comporter comme n'importe quel extrêmiste de droite et donner raison au général de Monsabert... Il aurait fallu un grand homme d'État, très grand, ou que le pays soit au fond du désespoir. Il ne l'était déjà plus, grâce à Mendès. Dien Bien Phu était oublié ou plutôt la France s'en était relevée et voulait maintenant prendre sa revanche sur le sort. Ça n'allait tout de même pas recommencer. Ou cette fois on saurait gagner!

Mitterrand est néanmoins un peu « gêné » par les exemples marocain et tunisien, mais il a les « textes » pour lui : « D'une manière générale, par une terminologie abusive, nous parlons trop souvent de l'Afrique du Nord, alors qu'il y a une très grande différence entre la Tunise et le Maroc d'une part, et d'autre part l'Algérie qui fait partie de la République [1]. »

Il s'en tient à ses bonnes intentions : « J'ai entendu soutenir qu'il ne fallait procéder à aucune réforme tant que l'ordre n'était pas assuré. Pouvons-nous refuser à ce peuple ce qu'il est en droit d'attendre, en invoquant un tel prétexte, car ce serait un prétexte? Pouvons-nous donner à nos adversaires, aux propagandistes antifrançais un nouvel argument en différant toute mesure nouvelle, parce qu'une minorité s'est mis en tête d'empêcher la France de remplir sa mission ? »

Mais est-il besoin de dire qu'en dépit des crédits que Mitterrand obtient pour construire des routes, des barrages, des travaux d'irrigation, rien ou presque ne sera fait. Il est déjà beaucoup trop tard. Paris pense à la guerre, les Français d'Algérie refusent ces réformes plus encore qu'autrefois puisque maintenant elles ressemblent, à leurs yeux, à des capitulations, et Mitterrand devant une administration, affolée en France, hostile en Algérie, n'a plus d'autre arme que des discours qui ne peuvent être que bellicistes. Il en prononcera beaucoup, toujours sur le même modèle : l'Algérie, c'est la France et nous écraserons les rebelles ; et puis, presque à voix basse : il faudrait tout de même faire quelques réformes, que nous avons d'ailleurs déjà promises, qui sont dans les textes, grâce au statut de 1947.

Mitterrand a donc été « embringué » dans un scénario implacable et peut plaider les circonstances atténuantes. Il n'est que le complice de... toute une nation. Il n'avait pas les moyens, seul, de changer le cours des choses ; en sortir eût été pour lui se suicider politiquement, du moins à court terme ; et Mitterrand est un homme qui navigue à vue.

1. Débat de l'Assemblée nationale.

Se pose alors l'atroce problème de la torture, ce drame qui a déshonoré tous ceux, du chef de l'État au moindre deuxième classe, qui ont eu des responsabilités dans la répression en Algérie. Mitterrand était justement chef de la police, c'est dire combien sa responsabilité était grande. Et dès le début du mois de novembre 1954, la presse, que ce soit *L'Humanité, France-Observateur* de Claude Bourdet ou d'autres journaux moins marqués politiquement, s'est inquiétée de ce problème. Il faut alors être catégorique et bien dire que Mitterrand a fait tout ce qui était en son pouvoir pour arrêter la torture.

Il a pris notamment une décision qui aurait pu être efficace et qui en tout cas – et il le savait – déchaînerait contre lui l'hostilité et des pieds-noirs et de la plupart des fonctionnaires sous ses ordres en Algérie : il a intégré la police algérienne dans la police métropolitaine, espérant sans doute ainsi que les métropolitains sauraient ne pas verser dans les excès que commettaient les natifs de l'Algérie. Il s'est, hélas, trompé, mais il ne pouvait rien faire d'autre, si ce n'est avoir le courage de dénoncer publiquement ces méthodes, ce qui aurait peut-être été inefficace et, en tous les cas, à nouveau suicidaire.

Telle est l'expérience de l'Algérie « mendésiste » de Mitterrand. Comme de Gaulle qui avait été le premier à se montrer « libéral » envers l'Algérie (voir les ordonnances du 7 mars 1944 sur la modification du régime administratif) et qui n'avait rien compris aux événements de Sétif, les « libéraux » de 1954, Mendès et Mitterrand, réagirent en « gens de droite ». On peut aussi noter, pour la petite histoire, que Mendès était un radical et que de tout temps le parti d'Herriot avait été noyauté (notamment au niveau de la trésorerie du parti) par des représentants des grands colons. La vie politique française n'était pas libre dès qu'il s'agissait de l'Algérie...

Nous aurons à reparler de l'Algérie et de Mitterrand, et dans des circonstances plus graves encore, quand en 1956, il deviendra garde des Sceaux de Guy Mollet et qu'alors il se séparera de Mendès. Venons-en maintenant à l'affaire des fuites puisqu'elle éclate à ce moment-là...

L'affaire des fuites est le type même de l'opération de calomnie (de grande envergure) bien montée. Rappelons rapidement le scénario :

Le 3 juillet 1954, le commissaire principal Dides se présente chez Christian Fouchet ministre (gaulliste) chargé des Affaires marocaines et tunisiennes qu'il a connu personnellement quand — ancien « flic » collaborateur sous l'Occupation — il militait au sein du R.P.F. pour se dédouaner. Dides qui est maintenant plus ou moins chargé de la lutte contre le P.C.F. à la préfecture, montre à Fouchet un document accablant. C'est le rapport de l'un de ses indicateurs qui a pu pénétrer au sein du comité central du parti communiste. Or, au cours de la dernière réunion de ce comité central, les communistes ont, d'une part, regretté que Pierre Mendès France ne soit plus fidèle à « l'engagement » qu'il avait avec eux, et, d'autre part, analysé le compte rendu pratiquement exhaustif du dernier comité de Défense tenu à l'Élysée qui leur est parvenu « grâce à plusieurs ministres qui continuent, eux, à travailler » pour le P.C. Christian Fouchet est sidéré. Et on le comprend. Car si la référence à un accord entre Mendès et Duclos ne tient pas debout, le rapport que possède le P.C. sur la réunion du 28 juin du comité de la Défense nationale est, lui, parfaitement exact. C'est, mot à mot, ce qu'a dit chacun des participants à cette réunion (totalement secrète). Fouchet reconnaît sa propre intervention et toutes celles, dans l'ordre, de ses collègues, de Coty, du maréchal Juin, du général Ganeval ! Il y a donc, bel et bien, un traître parmi les assistants à ce comité, qui ne sont que les quelques très hauts responsables concernés et Jean Mons le secrétaire général de la Défense nationale, personnage au-dessus de tout soupçon. Fouchet rapporte immédiatement l'affaire à Mendès France.

P.M.F. ne veut d'abord pas croire à une trahison parmi ses collaborateurs. Il fait sonder tous les murs de l'Élysée à la recherche de quelque micro. En vain. L'enquête piétine.

Le 10 septembre, le comité de Défense se réunit de nouveau. Et quelques jours plus tard, Dides revient avec, une nouvelle fois, venant toujours du P.C. grâce à l'indicateur, toutes les interventions, toujours mot à mot !

P.M.F. n'a mis Mitterrand au courant de l'affaire que le 8 septembre c'est-à-dire six semaines après son début. C'est étonnant puisque non seulement Mitterrand est son ministre de l'Intérieur, c'est-à-dire le patron de la police et de la D.S.T., chargée de l'enquête mais surtout parce que Dides avait carrément dit à Fouchet que le ministre qu'il soupçonnait était précisément Mitterrand, « même si son informateur pensait, lui, qu'il devait plutôt s'agir d'Edgar Faure ». Pourquoi Mendès a-t-il tenu Mitterrand à l'écart d'une telle affaire ? C'est la grande question que devront étudier ceux qui se pencheront sur ce « couple » Mendès-Mitterrand si essentiel dans la vie politique française. Quand on interroge aujourd'hui Mendès, il faut bien dire qu'il « bafouille » un peu. Il déclare presque qu'il n'avait tout simplement pas pensé à prévenir Mitterrand... que c'était peut-être une erreur... mais que, sur le moment, il n'en avait pas vu l'utilité ! Mendès a-t-il soupçonné Mitterrand ? C'est indiscutablement ce que pense encore aujourd'hui Mitterrand lui-même et il ne l'a sans doute jamais pardonné à Mendès. On le comprend. En fait on peut plutôt penser que le très strict Mendès, dans cette affaire si grave pour la dignité et l'honneur de l'État, a voulu, comme à son habitude, écarter toute sympathie personnelle pour que l'enquête puisse se dérouler impitoyablement. Il y avait un traître parmi les siens, tout le monde devait donc être considéré comme un coupable possible. Mitterrand, lui, en dépit de son sens de l'État, est peut-être encore trop sensible aux rapports humains pour pouvoir admettre que son « patron » l'ait aussi soupçonné.

Mendès a fait l'erreur de ne pas sentir la machination dans cette affaire. Mitterrand, plus machiavélique, la « flaire » tout de suite. Il sait de quoi les adversaires de Mendès et les siens (ce sont les mêmes) sont capables. Sa récente expérience à l'Intérieur lui a en tout cas ouvert les yeux sur les mœurs des polices plus ou moins parallèles, d'une certaine ligne politique issue, il faut bien le dire, de la Résistance (celle de juin 1944) ou récupérée par elle. Il avait déjà, dès son arrivée à l'Intérieur, été obligé de liquider le préfet de police qui voyait des complots communistes un peu partout. Il y a dans cette police où se superposent tous les clans politiques, une atmosphère qui rappelle souvent l'époque de la Cagoule. Beaucoup de « flics » se sont illustrés au temps de l'Occupation et n'ont pas pu être épurés en raison des dossiers qu'ils possédaient sur de nombreux responsables et dont ils menacaient de se servir. Joli monde ! Et un monde qui se sert souvent de la croix de Lorraine pour dissimuler ou son passé ou son présent. Mitterrand n'oubliera jamais cet aspect du... gaullisme.

Comme un grand joueur d'échecs qu'il aurait sûrement pu être, Mitterrand décortique le scénario et s'aperçoit qu'il est bourré d'erreurs. D'abord entre la réunion du comité de Défense du 28 juin et l'entrevue Dides-Fouchet du 3 juillet, il n'y a pas eu de réunion du comité central du P.C.F. Ensuite, il est difficilement croyable qu'un ministre qui ne prend pas de notes pendant les réunions (personne n'en prend sauf le secrétaire général, Jean Mons) ait pu transmettre, avec une telle exactitude, les propos tenus, que Duclos ait pu à son tour les rapporter sans en oublier un mot et qu'enfin l'informateur de Dides (le journaliste véreux, André Baranès) ait pu, à son tour, les rapporter aussi fidèlement. Mitterrand est rapidement convaincu que s'il y a bien eu une fuite du comité de Défense, celle-ci n'est pas allée au P.C.F. et que Dides l'a maquillée aux couleurs du P.C. pour pouvoir s'en servir contre Mendès et contre son ministre de l'Intérieur.

Mitterrand a vu juste. Il fait « coffrer » tout le monde et on découvre le pot aux roses : le secrétaire général de la Défense nationale, Jean Mons, ne fermait pas soigneusement ses tiroirs. Deux de ses collaborateurs, René Turpin et Roger Labrusse, chef du service de la protection civile, se sont emparés des notes. Puis, Baranès et Dides ont maquillé ces documents de telle sorte qu'ils aient l'air de venir du P.C.F. Et le tour était joué.

Il n'y a aujourd'hui absolument plus lieu de discuter de ces faits. Ils sont irréfutables. Il n'empêche que Mitterrand traîne encore derrière lui cette « casserole », comme son affaire de la francisque, comme celle de l'Observatoire qui lui arrivera plus tard. Pourquoi ?

D'abord parce que même si elle a pitoyablement échoué, cette affaire était bien montée. Les fuites étaient exactes. Et pour l'opinion publique, mal informée (une certaine presse était farouchement hostile à Mendès, et un ramassis de « feuilles confidentielles » qui vivaient de chantages et que Mendès avait tenté de faire disparaître en supprimant les abonnements de l'État, s'en sont donné à cœur joie), il était beaucoup plus logique que ces fuites aient été adressées au P.C.F. plutôt que d'imaginer la machination bien médiocre qui était la vérité. La vérité, parce qu'elle est minable, est moins convaincante. Un complot sordide contre des gens qui n'ont pas la sympathie des démagogues est toujours moins crédible que la haute trahison ! Il faut dire aussi que les coupables offerts au public n'étaient pas très plausibles. Dides, Turpin, Labrusse, Baranès, c'est de la piétaille ; leurs aveux ne peuvent qu'être mis en doute. Il aurait fallu que Mitterrand puisse dénoncer les grands qui, derrière ces hommes de paille, avaient tenté de monter le coup pour « démolir » Mendès et son gouvernement. C'était beaucoup plus difficile, même si Mitterrand avait sa petite idée sur la question.

La force de ces campagnes de calomnies, de ces complots dans le but de ruiner l'honneur d'un homme, consiste justement à bâtir un scénario absurde pour faire patauger l'adversaire, et à se servir d'acteurs méprisables pour fausser la défense de la victime. Nous retrouverons ces ingrédients dans l'affaire de l'Observatoire. Et cela fonctionne d'autant mieux avec Mitterrand qu'il est alors fort mal à l'aise.

Au cours du débat sur cette affaire qui eut lieu le 3 novembre 1954, à l'Assemblée, Mitterrand s'est défendu « comme un beau diable ». Il avait alors toutes les pièces du dossier. Il était en position de force. Il aurait pu écraser ses adversaires, dénoncer ceux qui avaient tiré les ficelles. Avec son style agressif, à la Saint-Just, il aurait dû être éblouissant. Il ne l'a pas été. Il a commis l'erreur de se défendre pied à pied, au lieu d'attaquer.

Il n'aurait dû faire qu'une bouchée du si médiocre Legendre, député indépendant de l'Oise, qui l'attaquait et se servait de sa démission du cabinet Laniel pour faire croire que, déjà, alors, Mitterrand trahissait. Il lui aurait été facile de faire savoir que s'il y avait bien eu déjà des fuites du comité de Défense, lui Mitterrand n'avait pas assisté à ces séances-là. Il aurait pu écraser Bidault qui, très venimeusement, déclarait : « J'atteste que vous avez quitté le gouvernement Laniel, non pas parce que vous étiez soupconné de trahir mais parce que vous étiez en désaccord avec la politique de ce gouvernement dont je faisais partie, mais... pour le reste, je me refuse à vous adresser tout autre compliment. » Ce qui, bien sûr, n'était pas de nature à aider Mitterrand à l'Assemblée.

Bref tous les amis de Mitterrand lui reprochèrent son « excès de calme ». Mauriac écrit dans *L'Express* au lendemain du débat : « Dans ce milieu parlementaire où, selon le mot du président du Conseil, il se trouve toujours des Legendre qui sécrètent en quelque sorte des Legendre, il est nécessaire, bien sûr, qu'un jeune homme politique en épouse les mœurs, dans l'exacte mesure où il le faut pour ne pas être dévoré, mais dans cette mesure seulement. Un homme d'État de la taille de Poincaré ou de Pierre Mendès France, quoi qu'il fasse, garde ses distances, demeure « différent ». (...) Les Legendre ne peuvent rien contre un homme d'État qui incarne une grande politique. Nous avons cette ambition pour Mitterrand. A ceux qui ont voulu l'abattre après l'avoir sali, et qui ont misérablement échoué, il faut qu'il réponde en situant sa vie politique sur un plan plus élevé. »

Les mendésistes qui vont parfois devenir « mitterrandistes » reprochent donc presque à Mitterrand d'avoir accepté de patauger dans la boue dont on voulait l'éclabousser. Ils ont raison. S'il avait élevé le débat comme le souhaitait Mauriac, il ne serait rien resté de cette affaire. Or il en reste « quelque chose », aujourd'hui encore. Même si tout le monde a oublié l'affaire des fuites, bien des gens, et notamment des électeurs, voient encore en lui un « traître ». Il a peut-être bien des défauts, sans doute une politique dangereuse, mais il n'a pas livré aux communistes, ses grands ennemis d'alors (et sans doute de toujours), les secrets de la Défense nationale. Et pourtant la leçon ne lui servira pas...

Mais si cette affaire des fuites est relativement très importante dans la carrière de Mitterrand, ce n'est pas elle, — contrairement à ce qu'on a affirmé parfois — qui provoqua la chute de Mendès, deux mois et demi plus tard. Elle provoqua, peut-être, à long terme la chute de la IVe République comme l'a affirmé un ami de Mitterrand, parce que, comme l'affaire du Collier de la Reine avait montré que la monarchie était corrompue jusqu'à la corde, elle avait clairement fait voir que la IVe, aussi, était pourrie. Mais c'est une autre histoire.

Mendès n'avait pas besoin de cela pour « tomber ». Au fil des mois son prestige s'était amoindri. Certes, il avait « fait la paix en Indochine » mais, le souvenir de la défaite passé, l'opinion s'apercevait que cette paix n'était bien qu'une capitulation et que la situation que nous avions laissée là-bas n'était guère à notre honneur. Certes, il avait réglé l'affaire tunisienne, mais là encore, il y avait laissé « des plumes ». En dépit de ses précautions (il s'était fait accompagner par le maréchal Juin lors de son voyage à Carthage et il avait nommé le général Boyer de la Tour du Moulin à la place de Voizard), il avait été attaqué très violemment et surtout d'ailleurs par ses amis radicaux, à commencer par le secrétaire général administratif de son parti (Herriot ayant le titre de président), Martinaud-Deplat. Quant au Maroc, s'il avait remplacé le catastrophique général Guillaume par le diplomate Francis Lacoste, la situation que lui avait laissée Laniel était bien difficile à assainir. Balafrej, secrétaire général de l'Istiqlal, répétait de son exil madrilène : « Il n'y aura pas de dialogue possible avec les Français avant le retour du vrai sultan de Madagascar. » Chaque fois qu'on entrouvrait un de ces dossiers à l'Assemblée, Mendès voyait sa majorité s'émietter.

En fait, c'était l'affaire de la Communauté européenne de Défense qui avait le plus ébranlé le gouvernement. Mendès n'avait d'ailleurs lui-même pas pris une position très claire à ce propos, sans doute pour éviter la rupture totale de sa majorité. Cependant en dépit de ses atermoiements, de ses contre-projets et des amendements un peu hypocrites qu'il présentait, il perdait sur tous les tableaux. Ce dossier n'était pas fait pour lui. Ses interlocuteurs européens étaient pratiquement tous des chrétiens militants (Adenauer, Spaak, Gasperi) qui s'étaient habitués à rencontrer l'un des leurs, Robert Schuman ou, à la rigueur, Georges Bidault. Pour eux, Mendès est un intrus, « un juif » qu'en plus ils soupçonnent parfois d'avoir des sympathies pour Moscou ; les Soviétiques tentent d'ailleurs ostensiblement de faire accréditer cette thèse pour nuire à la négociation. Bref, Mendès n'est pas à l'aise à Bruxelles mais il ne l'est pas plus à Paris dès qu'il s'agit de l'Europe. Il mène mal la négociation avec ses partenaires européens et mal les débats à la Chambre.

Il perdra ainsi six de ses ministres : trois anti-C.E.D., les gaullistes Chaban-Delmas, Koenig et Lemaire, quand on croira qu'il va faire adopter la C.E.D. puis, après l'échec, trois autres ministres favorables, eux, à la C.E.D., Bourgès-Maunoury, Émile Hugues et Claudius-Petit. Seul alors Chaban reviendra !

Il est vrai que toute l'artillerie avait donné pendant ce débat qui déchaînait le monde politique : de Gaulle, Vincent Auriol et même le Comte de Paris (!) avaient pris position ouvertement contre le projet. Édouard Herriot, en dépit de sa fatigue évidente, s'était écrié du haut de son « perchoir » de président de l'Assemblée et contrairement à toutes les traditions : « L'armée européenne c'est la fin de la France. »

Mendès, sans doute déjà très éprouvé par les semaines qu'il vient de passer et en vérité lui-même hésitant sur ce projet, reste neutre dans le débat, pourtant si important. Le gouvernement ne prendra même pas part au vote qui repoussera le projet. Il est curieux que Mendès, qui n'avait jamais hésité à prendre des risques, ait ici refusé de faire jouer la question de confiance. L'histoire de l'Europe en aurait sans doute été changée.

Mitterrand, discipliné, reste lui aussi silencieux pendant tout le débat. Il ne veut pas gêner P.M.F. Or il avait été, dès l'origine, l'un des grands partisans de cette C.E.D. comme de l'Europe en général. En janvier 1953, au cours du débat d'investiture de René Mayer, il avait déclaré notamment : « Une autorité politique préalable à toute institution européenne, cela eût été préférable, cela continue à être préférable. (...) Mais enfin, il fallait commencer par le commencement, répondre à certaines menaces, aller vite... Je me permets, toutefois, de vous signaler, monsieur le président du Conseil désigné, que si une autorité politique doit être préalable à l'armée européenne, on aurait pu tenir le même raisonnement pour le pool charbonacier. » Maintenant cet ancien ministre délégué auprès du Conseil de l'Europe (cabinet Laniel) reste silencieux... Et « trahit » son ami et ancien « patron » Robert Schuman.

Grâce à cette « neutralité », Mendès tiendra encore quelque temps, mais l'union presque « sacrée » qui s'était réalisée, dans la peur et sur son nom, a vécu P.M.F. lui-même semble épuisé par les efforts qu'il a faits pour l'Indochine, pour la Tunisie, pour le redressement de l'économie (avec Edgar Faure, comme ministre des Finances, qui a habilement poursuivi l'action de redressement qu'il avait entreprise avec Laniel), et surtout par le harcèlement de tous ses adversaires qui relèvent la tête. « Mendès ne tient jamais la distance », disent, confiants, ses adversaires. En effet.

En février 1955, il tombe, comme n'importe quel président de la IVe à l'issue d'un débat sur l'Afrique du Nord au cours duquel son « camarade » de parti, le radical René Mayer (il est vrai, député de Constantine) se charge de porter l'estocade finale avec cette célèbre phrase : « Je ne saurais croire qu'une politique de mouvement ne puisse trouver un moyen terme entre l'immobilisme et l'aventure. »

En vérité, Mendès payait là son célèbre « style » que ne lui avaient jamais pardonné les caciques de tous les bords qui avaient vu avec effroi qu'un nouveau régime pouvait bien naître, oubliant les vieilles divisions de droite et de gauche et attirant les électeurs aussi bien du R.P.F., que du M.R.P., de la S.F.I.O., ou même des communistes.

Mitterrand sortait fourbu de l'expérience. Certes, sur un plan personnel, il n'avait pas pardonné à Mendès son attitude pendant l'affaire des fuites (et comment ne pas rapprocher cet incident qui aura tant de suites, des avanies que Mitterrand avait déjà eues à subir de la part de de Gaulle, sans que le Général, pas plus peut-être que P.M.F., l'ait pleinement perçu sur le moment) mais il avait respiré un air nouveau, il avait été « en première ligne » pour le déclenchement d'un drame essentiel, l'Algérie, et il avait vu que tout pouvait être changé dans la vie politique française.

Sur le moment s'en était-il bien rendu compte ? On pourra en douter quand nous allons, maintenant, le retrouver aux côtés de Guy Mollet, mais il est certain que nous aurons à reparler du « stage » de Mitterrand chez Mendès, plus tard...

11. GUY MOLLET, L'ALGÉRIE, SUEZ, LA HONTE...

La chute du gouvernement de Pierre Mendès France est un drame pour la France. Non seulement l'homme providentiel, le « recours possible » a été usé comme n'importe quelle combinaison ministérielle, par le jeu des débats, mais, surtout, il a déçu. Il a raté lamentablement le grand espoir de la construction européenne, sans même redonner au nationalisme tout son lustre. Dans une affaire aussi capitale, il a démissionné en ne prenant même pas position. Il n'a pas pu empêcher le début de la rébellion en Algérie et, plus grave encore, il a réagi comme l'aurait fait n'importe quel médiocre du régime. Pour le Maroc il n'a pas eu le courage de faire ce que fera son successeur, Edgar Faure, et qui était la seule chose qui s'imposait : faire revenir de Madagascar le sultan « déposé » par Laniel (ou Bidault), qu'exigeaient les nationalistes. Et ses deux succès, la conférence de Genève (pour l'Indochine) et la Tunisie avaient été entrepris par ses prédécesseurs...

C'est sans doute dans cette déception qu'il faudra chercher les vraies raisons de la mort de la IVe République. Mendès avait ainsi, à ses dépens, démontré que le régime, même avec ce qu'il avait de meilleur, ne pouvait plus faire face à l'avenir. Il fallait donc en revenir à la médiocrité, faire semblant de continuer en colmatant tant bien que mal les brèches et aller droit au naufrage, en reprenant les bonnes vieilles habitudes d'avant Mendès.

Coty consulte. Pinay tente sa chance. Mais la S.F.I.O. et le M.R.P. n'en veulent pas. C'est au tour de Pflimlin. Mais on refuse René Mayer, pourtant le « tombeur » de Mendès auquel Pflimlin avait déjà maladroitement offert le ministère des Affaires étrangères. Coty appelle alors Christian Pineau. Cela permettrait aux socialistes de revenir au pouvoir qu'ils ont quitté depuis 1951. Mais tout comme la gauche avait refusé à Pinay, homme de droite, la possibilité de faire une politique de gauche (qu'il promettait), la droite va refuser à Pineau, homme de gauche, la possibilité de pouvoir tenter la politique de droite qu'il envisageait.

Il faut finalement l'habileté d'un Edgar Faure, ministre des Finances sous Laniel et sous Mendès, qui est « bien » avec tout le monde et qui sait doser son ministère pour recueillir l'investiture. Robert Schuman est à la Justice, Pinay aux Affaires étrangères, Pflimlin aux Finances, Bourgès-Maunoury à l'Intérieur (Mitterrand a refusé un portefeuille). Finalement, parce que tout le monde est content de ne plus voir Mendès, Faure passe avec 369 voix pour, 210 contre (socialistes et communistes) et 37 abstentions parmi lesquelles les rares fidèles de Mendès, déçus. Edgar Faure conduit à son terme la politique d'affranchissement de la Tunisie. Au Maroc, après avoir fait remplacer le résident Francis Lacoste par Gilbert Grandval, il remet sur le trône le sultan déposé qui devient le roi Mohammed V. Pour l'Algérie, où les attentats (et la répression) s'amplifient, en dépit des efforts du ministre des Affaires étrangères, Antoine Pinay, Paris ne parvient pas à empêcher la venue du dossier devant l'O.N.U. Le tiers monde est puissant, soudain conscient de sa force après la conférence de Bandung. Les pays de l'Est ont signé le pacte de Varsovie.

Le régime lui-même n'est plus viable. Les débats parlementaires sont totalement paralysés. Tout le monde redoute déjà les prochaines élections législatives (la législature se terminera en 1956) et veut préparer des réformes du code électoral. Edgar Faure n'a d'ailleurs pas de pires adversaires que ses propres « amis » du parti radical, Mendès d'un côté, Bourgès-Maunoury, son ministre de l'Intérieur, de l'autre. A bout d'arguments et pour répondre au malaise grandissant dans le peuple qui est devenu très nettement antiparlementariste, Faure dissout l'Assemblée le 1er décembre 1955 afin qu'une majorité « gouvernable » sorte des urnes et aussi pour prendre de court ceux qui préparaient déjà les élections à leurs dates prévues. Certains estiment qu'il s'agit d'un « coup de force » (Edgar Faure est exclu du parti radical par le président du parti Mendès France), mais le président du Conseil avait, légalement et surtout moralement, parfaitement le droit de tenter ainsi de sortir de l'impasse en mettant les parlementaires non plus devant leurs responsabilités (ce qui était sans grande signification) mais devant les électeurs. C'était la grande époque du poujadisme et de son célèbre slogan : « Sortez les sortants. »

Pour ces élections si importantes qui ont lieu le 2 janvier 1956, on assiste surtout à la formation d'un « Front républicain » qui regroupe Mendès France et quelques-uns de ses amis radicaux, Guy Mollet et sa S.F.I.O., Mitterrand et une majorité de l'U.D.S.R. et enfin Chaban-Delmas et ce qu'on pourrait appeler l'aile libérale des Républicains sociaux (l'ancien R.P.F.). En fait, après un an de « faurisme », on a oublié les reproches qu'on faisait à P.M.F. et les « raisonnables » de la IVe veulent tenter de « sauver les meubles » en refaisant une expérience centre-gauche qui aurait cette fois l'appui non plus des combinaisons des caciques mais des élections. Le poujadisme effraie quelque peu tout le monde politique classique qui sent le danger.

Cette coalition forme donc des listes qu'on appelle très naturellement « mendésistes ». Mais, sur place, les choses ne se passent pas aussi bien que dans les états-majors. Ainsi Mitterrand qui est l'un des dirigeants de ce Front républicain et qu'on considère un peu comme un « homme de Mendès » apparaît très différemment dans sa propre circonscription, la Nièvre. Si au niveau national, il s'écrit : « L'U.D.S.R. est prête à s'entendre avec le parti radical, avec les anciens membres de l'U.D.S.R. passés au R.P.F., avec ceux qui, au centre gauche, sont toujours demeurés fidèles à nos traditions libérales. La loyauté est aussi indispensable à l'égard de la S.F.I.O. », à Château-Chinon, il en va tout autrement.

Mitterrand a d'abord à lutter contre l'hostilité déclarée du P.C.F. qui l'attaque parce qu'il est « le partisan de la répression en Algérie et du réarmement de l'Allemagne » et parce qu'il n'est qu'un « grand bourgeois très conservateur ». Il est vrai que Mitterrand venait de déclarer au VIIe Congrès U.D.S.R. d'Aix-les-Bains : « Nous ne confondons pas la lutte anticommuniste avec la brimade constante. Nous ne considérons pas que les millions de gens qui votent communiste sont définitivement perdus pour la nation », ce qui n'avait pas dû faire plaisir au P.C.F.

Mais il a aussi l'hostilité de la S.F.I.O. locale, déchaînée contre lui en dépit de l'accord parisien et tout autant celle des radicaux « mendésistes ». Bref, si Mitterrand n'est plus au centre droite (voire à droite) comme par le passé dans sa circonscription, il est désormais obligé de se situer au centre-centre droit et de faire alliance avec le R.G.R. (radicaux fauristes). Mendès qui est, certainement, en partie responsable de cela ne le lui pardonnera pas. Finalement Mitterrand est élu, apparenté avec un Centre républicain d'action paysanne et de défense des classes moyennes (!), et il obtient un siège (le sien), derrière les communistes (un siège, Barbot), les socialistes (un siège, Dagain) et devant les républicains sociaux (un siège, Durbet). Le Front républicain n'a pas fonctionné dans la Nièvre.

C'est mauvais signe pour le « mendésisme de Mitterrand » ! Il est vrai qu'au cours de cette campagne, Mitterrand, comme tous les candidats d'ailleurs, dira n'importe quoi, comme par exemple, dans sa profession de foi : « Pendant quatre années, c'est une majorité que j'ai combattue qui a gouverné la France. Rien ne m'associe au bilan de cette législature que je condamne » (*sic !*). Or, on l'a vu, il a été ministre (et pas des moindres) à trois reprises au cours de ladite législature.

Ces élections qui devaient offrir à la France une majorité claire ont encore tout embrouillé. Les poujadistes obtiennent cinquante-deux sièges ! Les communistes qui ont perdu des voix on gagné cinquante sièges (passant de cent députés à cent cinquante), les républicains sociaux ont été éliminés, ne comptant plus que seize « rescapés » parmi lesquels un seul à Paris où, pourtant, Pierre de Gaulle était président du conseil municipal et cent cinquante sortants ont été... sortis parmi lesquels quelques « vedettes », comme Martinaud-Deplat, Letourneau, Claudius-Petit ou Lecanuet. En fait, les « mendésistes » de ce Front comptent 168 sièges, le P.C. 151 et la « droite » près de 200. Tout cela n'est pas très « gouvernable ». Cependant tout le monde comprend que le P.C.F. ne peut pas ne pas recommencer ce qu'il a fait en 1954, c'est-à-dire soutenir P.M.F. même si celui-ci ne veut toujours pas lui en savoir gré. Se profile donc une sorte de Front populaire élargi, qui ne dirait pas son nom, sous la direction de Mendès.

Mais les complots recommencent. La leçon n'a servi à rien. Chacun se rend compte que Mendès est bien seul et qu'il n'y a pas de raison, somme toute, pour lui remettre le prix d'une victoire qu'il ne peut pas exiger. Mitterrand jouera ici un rôle évident et quelque peu déplaisant. Pourquoi ? Sans aucun doute parce que depuis l'affaire des fuites, entre P.M.F. et lui, le courant ne passe plus. Et puis, parce que Mitterrand estime qu'il est inutile pour lui de continuer ainsi à jouer l'« homme de Mendès », puisqu'il n'est pas payé de retour. Il n'a pas le goût de la fidélité à sens unique quand il n'en est pas le bénéficiaire. Au fond, Mendès n'a guère plus d'importance que lui avec sa petite U.D.S.R. (qui a pourtant encore perdu des sièges aux élections et qui n'a plus que six élus en métropole) dans le pays ; alors pourquoi jouer pour ce Mendès qui, sur le plan local, s'attaque à la clientèle qu'il vise maintenant ? Mitterrand ne veut plus de P.M.F.

Et avec d'autres, il pousse Guy Mollet en avant. Lui au moins, il n'est pas de la même famille, on sait très nettement où il est, les rapports de force seront clairs : Mollet c'est la S.F.I.O. Cela permettra à Mitterrand de mordre un peu sur la gauche et de pouvoir retirer ses « billes » quand il le voudra sans en perdre une seule. Pas de confusion possible. L'U.D.S.R. va pouvoir rejouer son rôle de « petit parti charnière », alors qu'avec Mendès, elle était englobée dans un tout un peu confus. Mitterrand ne veut plus être un second de P.M.F. et entend rester maître chez lui.

Et Guy Mollet forme son gouvernement le 27 janvier 1956. Comme on ne sait que faire de Mendès on lui donne un ministère d'État... sans portefeuille ! Pineau est aux Affaires étrangères, Bourgès-Maunoury à la Défense nationale, Defferre à la France d'Outre-Mer, Savary aux Affaires tunisiennes et marocaines, Chaban-Delmas aux Anciens Combattants (avant de devenir ministre d'État sans portefeuille). Mitterrand, lui, obtient la Justice.

Il est ministre d'État Garde des Sceaux, c'est-à-dire le troisième personnage du gouvernement après Mollet et Mendès qui fera de la figuration, mais pas pour longtemps, il est vrai.

L'un des grands slogans du Front républicain avait été la promesse d'en finir avec cette guerre d'Algérie. Et Guy Mollet était certainement de bonne foi, comme tous ses ministres. Il allait donc, dès le lendemain de la formation de son gouvernement, s'atteler à ce problème urgent. On pouvait être un peu optimiste puisqu'il avait nommé comme ministre résident général en Algérie, le général Catroux, militaire mais surtout habile négociateur et homme modéré. Il succédait donc à Jacques Soustelle (gaulliste), qu'avait nommé Mendès, mais qui, après avoir été fort mal accueilli par les pieds-noirs qui voyaient en lui un « bradeur », avait « viré sa cuti » et était devenu plus « Algérie française » que le plus dur des grands (ou petits) colons.

Et immédiatement, Mollet décidait d'aller en personne à Alger pour installer Catroux et voir de ses yeux où en étaient les choses. Ce fut son fameux voyage du 6 février 1956, au cours duquel il fut, au monument aux morts d'Alger, couvert de tomates.

Il avait fallu à Soustelle plusieurs mois pour changer d'attitude en rencontrant les pieds-noirs, il ne fallut que quelques minutes à Mollet pour faire volte-face. Catroux était aussitôt remplacé par Robert Lacoste (qu'on avait prévu au poste de ministre des Finances et qui allait être remplacé rue de Rivoli par Paul Ramadier, Mendès France, déjà réticent, ayant refusé ce poste).

Jacques Julliard, qui, dans sa *IVe République*, analyse très bien cette volte-face, écrit : « On attendait un politique. On eut un politicien. Il n'est pas sûr que Guy Mollet soit arrivé au pouvoir avec une vision bien claire du problème algérien et des solutions possibles. Son comportement fut une version dégradée de cette « politique du juste » dont Colette Audry a parlé à propos de Léon Blum. S'il fut bourreau, ce fut malgré lui, et par désir de trop bien faire. Non pas un bourreau dur. Mais un bourreau mou, comme aurait dit Péguy, jamais à court de distinctions. Avant de devenir l'instrument des colonels factieux, il avait montré ses préférences pour les généraux libéraux en nommant Catroux ministre résident. Là où on avait besoin d'un homme de volonté, on eut un homme de bonne volonté. Quand tout le monde attendait un voyage « décisif », Guy Mollet entreprit une mission de bonne volonté, le 6 février 1956. (...) Tout commençait dans l'incertitude et le dérisoire. Ce n'était pas d'ailleurs les tomates reçues par Guy Mollet qui étaient dérisoires, mais la réaction de Guy Mollet aux tomates. (...) Guy Mollet commença par céder. (...) Jamais la capitulation n'avait été aussi spectaculaire que celle qui aboutit, le 9 février, à la substitution de Lacoste à Catroux. C'est seulement à l'égard des Algériens que Guy Mollet faisait preuve de fermeté. Jamais, il ne voulut renoncer à son célèbre triptyque : pacification, élections, négociation. Tout en reconnaissant l'existence d'une « personnalité algérienne », il excluait a priori que celle-ci puisse aspirer à l'indépendance. »

On a tout dit, et depuis longtemps, sur la médiocrité du gouvernement Mollet qui n'a fait qu'aggraver la situation en Algérie, qui a chargé Massu de rétablir l'ordre à Alger, qui a envoyé le contingent se faire tuer et tuer, qui s'est lancé dans la folle expédition de Suez, à cause de l'Algérie, bref qui a perdu la IVe et un peu de l'honneur de la France. Ce qui nous intéresse aujourd'hui c'est l'attitude de Mitterrand au côté du petit professeur d'anglais. S'est-il un seul instant désolidarisé de cette politique aussi bête que criminelle ? Toute la question est là...

Les amis de Mitterrand disent aujourd'hui que « leur homme » s'est contenté de faire de la figuration dans le gouvernement Mollet, que, pendant seize mois, il est volontairement resté sur la touche et que d'ailleurs il n'avait pratiquement aucun pouvoir. Certes, il était Garde des Sceaux mais la justice en Algérie était alors passée sous le contrôle des militaires et n'était donc plus de son ressort. Il n'est donc pas responsable de la torture, des exécutions, des emprisonnements massifs. Mais on oublie de dire qu'il a, lui-même, signé le décret (n° 56 268) qui le dépossédait et donnait aux militaires les pleins pouvoirs en matière de justice. Il était le troisième puis le deuxième personnage du gouvernement, mais le gouvernement lui-même, et toujours selon les amis du leader socialiste, avait bien peu de pouvoirs en face des militaires qui faisaient la guerre et préparaient la révolution. Bref, à les entendre, Mitterrand a été une potiche ou plutôt il a, selon ses propres termes (au conseil national de l'U.D.S.R. de mars 1957), « préféré travailler avec des démocrates plutôt que de pratiquer une opposition stérile contre des gens qui ne l'auraient pas entendu ». C'est là une défense bien facile. En fait, Mitterrand est « mouillé jusqu'aux yeux » et son « épopée Guy Mollet » est l'une des pages les moins glorieuses de sa carrière, mais il doit l'assumer.

Parlons d'abord de l'Algérie. Le Front républicain l'avait emporté aux élections et le gouvernement Mollet s'était constitué sur le thème de l'arrêt des hostilités en Algérie. Le président du Conseil qui ignorait tout de la situation de l'autre côté de la Méditerranée et des problèmes de la décolonisation en général était sans aucun doute de bonne foi : pour lui l'Algérie n'avait rien à voir avec l'Indochine, ni même avec les autres pays du Maghreb, c'étaient trois départements français où des bandes de terroristes profitaient de quelques maladresses de Paris et de certains excès des colons pour faire un amalgame inadmissible et parler d'indépendance. Mollet avait d'ailleurs vu les pieds-noirs au cours de son bref voyage mouvementé à Alger. Et il avait compris que ce n'étaient pas de gros colons, des capitalistes, mais des petites gens, des petits Français qui, au fond, auraient parfaitement pu être des électeurs de la S.F.I.O. Il fallait donc d'abord mater ces rebelles – en mars 1956 on en était à 2 600 actes de terrorisme par mois et le F.L.N. pouvait déjà faire défiler, drapeau en tête, les Algériens en plein Paris – puis ensuite, remettre un peu d'ordre dans la province. Mitterrand est totalement d'accord avec son président du Conseil ; il déclare d'ailleurs : « J'approuve l'emploi de la force militaire et la présence des soldats en Algérie dans la mesure où cela constitue le dernier moyen de reconquérir un espace pour engager le dialogue. » Mais il ne s'agit pas, bien sûr, d'un dialogue avec le F.L.N. ni avec ceux qui parlent d'une indépendance de l'Algérie.

Mitterrand refuse même le fédéralisme auquel certains commencent à penser. Il trouve qu'on est déjà allé trop loin avec le Maroc quand, dans les accords de La Celle-Saint-Cloud, on a évoqué le mot d'indépendance devant Mohammed V. Il écrit dans *Combat* le 18 juin 1956 : « La Celle-Saint-Cloud a fait sauter le verrou de l'autonomie interne et mis fin à l'espérance fédérale... Aujourd'hui, proposer le système fédéral à l'Algérie représente un danger : demain, elle réclamerait la diplomatie et l'armée... » Il prône des réformes sociales, économiques, mais pas question pour lui d'ouvrir la brèche des réformes politiques qui feraient vaciller très rapidement le vieux rêve auquel il s'accroche désespérément et contre toute logique maintenant (en 1956, le tiers monde vient une réalité et chacun aspire à l'indépendance) – celui d'un grand empire franco-africain.

Pour sa chère Afrique noire, pour le Maroc et la Tunisie qu'il connaît bien maintenant, il prône l'interdépendance, mais puisqu'il s'en tient toujours aux textes, il comprend que si on fait avancer l'Algérie « d'une case » vers l'indépendance, tout le monde en fera autant et l'empire s'effondrera de lui-même. Pas question donc de passer de la départementalisation à l'autonomie interne ou à toute forme de fédéralisme pour les trois départements, car aussitôt, ceux dont il veut faire des fédérés passeraient à l'indépendance ! Raisonnement absurde de juriste dont il ne démordra jamais.

Il faut donc se battre, faire la guerre, pourchasser les fellaghas avec tout ce que cela implique. On doit reconnaître que les politiques n'ont pas le droit de faire un seul reproche aux militaires dans ce genre de combat. Il serait scandaleux aujourd'hui que le moindre ministre de Guy Mollet resté au gouvernement fasse le moindre reproche à Massu ou à Bigeard sur la manière dont ils ont mené la guerre qu'ils avaient ordre de gagner. Tout le monde, à Paris et a fortiori dans les ministères, savait parfaitement que les paras français (et toutes les autres unités) ne pouvaient qu'employer « la baignoire » et « l'électricité » pour conduire les interrogatoires indispensables à la « pacification » dont ils étaient chargés. Le processus engagé avait sa logique impitoyable et affreuse. Si on veut faire une guerre coloniale, il faut savoir que ce n'est ni avec l'artillerie lourde ni avec des régiments de chars qu'on la mènera, mais qu'on devra se salir les mains dans les salles de tortures. Et Paris le savait parfaitement. Seulement, s'il est vrai que les ministres ne meurent pas dans les tranchées ni sur les pitons, il est faux de croire qu'ils ne se déshonorent pas même s'ils ignorent superbement les baignoires et les « gégènes ». Ce n'est donc pas en fait la 10e division parachutiste qui a la charge du déshonneur, mais les responsables politiques qui lui avaient donné des ordres...

Mitterrand est parmi ceux qui réclament pour Lacoste, dès mars 1956, les pleins pouvoirs. Mais n'oublions jamais que les députés communistes furent parmi les 455 députés qui les ont votés... comme un seul homme (contre 76). Or il était évident que le fameux processus était alors engagé sans pitié. Lacoste fait rappeler 70 000 disponibles. Il y a maintenant 400 000 hommes en Algérie ! La guerre à outrance commence. C'est ce qu'a compris Pierre Mendès France qui, parfaitement logique avec lui-même, a alors donné sa démission. Le 23 mai 1956, P.M.F. écrivait à Guy Mollet : « Toute politique qui ignore les sentiments et les misères de la population autochtone mène, de proche en proche, de la perte du peuple algérien à celle de l'Algérie, ensuite et immanquablement, à la perte de notre Afrique tout entière. C'est cela la politique de l'abandon. » Mendès « rachète » ainsi son attitude aveugle de 1954. Pourquoi Mitterrand ne l'a-t-il pas suivi dans cette retraite et pourquoi le futur leader des socialistes est-il resté à bord de cette galère ? Il avait eu plus de courage en 1953 quand il avait donné sa démission du gouvernement Laniel pour protester contre la politique marocaine et tunisienne de Bidault. Le goût du pouvoir ? Peut-être. Il est évident que le gouvernement Guy Mollet semblait autrement plus stable que le gouvernement Laniel. Partir, cette fois, c'était se mettre sur la touche pour plus longtemps, du moins pouvait-on le penser. Mais, bien pire, Mitterrand est, tout simplement, d'accord avec la politique de Mollet. Si P.M.F. part c'est, sans doute, à ses yeux, parce qu'il est un homme fini, furieux de n'avoir pas été appelé après la semi-victoire du Front républicain et qui se complaît maintenant dans son attitude de misanthrope opposant systématique. Mitterrand, au contraire, se veut réaliste et entend profiter au maximum de la situation qui a fait de lui, avec son petit parti charnière de six élus, le deuxième personnage du gouvernement. Et puis la France entière n'est-elle pas d'accord avec la politique menée ?

Et d'ailleurs le gouvernement Mollet agit : il met en place un certain nombre de mesures sociales comme le fonds national de solidarité au profit des personnes âgées ; il entérine l'indépendance du Maroc et celle de la Tunisie ; il fait passer la loi-cadre pour l'Afrique noire dans laquelle Defferre a repris toutes les idées chères à Mitterrand ; il marque des points (militaires) contre les rebelles algériens. Certes, il y a des bavures (les mains tachées de sang de nos jeunes militaires) mais il s'agit de créer un grand empire français fraternel et cette fois avec le vernis du socialisme français de la S.F.I.O. !

Parmi les bavures il y a celle du 22 octobre 1956 : les militaires d'Alger ont détourné l'avion qui conduisait, de Rabat à Tunis, Ben Bella, Khider, Aït Ahmed, Boudiaf, les quatre grands dirigeants du F.L.N. que Mohammed V venait de rencontrer et qu'il devait retrouver pour une grande conférence maghrébine organisée par Bourguiba. C'est purement et simplement de la piraterie aérienne, même si on peut justifier l'affaire par le droit de suite (que personne d'ailleurs ne reconnaît). Indiscutablement les militaires ont agi sans en référer à Paris. Comme en 1953 au Maroc, du temps de Guillaume et de Juin. Alain Savary, secrétaire d'État aux Affaires marocaines et tunisiennes donne immédiatement sa démission du gouvernement et pourtant il est membre de la S.F.I.O. de Mollet ; il n'admet pas que le gouvernement se laisse ainsi forcer la main par ses officiers. Pierre de Leusse, ambassadeur à Tunis, démissionne lui aussi. Mitterrand ne bronche pas. Le Garde des Sceaux est toujours solidaire de son président du Conseil qui, il faut bien le reconnaître, pouvait difficilement désavouer a posteriori, l'état-major d'Alger et faire libérer les chefs de la rébellion. Pour Mitterrand, comme pour tous les Français, Ben Bella c'est l'ennemi. Il oublie qu'un émissaire de Mollet, Georges Gorse, a rencontré secrètement Khider en avril, puis qu'un autre émissaire, Pierre Commin, a, en juillet, rencontré Yazid à Belgrade, puis en septembre, à Rome, de nouveau Yazid cette fois accompagné par Khider et Kiouane. Ces rencontres n'avaient rien donné. Les Français ne voulaient parler que d'un cessez-le-feu alors que les Algériens voulaient amorcer la conversation politique, mais elles auraient pu être l'amorce d'un dialogue. Le « rapt » réduisait à néant tout espoir et en plus nous mettait en très mauvais termes avec le Maroc (des Français étaient massacrés dès le lendemain à Meknès), avec la Tunisie et avec l'ensemble du monde arabe. Tout le monde est pris dans l'engrenage. Et on en arrive, tout logiquement, à l'affaire de Suez.

Nasser avait nationalisé le canal, en juillet 1956. C'était inévitable. Le nationalisme qu'il incarnait devait s'exprimer et il ne pouvait le faire que contre l'Occident puisque, très maladroitement, cet Occident refusait de l'entendre et ne percevait pas que ce colonel égyptien ne demandait qu'à s'arranger avec l'ouest. Washington, Londres et Paris avaient, chacun à sa manière, poussé Le Caire dans les bras de Moscou. Les Américains (Foster Dulles), en refusant les armes et les crédits que demandaient les Égyptiens pour construire leur nouvelle pyramide (le barrage d'Assouan), les Anglais, toujours nostalgiques de leur « royaume » égypto-soudanais ; les Français, en étant les meilleurs amis d'Israël (qu'ils armaient complètement, à l'époque) et en menant ces guerres coloniales chez les « Arabes frères ». Nasser n'avait donc guère le choix. Chantre du nationalisme arabe (et du tiers monde en général), il ne pouvait que soutenir le nationalisme algérien. C'était donc un ennemi. En plus il nationalisait « notre » canal. Il fallait réagir. Ne revenons pas sur tous les détails de cette absurde opération de Suez dans laquelle Guy Mollet s'est fait « rouler » à la fois par les Anglais, par les Israéliens et par les Américains et contentons-nous d'observer l'attitude de notre « héros ».

Mitterrand n'a rien compris à tous ces pièges. Il a foncé tête baissée. La politique internationale n'est pas son fort. De Gaulle avait une certaine conception du monde, « une certaine idée » d'un certain équilibre qui évoluait au gré du « vent de l'histoire ». Pas Mitterrand. Il s'en tient surtout à l'époque à des idées simples : la France doit créer son nouvel empire ; elle se heurte de plein fouet au communisme international qui, faisant feu de tout bois, n'hésite pas à se servir d'un nationalisme local et « archaïque » contre elle. Il faut donc s'attaquer aux racines du mal : non pas à Moscou directement, mais à l'Égypte et à son « dictateur » actuel. Piètre raisonnement que d'ailleurs à peu près tout le monde tient dans les salons politiques parisiens.

Le 17 octobre les choses se sont encore « gâtées » avec l'affaire de l'*Athos* : la marine française a intercepté au large de l'Algérie un bateau bourré d'armes en provenance de l'Égypte. C'était la preuve tangible que non seulement le « dictateur du Caire » aidait des fellaghas moralement avec sa radio, politiquement en ayant fait du Caire la capitale arrière de la rébellion, mais encore qu'il leur envoyait les armes soviétiques dont ils se servaient pour tuer nos soldats. On l'affirmait depuis longtemps, on en avait maintenant la preuve.

Dans la nuit du 29 au 30 octobre, les troupes israéliennes envahissent le Sinaï conformément au plan anglo-franco-israélien. Immédiatement – et toujours selon ce plan secret fomenté par Eden, Mollet et Ben Gourion – Londres et Paris demandent aux belligérants de se retirer de chaque côté du canal, faute de quoi précisent-ils, les troupes anglo-françaises stationnées à Chypre interviendront. C'était pour le moins « cousu de fil blanc » et il était évident que le monde entier allait protester. Mais Mitterrand ne se rend compte de rien. Il appuie totalement Mollet dans cette folle équipée. Pire, c'est le Garde des Sceaux en personne qui, le 30 octobre, défend cette politique de Mollet devant les sénateurs. Des phrases terribles d'absurdité ! « A ceux qui ont approuvé la déclaration du gouvernement, je dirai qu'ils ont, en même temps que nous, tenté sincèrement de servir la paix, voulu fermement défendre les libertés. (...) Il est important que le Parlement français montre, au-delà des querelles qui peuvent nous diviser, que lorsque les intérêts de la France sont en jeu, c'est le pays tout entier qui soutient le gouvernement. (...) Si c'est un dictateur qui, depuis ces semaines et ces mois où nous avons montré tant de patience, n'a rien engagé, ni le sang, ni la menace, ni la parole et finalement – à l'heure où nous sommes – ni le danger pour la paix elle-même, alors, vous me permettrez de le dire, comme ils sont coupables les Français qui ne nous aideraient pas à surmonter le destin ! (...) Il y a urgence. Nous nous trouvons devant une situation qui ne peut que s'aggraver si elle dure. C'est secourir la paix que d'aller vite. (...) Agir vite, c'est agir dans l'intérêt de la France et cela n'est pas si négligeable, n'est-ce pas ? »

Qu'on ne nous dise pas alors, comme le font certains, que Mitterrand n'était pas totalement solidaire de Guy Mollet. Le 5 novembre 1956, les troupes franco-anglaises sont parachutées le long du canal de Suez. Le 7 novembre, Paris et Londres, devant les menaces soviétiques et les pressions américaines, donnent l'ordre de cessez-le-feu. Le 24 décembre toutes les troupes de l'expédition ont été évacuées. Si on peut, éventuellement, excuser Mitterrand pour son attitude à propos de la guerre d'Algérie, puisqu'il était, comme tout le monde, « embringué » dans le processus infernal de ce conflit et s'il peut plaider la bonne foi et les fautes « par omission » (les occasions qu'il a laissées passer de donner sa démission avec Mendès puis avec Savary), pour l'affaire de Suez, il est sans alibi. Certes,

Mollet ne l'avait sans doute pas consulté, se contentant de le mettre au courant, a posteriori, des décisions qu'il avait prises avec Christian Pineau, son ministre des Affaires étrangères, mais il était ministre d'État, Garde des Sceaux, ministre de la Justice et il en « rajoutait ». Or, même s'il était clair qu'en effet Nasser aidait considérablement la rébellion algérienne, il était tout aussi patent que la politique de la canonnière n'était plus guère admissible dans cette seconde moitié du XXe siècle, même si elle était entreprise par un gouvernement socialiste et même si, au même moment, l'U.R.S.S., elle, n'hésitait pas à intervenir à Budapest.

Pour la petite histoire, c'est surtout à partir de ce moment-là que Mitterrand apparaît aux yeux de l'armée française comme un « traître ». On lui reprochera (comme à Mollet) d'avoir donné l'ordre de cessez-le-feu, d'avoir contraint les troupes françaises à évacuer pitoyablement l'Égypte alors que les militaires demeuraient convaincus que rien n'aurait pu les empêcher d'aller jusqu'au Caire renverser Nasser. Militairement, ils ont sans doute raison. Et encore ! Il aurait fallu que la VIe flotte U.S. ne brouille pas continuellement nos liaisons radio et que l'intendance puisse suivre. Mais, en tout état de cause, cette campagne était politiquement vouée au pire échec. Or Mitterrand et Mollet n'avaient fait, dans cette affaire, que suivre les plus bellicistes de nos officiers et ils auraient donc dû bénéficier, aux yeux de cette armée, d'un certain prestige. L'histoire est injuste ! Il est vrai que le procès de l'affaire des fuites avait eu lieu au cours de l'été 1956 et qu'il avait permis à l'extrême droite (Me Tixier-Vignancour plaidait) de s'en prendre sans ménagement au régime républicain : Mitterrand devenait l'un des boucs émissaires chargés de toutes les défaites de l'armée française qui, à peine revenue d'Indochine, s'enlisait déjà en Algérie, en dépit de certaines « victoires » sur le terrain. En fait, et curieusement, les extrémistes n'ont pas compris que ce gouvernement dirigé par un socialiste, faisait alors leur politique. Ces mêmes extrémistes ne vont-ils pas d'ailleurs dans quelques jours, le 16 janvier 1957, organiser un attentat contre le général Salan (ce fut l'affaire du bazooka). Or Salan — et il l'a prouvé par la suite — n'était pas un bradeur. On peut donc se demander si cette opposition était vraiment politique ou s'il ne s'agissait pas plutôt d'une querelle de personnes. On n'était pas contre la politique de Mitterrand en Algérie ou pour Suez, mais contre Mitterrand et pour le rappel de de Gaulle. Nous retrouverons cette attitude, dans l'autre sens, avant longtemps...

Ce n'est que vers la fin de l'année 1956 que Mitterrand commencera à évoluer à propos de l'Algérie, et encore bien modestement puisqu'il se contentera d'évoquer sans enthousiasme une solution fédérale pour les trois départements. Au congrès U.D.S.R. de Nancy, fin octobre 1956, il déclare : « Le fédéralisme, personnellement je n'y vois qu'un mot. Mais si ce mot a une puissance explosive telle que nos adversaires eux-mêmes se laissent séduire, alors je suis d'accord. Si nous réussissons en Algérie ce qui avait été promis en Tunisie, c'est-à-dire l'autonomie interne, et si nous sommes sûrs d'en rester là, alors il faudrait tenter l'expérience. » On le voit, il n'est pas très convaincu et, en tout cas, il met toujours en avant l'écrasement de tous ceux qui continuent à prôner l'indépendance, avec même encore plus de vigueur car il a peur que le fédéralisme ne soit, comme pour le Maroc ou la Tunisie, qu'une brèche que Paris ouvrirait et dans laquelle s'enfourneraient les rebelles qui refusent son idéal du grand empire fraternel franco-africain.

On a du mal, aujourd'hui, à comprendre cet entêtement de Mitterrand et d'autant plus que longtemps après l'effondrement indiscutable de tout son rêve, il a continué de répéter qu'il avait eu raison. Aujourd'hui encore, peut-être est-il toujours convaincu qu'un grand empire français aurait été possible pour peu que chacun y ait mis du sien. En fait, sa grande erreur vient, sans doute, de son expérience à la France d'Outre-Mer. Il avait réussi, nous l'avons vu, à désamorcer, pour un temps, la bombe du nationalisme du Rassemblement démocratique africain et il avait vu Houphouët-Boigny et ses amis admettre qu'il valait mieux, pour un temps, accepter de cohabiter dans un ensemble français, avec des concessions de la part des uns et des autres, plutôt que de se lancer dans l'aventure de l'indépendance qui aurait certainement coûté fort cher. Et cet ensemble français avait commencé à prendre tournure. Les leaders du R.D.A. étaient devenus des ministres de la IVe République française, la loi-cadre avait été adoptée, bref « l'esprit de Brazzaville » qu'il ne condamnait pas encore l'avait emporté, et Mitterrand pouvait donc être toujours persuadé que tous ces pays allaient connaître, sous le drapeau français, un sort autrement plus enviable que les autres pays africains (ou du tiers monde) qui venaient, eux, de recevoir une véritable indépendance (de la Grande-Bretagne, de l'Italie ou des Pays-Bas) et qui semblaient sombrer déjà dans les pires difficultés. Et Paris, bien sûr, aurait tiré le plus grand profit de cet empire nouvelle manière. Mitterrand, d'ailleurs, ne cache jamais son jeu et reconnaît parfaitement qu'il ne croit pas aux vertus du mot indépendance pour les autres.

Dans *Présence française et abandon,* il écrit carrément : « Quand, au mois de mars 1957, Kwame NKrumah, président du gouvernement du Ghana, se rendit à Abidjan pour saluer Félix Houphouët-Boigny, les deux hommes d'État purent confronter leur méthode et leur but. L'indépendance récente du Ghana, célébrée dans l'enthousiasme populaire et devant les délégués de soixante-huit nations, allait-elle entraîner les élus de l'Afrique française vers une revendication identique ? Forts de leur prestige, maîtres du pouvoir et sûrs de l'adhésion des masses, ils auraient pu risquer l'aventure. Mais c'eût été mal les connaître que de les croire prêts à manquer au contrat moral qui les liait à la métropole. Devant ses concitoyens qui, tout en l'acclamant, l'interrogeaient, le président du R.D.A. l'affirma hautement : « Vous assistez, dans le même temps, sur la côte occidentale d'Afrique au départ de deux expériences : celle de l'indépendance absolue d'un territoire, hier encore sous tutelle britannique et celle de la gestion autonome des affaires dans le cadre de l'Union française par les territoires africains de culture française. Qui peut sous-estimer la résonance en Afrique de cet événement unique ? Près de nous, vient de naître un nouvel État indépendant, peuplé d'autochtones. Nous ne pouvons pas ne pas souhaiter bonne chance à notre voisin de l'Est auquel nous rattachent tant de liens. Nous suivrons avec intérêt son audacieuse expérience. Mais, gardant ce calme serein dont ne doit jamais se départir tout homme qui, après mûres réflexions, a fait un choix, sachant où il va, les moyens dont il peut disposer, ceux sur lesquels il peut compter, nous voulons, sans nous laisser troubler par l'envie, poursuivre, avec une conviction renforcée, notre propre expérience, une expérience difficile, semée d'obstacles de toutes sortes, mais combien passionnante, exaltante, combien riche de promesses, une expérience sans précédent dans l'histoire déjà longue des peuples : une communauté d'hommes, de continents, de races, de religions, de degrés de civilisation différents mais engagés dans un même combat pour le bien-être dans la justice, la liberté, l'égalité, la fraternité. » (*Présence française et abandon,* p. 109). Voilà ce que disait Houphouët et on comprend pourquoi Mitterrand a éprouvé l'envie de le citer si longuement. C'est exactement le rêve de Mitterrand qu'énonce ici le président du R.D.A., en bon élève convaincu des leçons de son maître. Il n'a pas prêté attention au mot « envie » qui s'est glissé dans la phrase d'Houphouët...

Au moment donc où l'Algérie est dans sa phase la plus délicate, la plus terrible, alors que la répression devient infernale, le Garde des Sceaux de Guy Mollet voit que son rêve commence à se réaliser en Afrique noire. Cela lui donne la conviction qu'il a raison et que le mot indépendance n'a aucun sens... pour les autres. Houphouët pousse Mitterrand à être encore plus Algérie française, en dépit de l'évidence. Et au moment où la bataille d'Alger fait rage, le plus proche collaborateur de Mollet écrit : « Désormais l'Afrique noire encore préservée, l'Algérie toujours déchirée n'échapperont au désastre que si la métropole comprend qu'il n'y a plus de petits moyens, de réformes fragmentaires, d'accommodements provisoires qui puissent convenir. Hésiter davantage entre l'intégration et le fédéralisme serait parier pour l'indépendance. Un pouvoir central, fortement structuré, à Paris, des États et territoires autonomes fédérés au sein d'une communauté égalitaire et fraternelle dont les frontières iront des plaines des Flandres aux forêts de l'Équateur, telle est la perspective qu'il nous appartient de préciser et de proposer, car sans l'Afrique, il n'y aura pas d'histoire de France, au XXIe siècle. Et ce n'est pas loin : la durée d'une génération ! Comment en effet la France, butant sur ce Rhin où boivent tour à tour tous les chevaux de l'Europe, irait-elle vers le Nord ? Ou vers l'Est ? Ou vers l'Ouest qui vient plutôt chez elle qu'il ne l'appelle à lui ? Seule, la route du Sud est disponible, large, bordée d'innombrables peuples en même temps que d'espaces inoccupés, si longue que pour atteindre le bout, aux rives du Congo, il faut presque autant de patience que pour aller de Léningrad à Vladivostok... (*Présence française et abandon,* p. 237.) Toutes ses grandes images reviennent encore, en 1957. *Le rêve de l'empire !*

Mitterrand commet là, en fait, une double erreur : d'abord il ne comprend pas que Houphouët est simplement prudent, qu'il envie bel et bien NKrumah d'être enfin totalement indépendant, mais qu'il a peur, lui, et qu'il a longuement pesé le pour et le contre, en évaluant les moyens dont il disposait et ceux sur lesquels il pouvait compter. En vérité, Houphouët attend simplement son heure et veut encore profiter de tous les avantages que peut lui procurer la métropole avant d'être vraiment en mesure d'exiger son indépendance. De Gaulle, avec sa communauté franco-africaine, mettra moins de temps que Mitterrand à s'apercevoir de l'utopie : il n'y avait, sans doute, jamais cru réellement, si ce n'est au moment de la conférence de Brazzaville. Mais l'autre erreur (entraînée par la première) que commet Mitterrand est infiniment plus grave : lui qui n'a pas suivi de près les événements d'Indochine confond la situation algérienne avec celle de l'Afrique noire. Il n'a pas compris que, politiquement, avec ses États, ses souverains, ses cultures, son appartenance à un monde bien particulier (le monde arabo-islamique), le Maghreb était plus proche de l'Extrême-Orient que cette Afrique noire de brousse et de forêts.

Le 6 mars 1957, Mitterrand représente le gouvernement français aux fêtes du premier anniversaire de l'indépendance de la Tunisie. Il quitte Tunis au cours de la fête parce qu'il a aperçu, parmi les délégations, les représentants du F.L.N. Mais l'important n'est pas cet incident diplomatique. L'important, ce sont les réflexions que la vue de Ferhat Abbas va inspirer à Mitterrand et qu'il rapportera dans *Présence française et abandon*. Elles montrent bien qu'il n'a pas compris : « Ferhat Abbas auprès de Lamine Debaghine, cet autre ancien député français, observait avidement le déroulement triomphal. Pouvait-il écarter de sa pensée la vision d'une Algérie qui connaîtrait un jour semblable ou bien se souvenait-il des années d'autrefois, alors que, répudiant l'ambition d'une aventure nationale, il exigeait de la France l'absorption totale, l'intégration absolue du devenir algérien ? Vers Paris et non vers Alger, Le Caire ou Tunis, l'histoire montrait alors la route à suivre pour atteindre à la puissance, ou plus simplement à la présence parmi les peuples libres du monde. Il le disait, l'écrivait, le répétait sans cesser de brandir les revendications de la vie quotidienne : le droit de vivre, de travailler, de participer à la gestion commune. Cela n'était pas contradictoire, pouvait même être complémentaire. (...) En renonçant à l'idéal de ses premières luttes, Ferhat Abbas allait à la rencontre du fanatisme, du terrorisme, ces frères sanglants du malheur. Il était plus facile sans doute d'en appeler à la guerre que de faire triompher la justice ! Mais la guerre fait toujours reculer la justice. Courir à travers le monde pour enseigner la haine de la France, n'était-ce pas, en fin de compte, trahir aussi l'Algérie qui, sans la France, irait à travers l'histoire comme un navire démâté, livré aux lames coléreuses des tempêtes contradictoires ? Ce nationalisme qui riait de joie et d'insolence autour d'une jeune armée de parade, fière d'elle-même et pourtant déjà vieillotte dans ses atours d'un autre âge n'enseignait rien qui ne fût très anciennement connu. Ferhat Abbas, comme les autres spectateurs de la tribune d'honneur, ne pouvait ignorer qu'à l'heure où la Tunisie célébrait son indépendance, elle n'était déjà plus qu'un petit pays de quatre millions d'âmes, moins peuplé que le Ghana, moins riche que l'Arabie, moins stable que l'Éthiopie, moins fort que le moins fort des satellites accrochés à la puissance des Grands. Que serait donc à son tour l'Algérie meurtrie, divisée, sans passé national, incapable de dominer ses propres passions ? Proie humiliée, déchirée, victime offerte. »

Il faudra à Mitterrand des années pour comprendre enfin son erreur. Avec beaucoup de franchise d'ailleurs, il l'avouera, nous l'avons vu, dans *Ma part de vérité* : « J'imaginais un système dont aujourd'hui je discerne la faiblesse, fondé sur un vaste ensemble d'États autonomes fédérés autour de la France. Il n'est d'émancipation coloniale comme il n'est de révolution sociale que globale et irréductible. N'oublions pas cependant l'esprit de l'époque. »

Une fois de plus Mitterrand a fait le même rêve que de Gaulle, et ici il le reconnaît presque sans ambage. Cela dit, de Gaulle, lui, n'a guère « insisté ». La Communauté de la Ve est morte sans avoir vécu et sans que personne ne s'en aperçoive, alors que Mitterrand, lui, s'est débattu pendant des années, quand il était au pouvoir pour tenter de faire vivre la sienne. Ne tenons pas compte de « l'esprit de l'époque » qui a bon dos, mais qui est une réalité politique indiscutable et contentons-nous de voir quel personnage politique apparaît derrière de telles prises de position répétées pendant plus de dix ans avec une belle constance. Deux éléments dominent : d'abord une foi totale en la grandeur de la France. Celle-ci a un rôle à jouer, avec ses militaires qui maintiennent l'ordre, ses savants qui sauvent les malades, ses ingénieurs qui percent des routes dans la forêt, construisent des ports, ses prêtres qui font reculer le fétichisme, ses maîtres qui apportent l'enseignement. Elle a aussi pour sa propre grandeur et sa jeunesse besoin d'espaces nouveaux. C'est là la meilleure défense du colonialisme, mais aussi la plus classique. Jamais aucun défenseur de l'impérialisme n'a, de la tribune d'une Assemblée, fait l'éloge des traficants, de l'exploitation, du pillage des colonies. Tout le monde a évoqué les réformes qu'il fallait faire, le rôle social du colonisateur, la fraternité des hommes !

Second élément, moins glorieux, moins honorable, mais que Mitterrand ne parvient pas à cacher : un certain mépris pour ces peuples qu'il aime « bien » pourtant. Pour lui, le nationalisme de ces « petits pays » est absurde. Il ironise sur « la poignée d'idéologues nationalistes », sur « les armées de parade déjà vieillottes dans ses atours d'un autre âge », bref, il hausse les épaules devant ses

« banana Republics » et ses « rois nègres » qui se prennent pour des Blancs et ont en plus l'audace de « rire d'insolence ». Ces réflexions devant Ferhat Abbas sont éloquentes, mais on retrouve ce même état d'esprit dans tous les textes de l'époque. Il y a la France élue des dieux et ces nègres qui ne comprennent pas la chance qu'ils ont de pouvoir vivre sous ce même drapeau tricolore. Heureusement que Houphouët, lui, l'a compris, mais pourquoi alors les autres et notamment les Algériens n'en font-ils pas autant ?

Les événements ont donné tort à Mitterrand sur toute la ligne. L'Algérie est indépendante et ne sombre pas « à travers l'histoire comme un navire démâté ». La Côte-d'Ivoire, elle aussi, est indépendante, comme tous les autres pays où jadis le R.D.A. dominait. Même Djibouti a acquis son indépendance ! Mais on peut aller plus loin et se demander si Mitterrand, au-delà des péripéties de l'histoire, a eu raison ou tort dans l'absolu. Il est vrai que le nationalisme de la Haute-Volta, ou celui du Togo peuvent prêter à sourire. Qu'est-ce que l'Empire centrafricain de Bedel Bokassa Ier, qu'est-ce que la « nation sahraouie » etc. ? Il est facile de se draper dans un réalisme méprisant et d'ironiser sur les rêves des « humbles ». Mais, d'une part, l'histoire est imprévisible et, d'autre part, c'est là typiquement l'attitude d'un homme de droite. Et c'est en cela que le mépris de Mitterrand pour le nationalisme des autres a quelque chose de profondément choquant. Mitterrand est ici du côté des pires bourgeois de province, sans chaleur, sans lucidité, sans générosité. C'est ennuyeux !

On le voit, les seize mois que Mitterrand a passés comme Garde des Sceaux de Guy Mollet sont sans doute les pages les plus médiocres de sa carrière politique. Elles surprennent même ceux qui ne sont pas ses admirateurs inconditionnels. Qu'il ait été Algérie française, partisan de l'ordre, de l'envoi des troupes, de la manière forte, n'est pas étonnant en fait puisque, comme nous l'avons vu à maintes reprises, il a fondamentalement la notion classique, archaïque de l'État, des textes, et qu'en effet, pour les hommes comme lui, toute rébellion se situe hors la loi. Mais on s'étonne que, les événements prenant une ampleur considérable, la rébellion recevant une aide internationale, devenant irréversible, le « politique » n'ait pas compris qu'il était temps de faire marche arrière, de tout reconsidérer, d'essayer de négocier. Il a agi en homme de droite – ce qui n'est pas pour nous surprendre – mais ce qui est plus étonnant, c'est qu'il ait soutenu, et peut-être inspiré une politique sans espoir.

Le 21 mai 1957, le gouvernement Guy Mollet est renversé. Il a tenu seize mois, un record pour cette IVe République. Coty « essaye » Pleven, Pinay, Pflimlin, Billères, puis Bourgès-Maunoury. C'est ce dernier, radical « de droite » qui, finalement, parvient à former à la surprise générale une majorité, bien incertaine à dire vrai. La veille même, l'ancien vice-président de l'Assemblée algérienne, Ali Chekkal, très pro-Français a été assassiné à la sortie du stade de Colombes où il venait d'assister, au côté de René Coty à la finale de la coupe de France de football. Et le 29 mai, les trois cents hommes du bourg de Grande Kabylie, Mélouza, ont été égorgés par le F.L.N. qui reprochait à ce village son peu de collaboration avec la rébellion. Bourgès-Maunoury vient de faire ses preuves comme ministre de la Défense nationale de Mollet : la répression, Massu, Bigeard, le contingent en Algérie, l'avion de Ben Bella, l'opération de Suez, tout ça, c'est un peu lui ! Il a, indiscutablement, pris des initiatives que n'avait pas approuvées Guy Mollet, mais que le président du Conseil a été obligé de « couvrir » a posteriori. Bref, Bourgès-Maunoury a de quoi inspirer confiance.

Mitterrand, lui, demeure un personnage type de cette IVe République. Maintenant il fait presque partie des « présidentielles ». On évoque son nom à chaque crise. René Coty affirmera, après coup, qu'il aurait aimé faire appel à Mitterrand pour former un « gouvernement fort », mais qu'il attendait... le bon moment. Bref, si la IVe tient encore quelques années, Mitterrand se retrouvera à Matignon. Et visiblement, cela n'est pas pour déplaire au député de la Nièvre. Il est prêt à toutes les concessions. Il tente même de faire oublier son image de mendésiste qui ne peut que lui nuire maintenant.

Le meilleur moyen d'apparaître comme un « anti-Mendès », c'est de se rapprocher de l'autre ténor du radicalisme, Edgar Faure, l'ennemi juré de P.M.F. et c'est ce que fait Mitterrand. L'U.D.S.R. passe une alliance avec le R.G.R. (les radicaux « fauristes ») : encore un « dérapage » de notre héros vers la droite. Et d'ailleurs Mitterrand aura de bien curieux invités au congrès de l'U.D.S.R. d'octobre 1957 : non seulement Edgar Faure, mais aussi Bernard Lafay et Jean-Paul David, le député maire de droite de Mantes-la-Jolie.

Les choses se précipitent pour cette malheureuse IVe République. Et il faut bien reconnaître que Mitterrand ne sera pas l'un des plus clairvoyants pendant ces dernières semaines où il était pourtant évident qu'on allait droit vers la catastrophe. Tout se jouait sur l'Algérie et l'ancien ministre de la France d'Outre-Mer avait toujours sur le problème algérien une vision déformée, en raison, précisément, de son expérience ou, du moins, de son rêve africain. Il avait été abusé (sciemment ou inconsciemment) encore tout récemment par les participants du congrès de Bamako, ses amis du Rassemblement démocratique africain, qui avaient continué tout au cours de cette réunion « historique » de septembre 1957 à renforcer sa conviction que l'avenir des pays du tiers monde devait se dessiner dans le cadre de grands ensembles rattachés à l'Occident plutôt que dans l'utopie de nationalismes sans racines... Or ce que lui disait son ami Houphouët-Boigny — et qui était même inexact pour l'Afrique noire — il l'appliquait sans sourciller à l'Algérie. En février 1958 il écrira dans *Le Courrier de la Nièvre* : « La solution communiste, dictée par l'impérialisme russe, est inacceptable, l'abandon de l'Algérie serait un crime. » (*sic* et en février 58 !) Bref, il patauge...

Pendant le gouvernement de Bourgès-Maunoury (qui a été son voisin à la table du Conseil des ministres sous le gouvernement Guy Mollet), Mitterrand est dans l'opposition et pourtant, le 30 septembre 1957, il vote la loi-cadre que Bourgès présente pour l'Algérie. Précisément parce qu'il espère qu'elle va être pour « les trois départements français » ce que la loi-cadre de Defferre est maintenant pour l'Afrique noire, c'est-à-dire un contrat de mariage, engagement éternel entre la France et son empire. Personne ne met encore en doute l'avenir de cette union qui pourtant n'en a plus que pour quelques années. Mais la majorité qui soutient Bourgès-Maunoury n'est d'accord ni avec le président du Conseil ni avec l'opposant Mitterrand et le gouvernement tombe.

La crise dure cinq semaines et c'est Félix Gaillard, jeune et brillant radical-socialiste, qui réussira à former un nouveau gouvernement. Mitterrand est toujours dans l'opposition, mais, cette fois, il vote contre un « remake » de cette loi-cadre pour l'Algérie, que présente Gaillard le 29 novembre 1957. Le député de la Nièvre n'est pas suivi et Gaillard sauve son gouvernement.

Son argumentation, au cours du débat de l'Assemblée du 29 novembre, vacille. Il reproche à Gaillard de nier, dans son projet, la notion, l'entité algérienne d'Algérie : « Est-ce cela tendre la main ? Est-ce cela l'espérance de nos frères, de nos concitoyens musulmans ? », car la loi-cadre prévoit la scission de l'Algérie en plusieurs territoires autonomes (Algérois, Constantinois, etc.) ce qui, aux yeux de Mitterrand, est une « négation de la personnalité algérienne ». Mais, en même temps, Mitterrand « s'oppose au préalable inadmissible d'un Front de libération nationale qui tient d'ailleurs beaucoup plus à son exclusive représentation de la rébellion qu'à l'indépendance de ce qu'il appelle son pays ». Bref, notre « héros » veut un dialogue avec l'Algérie, mais refuse de dialoguer avec la minorité agissante de l'Algérie, parce que, contrairement à « son » Afrique noire, elle n'est pas composée de « bons Algériens » prêts à lui dire ce qu'il aimerait entendre... Il est comme la plupart des Français de l'époque : d'accord pour discuter avec des Algériens... mais à condition qu'ils soient Algérie française.

Le 8 février 1958, c'est la dramatique affaire de Sakhiet Sidi Youssef. L'aviation française va bombarder des bases de rebelles du F.L.N. en Tunisie. Mais les renseignements sont mauvais et elle détruit des bâtiments civils tunisiens et des camions de la Croix-Rouge. Bilan de l'opération : soixante-quinze morts civils et un immense tollé dans le monde entier. Le drame algérien s'internationalise de plus en plus. Anglais et Américains proposent leurs « bons offices ». Le 15 avril 1958, Félix Gaillard « tombe » au cours d'un débat au Parlement sur ces bons offices.

Mitterrand, pas plus que la grande majorité des autres, il est vrai — ne semble encore comprendre dans quel cycle infernal la France est engagée ; or le bombardement de Sakhiet aurait dû ouvrir les yeux à beaucoup de monde. Mais non. Mitterrand, parlant des électeurs de la Nièvre et semblant partager leur opinion, écrit dans *L'Express* du 27 février 1958 à propos de Sakhiet : « Tous comprennent la réaction des militaires que harcèlent les provocations tunisiennes ; peu d'entre eux admettent l'ampleur des représailles. » En un mot, les militaires ont eu raison de mettre en pratique le droit de suite, de ne pas reconnaître le droit aux fellaghas des « sanctuaires » ; mais ils ont eu tort de taper si fort et surtout à côté ! Mitterrand s'en tient à son éternelle position, qu'il répète dans *Le Courrier de la Nièvre* de février 1958 : « L'U.D.S.R., d'accord sur la présence de l'armée en Algérie quand elle a pour mission de protéger les populations, les personnes et les biens, estime par contre que l'emploi de la force n'a de sens que si les buts politiques de la France sont clairement déterminés, et si la fin des combats doit déboucher sur l'amélioration du climat social, économique et politique de l'Afrique du Nord. (...) Nous ne prétendons pas offrir de solution miracle, mais simplement définir dans l'immédiat une méthode d'approche du problème, créer le climat qui permettra aux plus grandes espérances de se réaliser dans l'intérêt de la France et de la communauté franco-africaine.» Toujours le «bon colonialisme...»

Avec la chute du gouvernement, Félix Gaillard, l'agonie de la IVe République et du régime parlementaire qu'elle représentait, entre dans sa phase ultime. Les militaires d'Alger prennent le pouvoir, ou plutôt, comme dira de Gaulle, le ramassent parce qu'il traînait par terre. Puis, comme ils ne savaient pas trop qu'en faire, ils s'en font déposséder par de Gaulle qui n'attendait que cela depuis plus de dix ans et qui avait, en partie, participé au travail de sape. Mais si cette malheureuse IVe mérite sans doute d'être un jour réhabilitée aux yeux de l'histoire car elle a, tout de même, permis à la France de sortir de l'après-guerre et de reprendre sa place dans le concert des nations, (grâce à ses fonctionnaires, grâce aux efforts de tout son peuple), les hommes politiques, eux, n'eurent que le sort qu'ils avaient mérité. Le président de la République, dont on fait aujourd'hui encore un grand et honnête homme, abdiqua pitoyablement devant quelques généraux médiocres en s'empressant de bien préciser que ce n'était pas lui « le plus grand des Français », ce qui était parfaitement vrai mais regrettable, car il était, selon la Constitution, le chef de l'État. Les parlementaires disparurent honteusement devant les menaces de quelques régiments de parachutistes. Mais on connaît la fin méprisable de la IVe République.

Avant de voir comment Mitterrand va réagir au « coup d'État » de de Gaulle, faisons un premier bilan. Notre héros quitte le pouvoir, un pouvoir qu'il n'a toujours pas retrouvé. Tout ce qu'il va dire désormais, pendant vingt ans, n'aura aucune réalité. Il va entrer dans le monde du... rêve. Ses amis comme ses ennemis pourront alors dire n'importe quoi, ce sera toujours au conditionnel, pire, à l'irréel du passé ou même du présent et ça n'aura donc aucune valeur. Le Mitterrand de la Ve République que nous considérons aujourd'hui comme le « grand Mitterrand » n'existe pas en fait aux yeux de l'histoire. Pour nous, pendant vingt ans, il va être le grand opposant, celui qui osera défier de Gaulle, le mettre en ballottage, celui qui réussira l'union étrange ou du moins éphémère de la gauche. Mais avant longtemps — et surtout s'il reste indéfiniment hors du jeu — il n'apparaîtra plus que comme le grand accusateur d'un régime exceptionnel. Et dans un peu plus longtemps, il n'aura plus été qu'une mouche du coche, sous cette V^{e} !

Il est donc essentiel de dresser ce bilan puisque, pour l'historien qui refuse de perdre du temps avec les conditionnels, l'histoire de François Mitterrand s'arrête jusqu'à nouvel ordre, avec celle de la IVe République.

Sur un premier plan, un peu superficiel, on s'aperçoit que, du ministre des Anciens Combattants de Ramadier de 1947 au Garde des Sceaux de Guy Mollet de 1956, on a affaire à un habile manœuvrier. Onze fois ministre en dix ans, ce n'est pas mal ! Et surtout quand on voit que Mitterrand a toujours joué simplement sur son petit parti charnière l'U.D.S.R.

On s'aperçoit aussi que le lieu géométrique de ce jeune cacique se situe au centre droit. Il a, en fait, fait carrière avec les radicaux, ceux d'Henri Queuille, ceux d'Edgar Faure, ceux de Mendès France, puis de nouveau ceux d'Edgar Faure. Le radicalisme c'est, en vérité, la IIIe République et on peut s'étonner que le jeune homme que nous avions connu pendant la Résistance et au lendemain de la Libération ait fait sa carrière dans cette « famille ». Mise à part l'expérience, l'odyssée, pourrait-on dire, avec Mendès, Mitterrand est donc politiquement assez décevant, du moins pour ses admirateurs d'aujourd'hui.

Sur un second plan, on voit chez Mitterrand une grande et belle idée et une obsession ; la belle idée, c'est son rêve de l'empire, ce que nous avons appelé, un peu abusivement, son « bon colonialisme ». Il est évident que cette politique était parfaitement archaïque. Là encore Mitterrand a, au moins, une «guerre» de retard. Sous la IIIe, sa générosité aurait eu beaucoup d'allure et aurait fait de lui un précurseur, un progressiste. En 1958, il était Algérie française !

L'idée fixe c'est, bien sûr, son anticommunisme. Ce n'est amusant de le signaler que parce que nous connaissons déjà la suite des événements, et qu'on peut se demander si un homme qui a milité à ce point dans l'anticommunisme « primaire », pourra un jour faire alliance sincèrement avec le P.C.F...

Mais, élevons le niveau de l'analyse. Mitterrand ne mérite pas de figurer simplement dans la triste galerie des portraits du personnel de la IVe. Il mérite mieux, et pas seulement grâce à son talent d'orateur et à son génie de manœuvrier. Il ne fait aucun doute qu'à plusieurs reprises, au milieu du marais souvent pestilentiel, il a su faire passer un souffle un peu plus dur. Et cela même, sans tenir compte de l'influence qu'a pu avoir sur lui Mendès pendant quelques mois. Indiscutablement Mitterrand, en même temps que son ambition personnelle, et au-delà, a toujours été animé par une certaine notion de sa « mission politique ». Il croit en la grandeur de la France, en la grandeur de l'État et en la grandeur de la légalité. France, État, légalité, trois mots clés que les magouillages auxquels il s'est livré pendant des années cachent parfois, mais qu'on a tort de lui dénier.

La grandeur de la France, il l'a défendue ostensiblement à plusieurs occasions. Et ses amis font une erreur de s'en tenir à certaines anecdotes comme, par exemple, son petit esclandre de Tunis (quand il est parti pour n'avoir pas, lui, ministre de la IVe, à rencontrer les gens du F.L.N.). Toute sa politique impériale est animée par cette volonté de la grandeur de la France. Nous avons presque ironisé sur son image favorite du drapeau français flottant sur un empire immense, « le plus grand après celui qui va de Moscou à Vladivostok ». Mais cela fait partie de cette conviction, qu'il a conservée sans doute de son enfance, d'une France, terre bénie des dieux, de Dieu, avec un peuple élu chargé d'une mission civilisatrice de par le monde. C'est, bien sûr, démodé, désuet, mais essentiel à noter.

La notion de l'État, il l'a aussi, souverainement. Là encore on a surtout noté des anecdotes : sa démission du gouvernement Laniel parce que les militaires (Juin ou Guillaume) avaient, derrière Bidault qui faisait sa propre politique, ridiculisé le gouvernement français issu du Parlement élu, en déposant le sultan du Maroc sans que Paris en soit même informé. Mais toute son attitude pendant la IVe République correspond à cette notion de l'État. A d'innombrables reprises, cette « créature » de la IVe a accusé ce régime de faiblesse, a parfaitement diagnostiqué son mal, a souhaité des réformes, a appelé de tous ses vœux un État fort, capable de faire face aux problèmes avec lesquels il était confronté.

Enfin il y a toujours eu, chez ce juriste, un goût profond pour la légalité. C'est encore « très IIIe République ». Il aime s'en tenir aux textes, aux lois, à « l'esprit des lois » de Montesquieu, mais aussi à la lettre. Comme beaucoup de juristes, il perdra pied, un moment, entre cette légalité et la légitimité, ces deux notions si difficiles à cerner quand on les oppose. Ce sera le cas notamment pendant la guerre d'Algérie. La légalité, c'était la théorie des trois départements français puisqu'elle était dans la Constitution, la légitimité aurait sans doute été ailleurs, comme l'histoire l'a prouvé. Mais quand l'histoire connaît des bouleversements de la taille de celui de la décolonisation, seuls les « très grands » savent s'y retrouver entre les deux notions. Mitterrand avait su éviter la facilité en 1942, il n'a plus su quinze ans plus tard. Il est vrai que cette fois la grandeur de la France, du moins telle qu'il la concevait, était du côté de la légalité et non du côté de la légitimité.

On voit donc que le bilan de la IVe est loin d'être aussi négatif qu'on l'a souvent dit pour Mitterrand. L'homme politique paraît d'un... bon niveau ! Tout ce qu'on peut lui reprocher sur ce plan-là c'est d'être d'une autre époque, encore trop marqué par son éducation, ses lectures de jeunesse, Barrès, Péguy, presque Paul Déroulède ! Une grande idée de la France, le désir viscéral d'un État fort, des difficultés avec la légitimité et la légalité, Barrès, et tout cela en 1958, mais, diable ! nous allons encore nous retrouver avec de Gaulle...

12. 1958, LA SECONDE RENCONTRE AVEC DE GAULLE

*« Entre de Gaulle et les républicains,
il y aura toujours le coup d'État. »*

La grande question que se poseront les historiens, dans quelques années, c'est celle de savoir pourquoi Mitterrand n'a pas accueilli de Gaulle à bras ouverts en 1958. Aujourd'hui cette interrogation fait hausser les épaules, mais pourtant...

Si on observe les choses un peu « froidement », on pourrait parfaitement imaginer, un instant, que l'histoire ait été différente. On a longtemps rêvé d'un « couple » de Gaulle-Mendès France au début de la Ve République, qui aurait, sans doute, réuni à l'Élysée et à Matignon, les deux plus grands hommes d'État qu'ait eus la France du XXe siècle. C'était là le rêve un peu utopique de certains gaullistes et de quelques mendésistes, les uns et les autres n'ayant, peut-être, rien compris à leur idole. Alors pourquoi ne pas imaginer aussi, en 1958, une équipe gaulliste dans laquellle se serait trouvé Mitterrand ? Et après tout des hommes beaucoup plus « inattendus » que Mitterrand se sont retrouvés dans les premiers gouvernements du Général, qu'ils aient pour nom Pinay, Mollet ou Pflimlin.

L'ancien résistant, formé chez les bons pères de la rue de Vaugirard, l'ex « sous-ministre » des Anciens Combattants d'août-septembre 1944, le défenseur de l'esprit de Brazzaville, l'orateur au style désuet et pompeux, l'ennemi du communisme, l'homme de l'empire français, qui, pendant toute la IVe, avait réclamé des réformes pour que l'État puisse avoir la force nécessaire à ses obligations, aurait « dû » être satisfait de voir « le plus grand des Français » reprendre la barre d'une main ferme, avec un certain style (c'est le moins qu'on puisse dire) et rattraper un pouvoir qui avait vacillé entre les mains de militaires factieux et surtout de colons extrémistes qu'il avait toujours détestés. Il savait parfaitement, à l'époque, que de Gaulle n'était pas un militaire de coup d'État ; le Général l'avait prouvé en 1946 quand il s'était incliné devant la volonté populaire. Certes, tout au long de cette IVe République, de Gaulle avait pratiqué une opposition systématique, d'abord en jouant les francs-tireurs dans un rôle assez étonnant de chef d'État en exil au sein même du pays ; ses discours à travers la France, ses voyages dans l'empire étaient autant de coups perfides qu'il portait à ceux qu'il considérait comme des usurpateurs, puis en tirant, de sa retraite de Colombey-les-deux-Églises, les ficelles de quelques marionnettes qui lui étaient toutes dévouées et qui faisaient de l'obstruction à l'intérieur du régime jusqu'au jour où certains acceptèrent d'entrer dans le pouvoir pour mieux le noyauter.

Mais si cette opposition systématique avait pu rendre de Gaulle détestable aux yeux d'un homme de l'appareil comme Mitterrand, ce que réclamaient ces « marionnettes » qui s'appelaient Debré (quand il s'agissait de l'obstruction) ou Chaban-Delmas (quand il s'agissait du noyautage), Mitterrand lui-même l'avait réclamé : grandeur de la France, dignité du pouvoir de l'État, politique cohérente pour l'empire.

Bien sûr les rapports de Mitterrand avec les gaullistes sous la IVe n'avaient jamais été très bons. Dès 1949, au 3e congrès de l'U.D.S.R., il avait déclaré qu'il ne pouvait « s'empêcher de considérer le Rassemblement du Peuple français comme un adversaire (...) Un mouvement, aussi puissant soit-il, reposant sur l'autorité, l'intelligence ou le prestige d'un seul homme est déjà fragile. » Mais il s'agissait là, en fait, de rivalités de parti à parti qui se disputaient non seulement la même clientèle électorale, mais souvent aussi les mêmes personnalités. Nous avons vu que l'Union Démocratique et Socialiste de la Résistance aurait pu devenir le... R.P.F. et que beaucoup de ses membres avaient rejoint le Rassemblement de de Gaulle. Mitterrand avait été partisan, plus tard, d'un rapprochement avec les gaullistes, au moment de la formation du Front républicain (1955) et après. Si on relit certains des discours du ténor de l'U.D.S.R., on s'aperçoit souvent qu'il est plus « gaulliste » que Debré ou Chaban-Delmas !

Et pourtant immédiatement, dès mai 1958, c'est le refus. Il faudrait revivre, minute par minute, ces dramatiques journées de mai 1958 pour mieux comprendre l'attitude presque épidermique de Mitterrand.

Le 15 avril donc Félix Gaillard tombe. Coty appelle successivement Georges Bidault, René Pleven, René Billères, Jean Berthoin et Maurice Faure qui tous refusent de tenter leur chance. Le 24 avril, des manifestants extrémistes réclament à Alger la formation d'un Comité de salut public. Le 8 mai, Coty charge le M.R.P. Pflimlin de former un gouvernement. Le 11 mai, le ministre résident en Algérie, le socialiste Robert Lacoste, farouchement hostile à Pflimlin qu'il accuse d'être un bradeur d'empire, parle d'un « Dien Bien Phu diplomatique » et les généraux d'Alger adressent un télégramme de « mise en garde » à Coty. Le 13 mai les manifestants d'Alger prennent d'assaut le Gouvernement général – le G.G. – d'Alger. Massu, commandant la Xe région militaire (Alger), envoie un nouveau télégramme à Coty : « Exigeons création à Paris d'un Comité de salut public. » Le soir même Pflimlin obtient la majorité à l'Assemblée. Mitterrand fait partie des 274 députés qui votent pour alors que 129 votent contre et que les communistes s'abstiennent. Guy Mollet et Jules Moch font partie du nouveau gouvernement. Le 17, Jacques Soustelle, que Jules Moch, ministre de l'Intérieur, faisait surveiller, parvient à filer pour Alger rejoindre les généraux et donner au coup d'État militaire un aspect politique et gaulliste qui lui manquait encore un peu. Le 19 mai, de Gaulle, que les militaires et les manifestants d'Alger réclament depuis plusieurs jours, sort de son silence et fait à Paris une conférence de presse qui se termine par ces mots : « Je vais rentrer dans mon village et m'y tiendrai à la disposition du pays. » Le 26, Guy Mollet demande à Pflimlin d'entrer en contact avec de Gaulle. Il est vrai que tout a continué à se dégrader et que la Corse elle aussi est passée à la rébellion. Dans la nuit du 26 au 27, Pflimlin rencontre secrètement de Gaulle à Colombey. Le 27, à midi, le Général publie une déclaration : « J'ai entamé le processus régulier nécessaire à l'établissement du gouvernement républicain, capable d'assurer l'unité et l'indépendance du pays. » Le 28, bien qu'il ait toujours la majorité, Pflimlin donne sa démission. Le 29, dans un message aux deux Assemblées, le président de la République menace le Parlement : si les assemblées ne font pas appel au général de Gaulle, lui, René Coty, démissionnera. Le jour même, de Gaulle se rend à l'Élysée et annonce qu'il accepte de former un gouvernement et qu'il demandera les pouvoirs exceptionnels et constituants. Le 31, le « président du Conseil pressenti » reçoit, à l'hôtel de la Trémoille, où il a installé son P.C., les chefs des partis représentés à l'Assemblée, à l'exception des communistes.

Tout s'est passé très vite et dans une espèce de vent de folie. Le monde politique n'avait plus aucune pudeur et avait les yeux fixés sur les téléscripteurs où tombaient les nouvelles de l'insurrection algéroise, celle des militaires et des pieds-noirs. On avait vu successivement des généraux donner des ordres au président de la République, le secrétaire de la S.F.I.O. « conseiller » au président du Conseil d'aller chercher de Gaulle, le président du Conseil démissionner alors qu'il avait toujours la majorité et le président de la République menacer de démissionner si le Parlement n'appelait pas l'homme qui, inévitablement, allait renverser ledit président de la République... C'était un spectacle effrayant pour ce républicain antimilitariste, pour ce parlementaire président d'un parti charnière, pour ce juriste sourcilleux qu'était Mitterrand.

Soudain, il s'apercevait qu'il était complètement hors du coup. Il faisait partie d'un système qui venait de s'effondrer comme un château de cartes. Il était l'élu du peuple et le peuple acclamait de Gaulle en conspuant ses élus. Brusquement, il n'était plus du bon côté de la barricade. Pendant des années, il avait réclamé des réformes du haut de la tribune de l'Assemblée, il n'avait rien obtenu mais il avait la conscience tranquille et soudain cette tribune ne représentait plus rien, tout le monde s'inclinait devant la volonté de la foule des manifestants, tout le monde avait peur d'un colonel de parachutistes. Bref, son « monde » disparaissait pitoyablement, le bateau sombrait sans attirer la moindre sympathie et les rats qui avaient déjà quitté le bord ne l'avaient pas prévenu. Alors, il ne restait plus qu'à sombrer tête haute puisqu'il n'était pas question pour lui de se rallier à l'ennemi qui ne lui avait même pas tendu une perche. Il allait maintenant payer sa croisière confortable.

Le 31, Mitterrand est donc reçu à l'hôtel de la Trémoille par de Gaulle, avec Ramadier, Daladier, Guy Mollet, Pflimlin, Pinay, Edgar Faure et quelques autres. Il pense peut-être au retour du sultan du Maroc après son exil à Madagascar. Il y avait là aussi tous les dignitaires du pays qui demandaient pardon et qui quêtaient déjà une place... Il racontera plus tard cette « étrange cérémonie sur laquelle l'histoire grande ou petite s'est trop peu attardée jusqu'ici à mon sens et qui est cependant révélatrice ».

« Le Général, écrit-il, a demandé aux chefs du parti socialiste, du M.R.P., du parti radical, du centre des indépendants et de l'U.D.S.R. en particulier (c'est pourquoi j'étais là) les raisons qui pourraient motiver leur opposition. Il voulait s'assurer une majorité parlementaire confortable. Il ne voulait pas d'une majorité aléatoire ou incertaine. Je crois avoir été le seul à dire que je ne pourrais pas me rallier à cette candidature tant que de Gaulle ne désavouerait pas publiquement les Comités de salut public et l'insurrection militaire. Le général de Gaulle me répondit alors, ou plutôt me fit comprendre, puisqu'il parlait d'une manière allégorique ou par allusions, que le plus pressé pour lui était de réaliser la première étape de son programme, c'est-à-dire de profiter de la révolte pour conquérir l'État et qu'on verrait ensuite. On a d'ailleurs vu ensuite qu'il s'est débarrassé des gens de cette époque. Si cela avait été fait au bénéfice de la République, on pourrait peut-être l'en féliciter. Mais comme c'était à son seul profit, il ne s'agissait que d'une lutte de clans. Je le lui fis observer et il manifesta quelque mécontentement. Je lui ai dit également qu'on ne pouvait guère fonder un régime républicain sur cette toute-puissance d'un homme et il m'a rétorqué qu'il n'était pas disposé à disparaître avant d'avoir assuré au régime républicain les conditions de sa survie. »

Roger Duveau, grand ami de Mitterrand, président du groupe parlementaire de l'U.D.S.R., député de Madagascar et ancien sous-secrétaire d'État à la Marine marchande dans le gouvernement de Guy Mollet, qui assistait lui aussi à la rencontre, l'a racontée un peu différemment à Franz-Olivier Giesbert (*Mitterrand ou la tentation de l'histoire*, p. 176) : « Vigoureux voici Mitterrand : " Vous êtes ici, mon Général, à la suite d'un concours de circonstances peu ordinaire. Mais vous pourriez tout aussi bien ne pas être là. Vous auriez pu ne pas naître ou encore mourir plus tôt. – Que voulez-vous dire, Mitterrand, expliquez-vous ! – Vous comprendrez, mon Général, si vous voulez bien me laisser parler. Voilà. Nous sommes entrés depuis peu dans la voie insolite et périlleuse des pronunciamientos réservés jusqu'ici aux républiques sud-américaines. Or, d'après vous, nous n'aurions, pour faire face à ce genre de tragédies qui risquent d'entraîner la ruine de la France, qu'un seul recours : vous-même, mon Général. Mais vous êtes mortel... – Je vois où vous voulez en venir, interrompt le Général. Vous voulez ma mort. J'y suis prêt ! " Et sur cette pirouette le Général lève la séance et s'en va. »

Les deux versions, celle de Mitterrand (interview publiée dans

Combat le 22 octobre 1962) et celle de Duveau, sont aussi succulentes l'une que l'autre et ne diffèrent pas quant au fond.

Tous les grands de la IVe sont là, dans le petit salon de l'hôtel de la Trémoille, et demandent l'aman, tremblottants. De Gaulle les regarde à peine, il pense à son triomphe qu'il a attendu si longtemps et qui est là maintenant. Et soudain le plus jeune d'entre les « vaincus », celui qu'on aurait presque pu oublier d'inviter, relève la tête et ose parler. Quand Mitterrand dit : « Je crois avoir été le seul à dire que je ne pourrais pas me rallier tant que de Gaulle ne désavouerait pas publiquement les Comités de salut public et l'insurrection militaire », on peut lui faire confiance ; personne n'a dû oser prendre la parole et on peut même imaginer le visage terrifié qu'ont dû faire les autres en entendant la voix du benjamin si mal élevé ! En outre il met des conditions à son éventuel ralliement, il donne presque des ordres à l'homme providentiel que tous les autres ou presque sont allés supplier de revenir au cours de voyages à Colombey, dans la clandestinité de la nuit et de la honte. On imagine aussi l'expression de de Gaulle quand il manifesta ce que Mitterrand crut être « quelque mécontentement », son plissement des sourcils devait signifier quelque chose comme un « quoi encore ce Mitterrand, il n'a décidément pas changé depuis quinze ans ! Cette fois il va falloir qu'il disparaisse ! » Et Mitterrand poursuit ses insolences. Il dit clairement qu'il ne croit pas en l'homme providentiel : « Vous auriez pu ne pas être là. » C'est le crime de lèse-majesté ; de Gaulle ne pouvait pas ne pas être là quand la France avait besoin de lui ! Il ne comprend d'ailleurs pas l'objection, et l'insolent insiste encore : « Laissez-moi parler ! »

Comment ne pas rapprocher cette scène extraordinaire de la première rencontre, celle d'Alger. C'est le même refus, la même audace, le même sacrilège, le même ridicule aussi, il faut bien le dire. Le capitaine Morland disant non au général de Gaulle, après être arrivé à Alger à bord d'un appareil anglais et refusant de fondre son petit mouvement de prisonniers évadés dans l'organisation du neveu du Général, c'est le député de la Nièvre, sortant de la IVe République, avec sa petite U.D.S.R. et donnant ses conditions, c'est-à-dire disant non à de Gaulle tout-puissant, maître absolu du pays qui se redonne à lui.

La politique n'a rien à voir avec ces attitudes, c'est une affaire d'homme à homme, de fils à père ! Mais si, en novembe 1943, de Gaulle n'avait, sans doute, pas fait attention à l'impertinent, cette fois, il est furieux et ne le lui pardonnera jamais. Bien sûr, si Mitterrand s'était contenté, comme les autres, de se taire et de demander respectueusement le pardon, il se serait sans doute retrouvé ministre du premier gouvernement de Gaulle, comme Guy Mollet, comme Pflimlin, comme les autres. Mais Mitterrand ne pouvait pas se taire. Il n'aurait pas été gaullien ! Un gaullien ne pouvait pas admettre de Gaulle !

Immédiatement, Mitterrand entreprend d'expliquer son opposition, son refus de capituler. Comme de Gaulle s'était, contre toute logique, dressé en juin 1940 devant la soumission, en brandissant la légitimité, Mitterrand va, contre toute raison, se dresser, pratiquement seul et, dans une attitude suicidaire, contre de Gaulle, brandir la légalité.

Le 1er juin 1958 de Gaulle se présente devant l'Assemblée nationale et lit sa déclaration d'investiture. Il ne cache pas son jeu : « Face à la dégradation de l'État, à l'unité française menacée, à l'Algérie plongée dans la tempête des épreuves et des émotions, à la Corse subissant une fiévreuse contagion », il exige les pleins pouvoirs pour six mois et « mandat de l'Assemblée de proposer au pays par voie de référendum les changements indispensables » à la Constitution. Bref, il veut tous les pouvoirs et que l'Assemblée nationale se sacrifie devant lui. Les parlementaires, affolés, sont ravis de cette aubaine ! Pas Mitterrand qui ose le défier cette fois devant toute la nation. Il discute.

Certes, il reconnaît en de Gaulle (*Journal officiel*, séance de l'Assemblée nationale du 1er juin 1958), « l'homme au prestige unique, à la gloire incomparable, aux services rendus exceptionnels, l'homme de Brazzaville qui, plus qu'aucun autre, signifie par sa seule présence à cette tribune une espérance pour les peuples d'outre-mer. Oui, c'est une espérance pour beaucoup de nos frères. Enfin, le général de Gaulle incarne l'autorité indispensable à la conduite des affaires publiques, et cela n'est pas négligeable, même si cela nous fait entrer dans un contexte inquiétant. » Mais tout cela ne lui suffit pas. Le fils a enfin trouvé la tache indélébile au front du père. « Pour moi je voudrais dire ma principale objection. Lorsque, le 10 septembre, le général de Gaulle s'est présenté devant l'Assemblée consultative, issue des combats de l'extérieur ou de la Résistance, il avait auprès de lui deux compagnons qui s'appelaient l'honneur et la patrie. Ses compagnons d'aujourd'hui, qu'il n'a sans doute pas choisis, mais qui l'ont suivi jusqu'ici, se nomment le coup de force et la sédition. »

Les formules sont belles. Elles rappellent, bien sûr, certaines phrases de de Gaulle parlant de Pétain et évoquant Verdun puis 1940. Une chose frappe aussi et le Général a certainement dû en être choqué lui-même : pour Mitterrand ce n'est pas le 18 juin que de Gaulle s'est présenté avec ses compagnons, l'honneur et la patrie, mais le 10 septembre, et ce n'était pas devant l'histoire mais devant une assemblée. Décidément ce député de la Nièvre est parlementaire jusqu'à l'obsession.

Ce procès que fait Mitterrand à de Gaulle, le 1er juin 1958, est plein de mauvaise foi et reflète bien le malaise qu'a toujours éprouvé Morland. Il ne peut pas (encore) reprocher au Général d'être un dictateur, il ne peut pas (encore, car on ignore le 1er juin 1958 les circonstances exactes, les dessous du coup d'État des militaires d'Alger) lui reprocher d'avoir lui-même fomenté le complot. Alors, il lui reproche simplement ses compagnons même si le Général « ne les a sans doute pas choisis, mais qui l'ont suivi ». En fait, cette profonde et mystérieuse antipathie épidermique lui a permis d'être l'un des premiers à deviner que de Gaulle n'était pas innocent du complot, mais à l'époque il ne le pense pas lui-même.

Cela dit, Mitterrand ne peut pas admettre non plus l'ultimatum que de Gaulle croit pouvoir lancer à la face du Parlement. Au nom de quoi ? semble-t-il se demander, comme s'il n'avait pas compris que de Gaulle est tout-puissant et qu'il lui faut effectivement tous les pouvoirs. « Oui, c'est cela qui commande mon vote. J'estime qu'à l'Assemblée nationale la question est posée : ou bien vous acceptez un président du Conseil dont les mérites sont immenses et dont le rôle doit permettre — cela est supposé — la réconciliation nationale, mais qui est déjà l'élu des Comités d'Alger, ou bien vous — la représentation nationale — serez chassés. Cet ultimatum nous ne l'acceptons pas. » C'est le péché originel de 1958.

Le député de la Nièvre n'abdique pas. Trois cent neuf de ses collègues, eux, abdiqueront, ce qui fera de de Gaulle le dernier président du Conseil de la IVe et bientôt le premier président de la République de la Ve. Mais qu'on ne s'y trompe pas. Il s'en est fallu de peu, peut-être, pour que cette fois encore Mitterrand ne rallie le Général. Dans ce même discours-déclaration de guerre un peu dérisoire, il s'était écrié : « Quelqu'un vient de dire : dans quelque temps, vous

vous rallierez. Eh bien ! Oui ! Si le général de Gaulle est le fondateur d'une forme nouvelle de la démocratie, si le général de Gaulle est le libérateur des peuples africains, le mainteneur de la présence de la France partout au-delà des mers, s'il est le restaurateur de l'unité nationale, s'il prête à la France ce qu'il lui faut aussi de continuité et d'autorité, je me rallierai, mais à une condition... » Le brouhaha était tel dans l'hémicycle qu'on n'a jamais pu entendre quelle était la dernière condition que mettait Mitterrand à son ralliement. Mais il faut bien dire que toutes les autres conditions que Mitterrand avait déjà posées (libération des peuples africains, restauration de l'unité nationale, continuité, autorité) de Gaulle allait au total les respecter. Mitterrand, lui, allait sans doute oublier cette phrase.

Mais le plus émouvant dans ses hésitations devant le choix qui allait déterminer toute la suite de sa vie politique, Mitterrand l'a sans doute évoqué dans *Ma part de vérité* : « Ainsi cet après-midi du 29 mai [1958] où j'ai marché, seul, de longues heures sur les quais de la rive gauche. C'était un jour de soleil clair et fragile. L'eau du fleuve scintillait sous les lumières changeantes du ciel. Je m'interrogeais, angoissé. Fallait-il défendre un système politique incapable de rendre à la France son rang ou fallait-il prêter la main à la conspiration qui allait le détruire ? Je cherchais dans les enseignements des années d'autrefois la leçon dont j'avais besoin. Tout m'invitait à consentir à la liquidation de la IVe République, de ses rois fainéants, de ses maires du palais, cette grisaille pour agonie. Tout m'éloignait aussi de cette dictature visible à l'œil nu sous son masque bonasse. (...) Après tout, les maîtres de la IVe n'avaient qu'à défendre leur bien. Je n'avais pas à me poster en sentinelle d'un pont-levis abandonné tandis qu'ils négociaient leur ralliement au général de Gaulle. Nul ne m'en ferait le reproche. Durant le défilé de la Bastille à la Nation [le 28 mai, à l'appel de la C.G.T., de F.O., de la F.E.N. et de la C.F.T.C. et des partis de gauche – sauf la S.F.I.O. – deux cent mille Parisiens avaient défilé pour exiger un gouvernement républicain], j'avais remarqué le visage morne des manifestants, je m'étais irrité de la pauvreté de leurs slogans. Personne ne pleurait sur le régime déchu. Et moi non plus je ne pleurais pas. Pas de barricades, pas de Baudin ; ni martyr, ni souvenir. Combattre pour quoi et pour qui ? Mais je me sentais débiteur de ce peuple délaissé, je me sentais coupable de son indifférence. (...) Je n'ai pas toléré non plus l'effondrement d'un gouvernement et d'une Assemblée qui après une débauche d'exercices oratoires dans le style héroïque se sont mis à genoux devant le sauveur suprême. »

Le moins qu'on puisse dire, c'est que Mitterrand a hésité. Avec sa franchise habituelle d'écrivain et non plus de politicien, il le reconnaît. Et ce texte est de 1969, c'est-à-dire onze ans après les « événements », alors que Mitterrand est devenu, depuis longtemps déjà, l'adversaire personnel de ce régime. C'est sans doute ce qui explique la phrase sur la « dictature visible à l'œil nu sous son masque bonasse » qu'il n'avait sûrement pas encore découverte en mai 1958. En essayant de « psychanalyser » l'auteur de ces lignes, on s'aperçoit que ce qui lui a fait choisir le non, c'est tout simplement son refus de se « mettre à genoux devant le sauveur suprême ». Mais il avait eu besoin d'interroger « les années d'autrefois ». Quelles années de l'histoire a-t-il questionnées ? S'est-il pris, toutes proportions gardées, pour le de Gaulle de juin 1940, refusant, lui aussi, de défendre la République défunte, ses rois fainéants, ses maires du palais incapables de rendre à la France son rang, mais refusant aussi de s'agenouiller devant le sauveur suprême qu'il admirait pourtant ? C'est possible, mais il ne le reconnaîtra jamais...

Cette attitude personnelle de Mitterrand face à de Gaulle allait, bien sûr, bouleverser sa vie politique tout comme, d'ailleurs, le « phénomène de Gaulle » allait troubler le monde politique français. Où situer de Gaulle ? A droite ou à gauche ? En 1958, personne n'était capable de le dire. Le Général était arrivé au pouvoir grâce à un coup d'État des militaires et des extrémistes fascisants, mais Guy Mollet et ses amis de la Section française de l'Internationale ouvrière – pour ne citer qu'eux – étaient allés le chercher à Colombey pour sauver la République, précisément contre ces comploteurs d'extrême droite, et sans se rendre compte encore que c'était le Général qui avait « inspiré » les factieux. Il est vrai aussi qu'il allait avant longtemps les duper. Le 2 juin 1958, l'Assemblée nationale avait bien montré qu'elle ne savait pas où situer le Général revenant, puisqu'elle lui avait accordé, à une très confortable majorité, l'investiture et que, dans le décompte des voix, on retrouvait un bon nombre de socialistes et, ce qui était plus cruel pour Mitterrand, dix U.D.S.R. sur les quatorze que comptait son groupe. L'Union démocratique et socialiste de la Résistance de Mitterrand lui échappait et devenait un parti gaulliste. Quinze années d'efforts réduites à néant !

Les amis du futur premier secrétaire du parti socialiste qui ont voulu voir tout au long de la carrière de leur homme les prémisses de son socialisme – en faisant preuve de beaucoup de mauvaise foi, affirment que maintenant il a compris, et que désormais il sera presque officiellement un « homme de gauche ». C'est, aux yeux de l'histoire, aller bien vite en besogne. Or, c'est précisément en 1958 que se situe l'un des instants les plus intéressants de l'évolution de Mitterrand.

C'est parce qu'il a dit non à de Gaulle, après bien des hésitations intérieures, qu'il va devenir l'un des ténors de la Ve République, puis l'adversaire officiel du Général, puis le candidat de la gauche, puis son unificateur et le fondateur d'un nouveau parti socialiste. Tout va s'enchaîner très logiquement. Mais les apparences sont trompeuses. Il n'est pas honnête de dire que Mitterrand s'est opposé à de Gaulle parce qu'il était déjà un homme de gauche et parce qu'il savait, déjà, que le Général était, lui, un homme de droite.

Mettons à part la psychanalyse un peu facile et les théories bien trop tentantes du père et du fils. Mitterrand s'est opposé à de Gaulle parce qu'il était un républicain du type le plus classique, le plus parlementaire et que de Gaulle se lançait, cette fois, dans une expérience extra-parlementaire. C'est le juriste très susceptible qui dit non au Général, pas l'homme de gauche. Certes, il se retrouve au milieu des manifestants de la Nation, côte à côte avec les dirigeants du P.C.F., de la C.G.T., de F.O., de la C.F.T.C. Mais c'est involontaire, ce sont les hasards de la défaite. A l'Assemblée, alors que la plupart de ses amis de l'U.D.S.R. le trahissaient, il avait mêlé sa voix à celles de Pierre Cot, de Tanguy Prigent, des communistes, de quelques socialistes (bien peu !) mais aussi de Pierre Mendès France, du républicain populaire François de Menthon ou du député indépendant Jacques Isorni, l'ancien avocat de Pétain. Il ne fait pas partie, là, d'une famille politique mais d'une... amicale des vaincus.

Si – hypothèse d'école – les gaullistes de gauche avaient été les plus nombreux et si l'opposition au Général avait été une opposition de droite, Mitterrand aurait encore eu le temps alors de faire partie de cette opposition-là.

L'antigaullisme du gaullien Mitterrand qui va dominer toute la vie du personnage, pendant des années maintenant, est certainement l'un de ses aspects les plus étonnants. Il y a d'abord le refus du « péché originel », le coup d'État, qui heurte le juriste, mais on a souvent l'impression qu'il s'agit là un peu d'un alibi. Il y a en suite le refus du dictateur, de l'homme providentiel, notion qui choque le républicain. Et puis – et c'est un élément essentiel sur lequel on n'a pas assez insisté – il y a la haine pour tout l'entourage. Pourquoi? Parce qu'il n'en fait pas partie? Peut-être, et en effet il est dans le camp des exclus, des vaincus, il est l'un de ceux que les nouveaux arrivants désignent à la vindicte populaire. La Ve République aura aussi ses procès de Riom – toutes proportions gardées –, et pour Mitterrand cela s'appellera l'affaire de l'Observatoire. Mais en tout cas on imagine mal Mitterrand faisant partie du clan. Il n'a pas voulu en être en 1944 quand il y avait sa place et cette fois, quatorze ans plus tard, l'atmosphère qui règne dans les rangs des émigrés qui reviennent ou des nouveaux venus le choque profondément. Il écrit (dans *Le coup d'État permanent*, p. 55) : « Le gaullisme ? Quel gaullisme ? Comme il a vieilli depuis l'aube ! Mérite-t-il d'ailleurs son nom, ce gaullisme-là qui renifle dans la conjoncture algérienne l'occasion si longue à venir et, pour hâter la chance, conclut cette étonnante alliance qui, passant par-dessus le schisme de 1940, réconcilie pour un temps les deux fractions du nationalisme français ? Enfin l'heure de la revanche, de toutes les revanches, allait sonner. Revanche de l'affaire Dreyfus, revanche du 1er février, revanche des ligues dissoutes, revanche des usines occupées, revanche des grandes peurs de 1936, revanche de " la divine surprise " différée, revanche de la Révolution nationale sombrée dans les folies sanglantes, revanche de la droite humiliée à la Libération, revanche du gaullisme en demi-solde. L'extraordinaire cocktail ! Les anciens des réseaux et du B.C.R.A., les doriotistes et les miliciens, la grande bourgeoisie d'affaires et la vieille garde d'Action française, les poujadistes et les activistes, les ratés et les nostalgiques du fascisme : personne ne manquait au rendez-vous. » Plus tard, il reprendra souvent ce thème (débat de l'Assemblée, 2 décembre 1964) : « Si j'aperçois bien sur les bancs de la majorité quelques gaullistes de légende, j'en vois beaucoup d'autres qui ne sont que des gaullistes de brocante. (...) Nous ne sommes pas disposés à laisser transformer le patriotisme en une sorte de commerce, de petit commerce. (...) Vous avez fait de la Résistance intérieure et du gaullisme un magasin d'objets de piété dont vous tirez profit. » Il paraît que le général de Gaulle, lui-même, en pensait souvent tout autant ! Et d'ailleurs Mitterrand avait bien peu de leçons de gaullisme (du vrai) à recevoir.

C'est toujours – du moins au début – la même rage. Il en veut au Général, à son idole secrète, d'avoir accepté de jouer le jeu des gaullistes médiocres pour revenir au pouvoir, de ne pas les avoir désavoués (c'est une des conditions qu'il avait mises à son ralliement), d'avoir toléré cet entourage « de maniaques de la mitraillette, d'éternels agités qu'on a vus dans un passé récent se jeter d'un complot à l'autre ».

Solitaire lui-même, il aurait aimé un de Gaulle pur, intransigeant, sans barons, sans barbouzes, sans coquins qui aurait sans doute fait appel à quelques autres solitaires comme Mendès France ou... Mitterrand. Mais les vrais gaulliens, fidèles en cela à leur modèle, ne se soumettent pas, même à de Gaulle...

La seconde rencontre a donc été un nouvel échec et combien plus grave que le premier. Cette fois, il ne s'est pas agi d'un malentendu, d'une rencontre entre deux portes comme à Alger. Et pourtant on sent chez Mitterrand le même malaise qu'en novembre 1943. Quand on relit attentivement ce qu'il a écrit à l'époque, et qu'on interroge ceux qui l'ont bien connu pendant ces semaines, on s'aperçoit que Mitterrand n'est pas entré de gaieté de cœur dans l'opposition. Certes, après les premières heures, il n'a plus hésité, mais il a eu longtemps des regrets de ce qu'aurait pu être l'histoire si de Gaulle avait été entièrement tel qu'il l'avait lui-même rêvé par moments, tout comme Mendès France. Mais pour l'un et pour l'autre la traversée du désert allait commencer.

13. LA TRAVERSÉE DU DÉSERT

« Tout ce qui nous permettra d'abattre la coalition qui nous gouverne sera bon. »

François Mitterrand est logique avec lui-même. Il a dit non à de Gaulle, dès le 31 mai 1958, il va continuer. Son premier non a été, nous l'avons vu, une réaction presque épidermique, ses non successifs vont maintenant prendre un ton plus politique. En fait, de Gaulle sera pour lui la grande chance de sa carrière. Il va lui permettre de se définir, de se trouver, au fil des jours de la Vᵉ République, une place de mieux en mieux précisée sur l'échiquier politique. Sera-ce sa place naturelle, celle qu'il aurait dû occuper ? Toute la question est là.

De Gaulle avait une place à part. Pour ceux qui restaient « sur le tapis », les rares « laissés pour compte » de l'opération, car, mis à part les communistes qui, une fois de plus, sont encore dans leur ghetto, n'oublions pas qu'en 1958 les opposants se comptent sur les doigts d'une ou deux mains, c'est le « dernier carré » – il allait falloir, de gré ou de force, prendre des positions courageuses, se faire des concessions, essayer de se regrouper.

A l'intérieur du régime, on trouvait n'importe quoi et cela n'avait pas d'importance puisque tout le monde bénéficiait du parrainage magistral de de Gaulle. Mais à l'extérieur, si l'on voulait avoir encore une chance de survie, il allait bien falloir s'organiser, se définir. Et on était si peu nombreux qu'inévitablement on prendrait la « couleur » du plus important de ces survivants. Couleur qui, d'ailleurs, ne pourrait elle-même se définir que par rapport au Général. On n'était plus de droite ou de gauche, puisque de Gaulle n'était ni de droite ni de gauche, on serait gaulliste ou antigaulliste. Et on serait obligé d'attendre de voir comment on pourrait définir de Gaulle, comment il se définirait lui-même pour prendre le contre-pied et présenter le négatif du positif.

Position à la fois facile et bien difficile. Facile parce qu'il n'y avait qu'à se laisser porter par les événements et qu'à observer les erreurs inévitables que commettrait le pouvoir gaulliste, difficile parce qu'on n'avait plus jamais l'initiative. Il n'était plus question ni de choisir ses partenaires ou ses alliés, ni de choisir ses répliques. Il fallait désormais faire cause commune avec les autres laissés pour compte et il fallait surtout répondre non dorénavant à toutes les questions. Si, à l'intérieur du pouvoir, il pouvait y avoir des scissions, des nuances (et on le verra surtout après le départ du Général, pour ne pas parler des séquelles de l'affaire de l'Algérie), à l'extérieur, il fallait faire bloc, c'était la loi de l'union sacrée. Comme toute union sacrée, comme toute «résistance», elle allait inévitablement entraîner des alliances contre nature, des incohérences.

Il faudra un jour faire une étude sur «le suicide politique». Il n'y a aucun doute qu'il n'y a que les grands – et ils sont rares – qui acceptent de se sacrifier contre toute évidence, contre la loi du plus fort, contre même la volonté populaire (c'est-à-dire celle de leurs électeurs). Il faut avoir une vision de l'histoire pour dire non à l'actualité, à la mode, à la foule. Mais cela va beaucoup plus loin. Il faut à la fois être profondément optimiste et quelque peu méprisant. Optimiste parce qu'on doit être convaincu non seulement d'avoir raison mais qu'encore on triomphera à long terme, que la raison finira inévitablement par l'emporter, qu'on incarne cette raison et qu'on vous en saura gré. Quelque peu méprisant, parce qu'on refuse de s'incliner devant le suffrage universel, devant la masse, ce qui au fond n'est guère «démocratique» ! On pense qu'on fait partie d'une petite élite qui a raison et que les «veaux» (comme disait de Gaulle), qui s'enfoncent dans l'erreur, finiront bien, un jour, par le regretter et par venir vous chercher. On est solitaire et animé par une foi inébranlable en son jugement que personne ne partage. C'est de Gaulle en 1940, c'est un peu Mitterrand en 1958. Les circonstances certes étaient sans commune mesure. Le non de de Gaulle fut immédiat, tranché, celui de Mitterrand moins raisonné, moins constructif. Mais la démarche hautaine, décidée, défiant les autres et la raison vers un curieux exil, un peu semblable.

Et il faut bien dire que, pour l'observateur qui connaissait mal Mitterrand, cette soudaine attitude eut de quoi surprendre. On ne s'attendait pas à un tel suicide de la part de l'ancien ministre U.D.S.R. de Guy Mollet qui avait accepté sans broncher les gifles que lui avait données l'histoire au moment de Suez ou de l'Algérie. On ne pensait pas que Mitterrand, l'homme de la francisque ou de l'affaire des fuites, aurait le courage d'un Mendès. Et, sur le moment, personne n'eut l'idée de rendre hommage à son courage... suicidaire. On n'a vu dans ses prises de position que du dépit et la mauvaise foi du mauvais joueur battu. Il y avait peut-être aussi et surtout l'idée qu'il tenait là la grande chance de sa vie : il allait devenir historique en défiant de Gaulle.

En septembre 1958, Mitterrand fait campagne pour le non au référendum sur la Constitution de la Ve République que propose de Gaulle. C'est suicidaire car il est bien clair que le pays tout entier va acclamer cette constitution qui balaie la IVe, « ses rois fainéants et ses maires du palais » parmi lesquels on compte Mitterrand, bien sûr, mais aussi d'autres caciques qui, pour sauver leurs citadelles, ont rallié bien vite le nouveau maître. La tendance Pleven de l'U.D.S.R. (Pleven, Claudius-Petit, Édouard Bonnefous, etc.) qui avait déjà voté l'investiture du Général, prône, évidemment, le oui. C'est l'éclatement officiel de l'Union et les amis de Pleven, ravis de voir enfin Mitterrand sombrer en se sabordant ainsi, fondent l'Union démocratique.

Mitterrand n'a aucun succès même dans sa Nièvre où le oui l'emporte par 94 808 voix contre 31 997 non. Mitterrand n'a pu convaincre que 25 % des Nivernais. Il est vrai que le non n'a recueilli que 13 % sur le plan national, mais ce n'est tout de même pas brillant pour notre homme...

Fin novembre 1958, ce sont les élections législatives. De Gaulle veut « son » parlement, et ce qui était prévisible arrive : Mitterrand fait partie de la charrette des battus. Il est en bonne compagnie puisqu'il est éliminé avec Jacques Duclos, Pierre Mendès France, Jules Moch, Gaston Defferre, Robert Lacoste, Edgar Faure et quelques autres. Ce n'est pas une consolation. Jean Faulquier, le candidat gaulliste de l'Action républicaine, lui a pris un siège qu'il détenait depuis douze ans, avec 15 318 voix alors que lui n'a pu en recueillir que 12 219. Il est vrai que le candidat de la S.F.I.O. qui n'a pas voulu se désister en sa faveur (et c'est normal à l'époque) en a obtenu 10 489. Il faut noter aussi que le candidat communiste qui avait obtenu 6 178 voix au premier tour, s'est, lui, désisté au second pour Mitterrand. C'est la première fois que Mitterrand bénéficie ainsi des voix communistes. Une date en quelque sorte !

Mais la plupart des observateurs et en tous les cas l'opinion considèrent Mitterrand comme « un homme fini ». Sa rage contre le projet de constitution a été excessive. Il a comparé le texte proposé par de Gaulle à certaines constitutions d'Amérique du Sud (le 13 mai était déjà pour lui un pronunciamiento, on l'a vu), et le régime que prépare le Général à celui de Louis-Philippe ou de Napoléon III. C'est trop ! Tout le monde et Mitterrand le premier reconnaissaient que le régime de la IVe n'était plus possible, et personne encore n'ose soupçonner de Gaulle d'être un tyran et d'ailleurs n'est-on pas allé le chercher et ne commence-t-il pas, déjà, à mettre au pas les factieux du 13 mai ?

Mais très rapidement, Mitterrand semble se complaire dans son nouveau rôle. La grandeur de de Gaulle le grandit. Seul, dérisoire, il devient meilleur, même si on ne l'écoute pas encore. Il y a du Jérémie chez cet homme, on le verra souvent. Dès les premières semaines, après sa défaite de Nevers (il n'était pas encore « installé » à Château-Chinon), il voit son nouveau personnage se dessiner et il est particulièrement intéressant aujourd'hui de relire ces discours d'alors.

Le 31 janvier 1959, il n'est plus rien, l'U.D.S.R. n'est plus rien, une poignée de fidèles serrés contre lui, ses « copains » si tant est que ce terme convienne, Dayan, Beauchamp, Roland Dumas, Louis Mermaz, des inconnus à l'époque. Et pourtant il les réunit dans un XIe congrès de l'U.D.S.R. qui pourrait bien être le dernier, tant cela semble dérisoire en face de l'appareil gigantesque que forment les nouveaux hommes au pouvoir.

Et que dit l'ancien député à ses amis ? « Il arrivera un moment où, de la droite indépendante à la gauche socialiste, avec la somme des déceptions, des colères, des ambitions déçues, mélangeant le pur et l'impur, nous devrons être tous réunis autour d'un programme d'action qui consistera, face au pouvoir et pour le bien du peuple, à réclamer tout simplement des élections démocratiques. Il arrivera un moment où nous aurons le droit et le devoir de réclamer cela à un gouvernement qui évidemment s'y refusera, mais alors, le concours de tous ceux qui auront accumulé à travers les années les plus viles amertumes à l'égard du nouveau régime, sera un concours à ne pas refuser.

« Cependant, pour mener cette action, pour le moment, nous n'avons pas besoin d'eux. Pour parvenir à notre action, pour définir les points d'impact et les méthodes, pour faire la description des formes d'action future au sein de la République que nous voulons construire, nous avons au contraire besoin de rester entre nous. Quand je dis «entre nous», je ne dis pas «entre membres de l'U.D.S.R.», j'englobe dans cette expression tous les républicains d'action, de volonté, de décision, tous ceux qui ont souffert depuis 1944, oui, souffert quelquefois jusqu'au désespoir, de voir la France manquer toutes ses chances et qui en éprouvaient une sorte de rage. (...) Il faudra que le vieux programme du Conseil national de la Résistance retrouve vie, mais adapté aux circonstances (...). » (Archives de l'U.D.S.R., XIIe congrès, 1er février 1959).

Le texte de «ce prêche dans le désert» (nous sommes en janvier 1959) est extraordinaire. D'abord à qui s'adresse-t-il indirectement ? A tous ceux qui se trouvent «de la droite indépendante à la gauche socialiste». Il oublie donc les communistes (encore ou déjà !), mais il est prêt à récupérer tous les autres, comme de Gaulle au fond. Pas d'exclusive, car la droite indépendante, cela va très loin, pour un futur Premier secrétaire du Parti socialiste ! De quel élément compte-t-il ensuite se servir pour rassembler tout ce monde-là ? L'opposition au pouvoir. Il le dit clairement : « Un programme d'action, face au pouvoir et pour le bien du peuple. » De Gaulle sera son catalyseur. Et il a déjà raison. Pourquoi tous ces gens le rejoindraient-ils dans son opposition ? Les mots qu'il emploie sont révélateurs : déception, colère, ambitions déçues, amertumes (même les plus viles !), rage. Ce n'est pas très glorieux, mais c'est là le cynisme réaliste des opposants : il faut jouer sur les erreurs de l'adversaire qui est au pouvoir et attendre. Que propose-t-il enfin ? Un «programme d'action», en somme un programme commun, qui n'est qu'une... réactualisation (si l'on ose encore employer ce mot aujourd'hui) du programme du C.N.R. Mitterrand n'a donc pa changé, ou plutôt il redevient le jeune homme de 1944. Il oublie Queuille, Faure, Laniel, la IVe. Il redevient un résistant !

Mais qu'on ne dise pas qu'il est déjà le Mitterrand de juillet 1972 et du vrai programme commun avec le P.C., ou alors nous continuerons à lire ce discours de janvier 1959. Même s'il a voté «avec les communistes», contre de Gaulle, même s'il a bénéficié, en vain, des voix du P.C.F. aux dernières élections législatives, il reste le farouche anticommuniste qu'il a toujours été : «Vous verrez un jour, si les faits continuent à aller dans le chemin qu'on a tracé (...), vous qui êtes fidèles aux notions mêlées de la civilisation chrétienne, de la libération de l'esprit et de la grande Révolution, ayant manqué une fois de plus au destin des hommes d'action, mais toujours spectateurs angoissés, vous verrez le communisme rassembler les décombres et bâtir sa maison. (...) On a voulu nous démontrer qu'avec la carence de la IVe République, il ne restait qu'une route à suivre, celle du communisme. C'est cette démonstration que nous voulons, nous, précisément contredire. » C'est clair !

Et Mitterrand termine en reconnaissant que pour l'instant il n'a pas d'autre ambition que d'être un « témoin vivant, agissant, fidèle et courageux de cette petite lumière, qu'elle soit haute ou tenue sous le boisseau, qui s'appelle la défense de la dignité et de la Liberté ». C'est joliment dit, mais il faut bien reconnaître qu'en face de de Gaulle c'est un peu ridicule tout de même. Juridiquement, « républicainement », le régime que le Général est en train de mettre en place est, certes, assez discutable, mais de là à ressortir le programme du Comité national de la Résistance et à parler de la petite flamme de la liberté, il y a tout de même un grand pas. Mitterrand n'hésite pas à le franchir. Le « pari » qu'il commence à jouer l'imposait sans doute.

Au « chômage » forcé, Mitterrand écrit alors quelques articles dans la revue de Lucie Faure, *La Nef*. Ils sont intéressants eux aussi, car si on y trouve déjà l'essentiel des arguments dont il va se servir pendant plus de dix ans contre de Gaulle, on y retrouve aussi notamment, et une fois de plus, son anticommunisme viscéral.

Il dénie d'abord à de Gaulle la gloire d'avoir sauvé la république en mai 1958 : « Je ne sais pas si le général de Gaulle a sauvé la démocratie mais je sais bien qu'il l'a perdue. (...) Le 13 mai pouvait conduire les révoltés jusqu'aux palais officiels des rives de la Seine, mais n'aurait pas conquis l'âme de notre peuple. De Gaulle, lui, a obtenu cela. »

Puis il s'en prend au régime naissant : « On peut librement s'assembler (sauf lorsqu'il s'agit de défendre les libertés individuelles en Algérie comme en France), on peut librement écrire (sauf lorsqu'il s'agit de préciser les contours de « la paix des braves »), on peut librement parler à la radiotélévision (sauf quand on est membre de l'opposition), on peut librement aller et venir (sauf dans les départements français d'Afrique du Nord), on peut librement parler (sauf quand on est fonctionnaire au Maroc et en Tunisie). Bref, on reste libre de faire ce que le gouvernement n'a pas encore interdit. Et le gouvernement n'a pas interdit de voter. Et le gouvernement n'a pas interdit de voter contre lui », etc., etc. Pour lui, on a assisté à l'avènement d'un « despotisme éclairé à la mode portugaise» (le Portugal est encore celui de Salazar, bien sûr !).

Mais qu'on nous pardonne, le plus «actuel» aujourd'hui reste ce qu'il écrit alors sur le communisme. «L'histoire des démocraties populaires montre à l'évidence comment l'association au pouvoir du parti communiste et d'une poussière de formations démocratiques voue ces dernières à l'anéantissement. De la création d'un rassemblement des forces socialistes et républicaines fortement structuré dépend l'équilibre futur de la démocratie. Mais vous ne souderez pas ce rassemblement en composant avec les ennemis du peuple, avec les profiteurs d'un système social périmé, avec les ambitions anachroniques du clan technocrate et du clan militaire. La tâche présente consiste à lutter, bec et ongles, en compagnie de ceux qui le voudront contre les groupes qui, le 13 mai, se sont emparés des leviers de commande. (...) La conjuration du 13 mai doit savoir que son triomphe insolent, que son intolérance, que ses privilèges, que son appétit dévorant des places et des honneurs dressent et dresseront plus encore contre elle les démocrates et les républicains, les libéraux. Ceux-ci restent les adversaires de l'idéologie et des méthodes du communisme. Mais ils constatent que le danger qui menace les libertés et le progrès provient actuellement d'un autre côté. A chaque jour suffit sa peine. Tout ce qui permettra d'abattre la coalition politico-économique sans âme et sans vraie grandeur qui nous gouverne et qui tient l'État dans ses rets sera bon. (...) »

Tout est, peut-être, dans ces quelques lignes de 1959 !

On pourrait presque s'étonner des reproches qu'il fait si souvent au régime. Finalement, si on fait le compte, il parle moins souvent de l'autoritarisme du régime, de ce pouvoir présidentiel qui se dessine si rapidement, que du manque de pudeur de l'entourage du chef de l'État qui se partage «le gâteau» et se jette sur la «soupe» avec avidité. Il est vrai que cela faisait aussi partie du régime en question. Cela dit, ses projets sont déjà très clairs et il les avoue : il est prêt à s'allier avec le diable pour chasser les nouveaux venus, les imposteurs. Le diable ce sont les communistes, il le sait parfaitement. Mais il est convaincu qu'en créant un «rassemblement des forces socialistes et républicaines», il sera plus fort que le P.C.F. dont il pourra alors se servir, pour, «bec et ongles dehors», chasser le régime en place. Et après ? Il en fera son affaire, «à chaque jour suffit sa peine». Dernière phrase qui en dit long, à croire que tout se met déjà en place. Nous en sommes bien loin. N'oublions pas que quand il écrit dans *La Nef* Mitterrand n'est alors qu'un « ancien député, ancien ministre ».

Mais il va bien vite redevenir... quelque chose. Oh, pas grand-chose, sénateur, puisque c'est là le lot de consolation que le sort attribue aux grands battus de la IVe. Le 26 avril 1959, il est élu sénateur de la Nièvre, battant J. Doussot, sénateur sortant qui s'était présenté avec l'étiquette U.N.R. C'est une petite revanche qu'il prend ainsi sur les gaullistes, grâce à sa très bonne implantation dans le département. C'est beaucoup plus le conseiller général de Montsauche, le nouveau maire de Château-Chinon (il y a été élu conseiller municipal le 15 mars et maire le 26 mars), l'homme qui a « travaillé » sa circonscription pendant des années, qui est élu par les notables que le politicien parisien qui tente en ce moment de recoller les morceaux d'un monde politique détruit, avec quelques mendésistes, quelques dissidents de la S.F.I.O. qui derrière Édouard Depreux se sont retrouvés dans un Parti socialiste autonome, et quelques autres. A eux tous, ils ont constitué une Union des forces démocratiques, l'U.F.D., dont on fera peut-être un jour, le noyau originel de l'union de la gauche, à tort d'ailleurs, mais que les électeurs de la Nièvre ignorent naturellement et superbement à l'époque.

Dès qu'il retrouve une vraie tribune, Mitterrand attaque la politique du nouveau régime. Et c'est l'Algérie qui est alors au centre de tous les débats. Mais il faut dire que les discours du sénateur de la Nièvre sur le drame algérien n'ont, aujourd'hui, plus guère d'intérêt. Mitterrand continue sans doute à rêver à une solution « fédérale » où l'Algérie aurait sa place dans un « grand ensemble franco-africain » et il s'en prend au « pauvre » Michel Debré, Premier ministre qui, lui, est toujours très Algérie française, mais qui commence à se demander si « son maître », le président de la République, ne va pas trahir tous ceux qui l'ont appelé et qui ont permis son retour. Le 16 septembre 1959, de Gaulle a proclamé le droit de l'Algérie à l'autodétermination. On a donc une situation qui ne manque pas de piquant, avec un des ténors de l'opposition qui est, somme toute, à mi-chemin entre le président de la République et le Premier ministre, et d'ailleurs plus proche de ce dernier. Mitterrand est mal à l'aise quand il s'en prend à la politique algérienne de de Gaulle. Au cours d'un grand débat au Sénat, il reproche au gouvernement de « faire la guerre tout juste assez pour ne pas la gagner et la paix tout juste assez pour ne pas la conclure ». La formule est belle mais visiblement inexacte en juillet 1961. Après le référendum du 8 janvier 1961 sur l'autodétermination de l'Algérie (75 % de « oui »), après le putsch des généraux d'avril 1961, tout le monde a parfaitement compris que de Gaulle veut et va faire la paix. Mitterrand d'ailleurs est aussi mal placé pour reprocher à Debré au cours de ce même débat les contradictions et l'incohérence du gouvernement, lui qui a successivement été pour l'intégration, pour la fédération, qui a pensé un moment à la partition et qui aujourd'hui encore ne sait pas très bien ce qu'il veut pour l'Algérie.

Cependant les coups que porte l'orateur, décidément bien meilleur maintenant qu'il est dans une espèce d'opposition éternelle, font mal, et même avant qu'on en arrive à 1961. Et le pouvoir, ou du moins quelques-uns de ses plus vils « domestiques-profiteurs », décide d'achever ce Mitterrand qui joue les bonnes consciences. Et c'est l'affaire de l'Observatoire.

Nous avons déjà suffisamment dit que Mitterrand était innocent pour n'avoir pas à y revenir dans les détails. Ce qui nous intéresse aujourd'hui, c'est surtout de voir comment l'homme d'État a réagi dans cette affaire.

On connaît le scénario : un jour, le 7 octobre 1959, un personnage véreux, Pesquet, ancien député de l'Eure gaulliste puis poujadiste ayant déjà eu maille à partir avec la justice, aborde Mitterrand dans les couloirs du Palais de Justice et le prévient qu'un attentat se prépare contre lui. A l'époque on parle beaucoup de guerre civile, de listes de personnalités à abattre, de commandos que les extrémistes de l'Algérie française s'apprêteraient à envoyer en métropole. Un député gaulliste de la Loire, Lucien Neuwirth, vient d'ailleurs d'affirmer à un journaliste de *France-Soir* que « les commandos de tueurs ont déjà franchi les Pyrénées ». Mitterand ne prête guère attention à l'avertissement. Mais Pesquet revoit Mitterrand à deux reprises et finit par l'ébranler. Après tout, Mitterrand est romantique et les gens qui ont tenté d'assassiner, il n'y a pas si longtemps, le général Salan à Alger (l'affaire du bazooka) pourraient bien s'en prendre maintenant à certains adversaires du régime.

Le 15 octobre, Mitterrand va comme souvent dîner chez *Lipp*. Puis vers 23 heures 30 il prend sa voiture et s'apprête à rentrer chez lui, rue Guynemer. Immédiatement il se rend compte qu'une autre voiture le suit. Il essaie de la semer. En vain. Pendant quelques instants c'est une course-poursuite rue de Seine, boulevard Saint-Michel, rue de Médicis. Finalement, ils arrivent devant le square de l'Observatoire. Là, Mitterrand abandonne sa voiture, saute par-dessus la grille du jardin et se cache à plat ventre dans la verdure. Ses poursuivants tirent alors sur son véhicule. On retrouvera sept balles de mitraillette 9 mm. Quelques heures plus tard, Mitterrand fait le récit de sa mésaventure devant les policiers et les journalistes : « On a sans doute voulu m'intimider. »

Il ne dit pas un mot de Pesquet, ni aux journalistes ni aux policiers. Il est convaincu que ledit Pesquet a bel et bien tenté de lui sauver la vie et, comme il lui avait donné sa parole d'honneur de ne jamais évoquer leur entrevue, il tient parole. L'opinion est assez choquée par l'événement qui fait les grands titres de la presse pendant quelques jours. Est-ce le début de la guerre civile dont on parlait tant ? Le sénateur fait figure de victime si ce n'est de héros. Ses amis se pressent autour de lui. Parmi eux, le journaliste Pierre Viansson-Ponté qui n'a pas oublié la scène et qui la raconte merveilleusement dans sa délicieuse *Lettre aux hommes politiques* : « Donc, en cette matinée du 16 octobre 1959, chez vous, rue Guynemer, carré dans un fauteuil de votre petit bureau tout encombré de livres, j'interrogeais avec anxiété, avec chaleur, avec le désir d'être convaincu. Et, convaincu je le fus ce jour-là par vos réponses, votre récit, vos explications minutieuses. (...) Encore sous le coup de cette folle nuit, vous vous livriez complètement à l'ami compréhensif, bien plus qu'au journaliste si prudent et mesuré fût-il, qui était venu chercher précisément auprès de vous ces rassurantes certitudes. Vous disiez tout, ne cachiez rien à charge pour celui qui vous écoutait de faire le tri entre ce qui pouvait être publiquement commenté et ce qui était confidence toute personnelle, témoignage d'estime — marque de confiance. "Voilà, vous savez tout, avez-vous conclu." » Et Viansson-Ponté d'ajouter : « Tout sauf l'essentiel. »

Car, en effet, quatre jours plus tard, c'est la bombe. Pesquet raconte dans l'hebdomadaire d'extrême droite *Rivarol* toute l'affaire ou du moins sa version. Il affirme que c'est lui qui a fait le coup, qui a fait tirer sur la voiture de Mitterrand par un de ses complices, un certain Abel Dahuron, mais — et c'est là l'important — qu'il ne s'agissait que d'un attentat ... bidon, fait à la demande de Mitterrand lui-même ! Et il le prouve : la veille de l'attentat, il s'était lui-même adressé deux lettres, l'une à Paris, l'autre recommandée dans l'Eure, qui ont été ouvertes devant huissier et dans lesquelles il racontait tout : ses rencontres avec Mitterrand avant l'attentat, le déroulement exact de l'attentat tel qu'il allait effectivement se dérouler. Le cachet de la poste faisant foi, l'affaire semblait claire ! A bout d'argument devant le régime, au creux de la vague, ne sachant plus qu'inventer, Mitterrand, l'homme à la francisque, l'homme de l'affaire des fuites, l'ami du juif Mendès France, le politicard de la IVe République, le florentin, le fourbe, le battu qui ose donner des leçons de patriotisme à de Gaulle, etc., a eu l'idée de monter de toutes pièces cet attentat rocambolesque afin de jeter un certain discrédit sur le régime et surtout d'apparaître comme l'honnête républicain première victime de la dictature. Mais son complice, se rendant compte soudain de la vilenie, ne l'a pas suivi jusqu'au bout. Brave Pesquet ! Les lettres sont là et d'ailleurs la thèse de l'attentat avait tout de suite semblé suspecte. Une vague rafale de mitraillette tirée sur une voiture visiblement vide alors que la « victime » a eu le temps, comme par hasard, de sauter par-dessus la grille et de se cacher, tout ça ne faisait pas très sérieux.

Et comment Mitterrand pourrait-il être cru maintenant qu'il a offensé les magistrats chargés de l'instruction en ne leur racontant pas toute la vérité et en cachant ses rencontres avec Pesquet ?

Il faut reconnaître qu'à première vue l'affaire était bien montée. Elle ressemble, sur bien des points, à s'y méprendre, à l'affaire des fuites. A croire que ce sont les mêmes ennemis de Mitterrand qui ont imaginé les deux opérations : il y a des éléments « vrais » en 1959, comme en 1953. Cette fois ce sont la rafale de mitraillette et surtout les lettres de Pesquet, l'autre fois c'étaient les minutes exactes des séances secrètes de l'Élysée. Dans un cas comme dans l'autre on attaque Mitterrand sur ses points faibles : il prône la grandeur de la France, la patriotisme et l'anticommunisme, et dans l'affaire des fuites, on le présente soudain comme un traître qui travaille pour le « parti de Moscou et des Viets ». Il prône le prestige de l'État, la dignité et le sens de l'honneur des parlementaires, on en fait, devant toute l'opinion, un menteur, un affabulateur et qui plus est, un personnage ridicule, voulant jouer au martyr et montant des escroqueries minables. Ce sont les mêmes, d'ailleurs, qui lui ressortaient sa francisque quand il refusait, à juste titre, de recevoir des leçons de patriotisme d'anciens collaborateurs.

Mais le coup était bien monté et il a certainement ébranlé l'opinion. Même des amis chers de Mitterrand ont cru en sa culpabilité. Mitterrand ne le leur a jamais pardonné et on le comprend. Pourquoi l'a-t-on cru coupable ? A l'analyse, en effet, le scénario ne tenait guère. Il est évident que si Mitterrand avait voulu monter un coup pareil, jamais il ne se serait adressé à un personnage comme Pesquet qui était parfaitement douteux, d'une part, et qui, d'autre part et surtout, était pour lui un adversaire politique. A cette époque Mitterrand le vaincu avait tout de même assez d'amis sûrs pour, s'il l'avait voulu, en trouver un et lui demandez de tirer une rafale de mitraillette sur sa voiture !

Non, l'erreur de Mitterrand a été de ne jamais parler de Pesquet avant l'attentat et après. Mais ceux qui avaient organisé la machinerie connaissaient assez le personnage pour savoir qu'il ne pouvait pas parler. Avant, il considérait, à juste titre, Pesquet comme pour le moins douteux. S'il s'était adressé à la police (celle de de Gaulle qui le détestait d'ailleurs depuis longtemps, depuis qu'il avait tenté, étant ministre de l'Intérieur, de la mettre au pas), il aurait été ridicule. Quand on joue les grands hommes politiques, les résistants, on ne s'affole pas devant les « bobards » d'un mythomane. On aurait sans doute beaucoup ri dans tout Paris des frayeurs du jeune sénateur. Et l'opération aurait, dans ce cas-là, réussi, en partie. Après l'attentat, Mitterrand ne pouvait que croire en ce que lui avait raconté Pesquet. Le type véreux avait donc eu un sursaut d'honnêteté. A ses yeux, puisqu'il y avait bien eu ces coups de feu, Pesquet était, peut-être, une crapule, mais il avait malgré tout été assez chic avec Mitterrand. Et comme il avait demandé à la future « victime » de ne rien dire, celle-ci, épargnée grâce à lui, ne pouvait décemment pas le trahir. Et d'ailleurs même si, à ce moment-là, il avait parlé en déclarant : « On m'avait prévenu, un certain Pesquet, ancien député gaulliste, est venu me voir », Pesquet aurait parfaitement pu sortir ses fameuses lettres et s'écrier : « Mais pas du tout, je ne vous ai pas prévenu, c'est vous qui m'avez passé commande de l'attentat et les circonstances de cet attentat prouvent, si besoin était, qu'il s'agissait d'un assassinat bidon... »

On a beaucoup reproché à Mitterrand son attitude. Même ceux qui ont cru tout de suite en une machination et qui ont immédiatement senti qu'il y avait là un piège grossier, ont trouvé que Mitterrand s'était conduit comme un enfant. François Mauriac qui fut, dans son « Bloc-note » de *L'Express*, l'un des rares à voler au secours du sénateur de la Nièvre, l'excuse mais bien maladroitement. Il voit en Mitterrand « l'enfant barrésien », « le garçon chrétien qui rêvait devant les coteaux et les forêts de Saintonge et de Guyenne » et « dont la blessure chrétienne ne se cicatrise jamais tout à fait ». Bref, l'enfant de chœur et le naïf. Ce n'est pas très agréable non plus pour Mitterrand, même si c'est diablement littéraire.

Il est vrai que, quelques jours avant de s'adresser à Mitterrand, Pesquet avait tenté la même opération contre Bourgès-Maunoury. Or, l'ancien président du Conseil qui, lui aussi, avait disparu dans la tourmente de 1958 mais qui était moins naïf, s'était contenté de prévenir la police, ce qui avait fait disparaître immédiatement Pesquet. C'est peut-être ce qu'aurait dû faire Mitterrand, mais, on l'a dit, Pesquet a, avec lui, insisté, il est revenu à la charge. L'aurait-il fait si Mitterrand avait, et avec la fausse naïveté d'un Bourgès, téléphoné à Jean Verdier, chef de la sûreté ?

Aujourd'hui on a l'impression que la tentative avec Bourgès n'était qu'un ballon d'essai et qu'en fait, c'était Mitterrand surtout que les « instigateurs » voulaient atteindre. Pourquoi ? D'abord parce qu'il était leur ennemi politique le plus acharné, qu'il était déjà revenu dans une Assemblée alors que Bourgès, lui, avait disparu à tout jamais dans la trappe de l'oubli. Mais aussi et surtout parce que Mitterrand s'apprêtait – et ne le cachait pas – à attaquer par tous les moyens possibles le régime. Parmi ces moyens il y avait précisément un scandale qui aurait pu (et dû) éclabousser des hautes personnalités du régime et dont l'ancien Garde des Sceaux de Guy Mollet avait tout le dossier en main : c'était l'affaire du bazooka.

Les historiens hésitent de moins en moins à rapprocher les deux affaires, celle du bazooka et celle de l'Observatoire. La seconde semble être la suite logique de la première. La boue y a la même couleur, la même odeur nauséabonde.

On se souvient que quand la justice eut à connaître de la tentative d'assassinat contre le général Salan, le 16 janvier 1957, attentat qui avait entraîné la mort du commandant Rodier, tué à coup de bazooka dans les bureaux de la 10e Région militaire à la place du général commandant en chef, les coupables, Kovacs et Castille avaient cité quelques noms et notamment ceux du sénateur gaulliste Michel Debré et du député gaulliste Pascal Arrighi (sans parler d'un certain Valéry Giscard d'Estaing, jeune député du Puy-de-Dôme, totalement inconnu à l'époque). Cela ne voulait, bien sûr, rien dire. Qui pourrait croire un seul instant que Michel Debré ou Pascal Arrighi pensaient réellement faire un coup d'État après avoir, toujours selon Kovacs, fait assassiner le général Salan, l'avoir fait remplacer par le général Cogny, avoir mis sur pied un certain nombre de Comités de Salut public en Algérie puis en avoir fait autant à Paris ? C'est de la politique fiction et un scénario parfaitement invraisemblable... Il n'empêche que le Garde des Sceaux de l'époque qui s'appelait François Mitterrand avait en sa possession un rapport bien complet sur cette « pénible affaire ». Il n'empêche que c'est ce même ancien sénateur Michel Debré, devenu Premier ministre de la Ve République qui demanda, contre toute convenance, la levée de l'immunité parlementaire de Mitterrand, lequel aurait pu donc demander la levée parlementaire dudit Debré deux ans plus tôt et non pas cette fois pour simple « injure à magistrat » mais pour participation à assassinat. Il n'empêche que quand le procès de l'affaire du bazooka commença en octobre 1958, le principal accusé, Kovacs, qui aurait peut-être eu des révélations à faire pour assurer sa défense, parvint miraculeusement à s'évader et à gagner l'Espagne et que le Garde des Sceaux de l'époque s'appelait Michel Debré. Il n'empêche encore que quand Pesquet se mit à parler, longtemps après il est vrai, il affirma qu'il avait agi à la demande de Michel Debré et de Christian de la Malène. Tout cela bien sûr n'est que calomnie. Comment attacher la moindre importance à ce que peuvent dire des Kovacs ou des Pesquet ? Comment croire qu'ils ont agi pour le compte de quelqu'un d'autre ? On voit que le travail des historiens n'est pas terminé et qu'il leur faudra sans doute patauger dans la boue et descendre dans des abîmes que le « brave public qui vote » est bien loin de soupçonner...

Mais une chose est frappante quand on observe la carrière, la personnalité de François Mitterrand : il attire les scandales. Innocent de sa francisque, dans l'affaire des fuites, dans cette minable histoire de l'Observatoire, il y perd pourtant à chaque fois des « plumes ». Le Sénat va même voter la levée de son immunité parlementaire, en dépit d'une très belle plaidoirie de Mitterrand, par 175 voix (parmi lesquelles 20 socialistes) contre 27 voix (parmi lesquelles 15 socialistes et 11 communistes), c'est-à-dire a une écrasante majorité. Bref, on l'a cru coupable, il n'inspire pas confiance, son image de marque est désastreuse dans le public. Comment ne pas la comparer à celle d'un Debré par exemple, puisque le hasard des racontars et des calomnies rapproche les deux noms ?

Mitterrand traîne aujourd'hui encore ces fameuses trois « affaires » dont tout le monde sait qu'il est innocent mais qu'on lui rejette à la figure régulièrement. Tout simplement parce que son nom a été évoqué et qu'en vertu du grand principe, il n'y a pas de fumée sans feu. Mais on a aussi cité, et tout autant, le nom de Michel Debré pour l'affaire du bazooka, dans tous les complots du 13 mai, et pour cette affaire de l'Observatoire.

Or, ces « histoires » étaient autrement plus graves qu'une décoration de Pétain, que des indiscrétions au profit du parti communiste, ou qu'une tentative d'opération publicitaire. Il y avait cette fois mort d'homme, un officier français tué, plus une tentative d'assassinat contre un général d'armée, plus plusieurs tentatives de complots contre la République, plus une tentative d'assassinat moral contre un adversaire politique, plus des complicités dans des évasions d'accusés, etc. Et pourtant Debré a toujours conservé aux yeux du public une image parfois un peu ridicule de coq dressé sur ses ergots mais en tous les cas d'homme d'État intègre, loin de toutes les combinaisons politiques, fidèles à ses engagements, même si on se souvient encore, parfois, que ce défenseur intransigeant de l'Algérie française fut le Premier ministre du général de Gaulle, jusqu'au 14 avril 1962, c'est-à-dire moins de trois mois encore avant l'indépendance de l'Algérie...

Pourquoi cette différence de traitement de la part de l'opinion, voire de l'histoire ? Les amis de Mitterrand répondent que c'est parce que Mitterrand fait partie de l'opposition. L'argument ne tient pas. Les premières « casseroles » furent attachées à Mitterrand alors qu'il était l'une des personnalités du régime, et Debré était dans l'opposition au moment de l'affaire du bazooka. Les Mitterrandistes renchérissent en déclarant alors que Mitterrand, lui, n'est pas un calomniateur. C'est vrai qu'il n'a jamais pris l'initative d'opérations de ce type. Ce n'est pas son genre. Il n'a même pas voulu demander la levée de l'immunité parlementaire de Debré (qui était à l'époque, très modestement, pitoyablement presque, venu à la Chancellerie lui demander de l'épargner). Mais pourtant, Mitterrand n'a jamais hésité, dans ses discours, à attaquer sur ce thème — et personne ne peut le lui reprocher — ses adversaires. Il a ressorti abondamment l'affaire du bazooka pour se défendre de celle de l'Observatoire. Sa plaidoirie, nous l'avons dit, fut étourdissante au Sénat et terrible pour Michel Debré. Mais il n'en est rien resté ! Alors ?

Eh bien, on touche, peut-être ici, à l'un des aspects les plus particuliers de Mitterrand, à sa faiblesse, sans doute, mais aussi à ce qui fait qu'il attire des amitiés très profondes. Et, comme toujours, il est très difficile de cerner ces recoins d'un personnage. Disons qu'il est, par moments, plus littéraire que politique. Mais pas littéraire dans le sens où il l'aimerait sans doute. Ce n'est plus Barrès ou Chateaubriand, les couchers de soleil, les champs de blé. C'est presque Gide qui soudain, aux détours d'une phrase, s'avoue totalement ; c'est le cri, murmuré, profondément humain, douloureux de l'enfant protestant, rigide, qui éclate comme un sanglot. La faille de l'armure. C'est le personnage mauriacien aussi (et c'est sans doute pour cela que François Mauriac l'a reconnu si proche de lui) qui, dans un instant fugitif, « avoue » ses tares, ses faiblesses, ses angoisses, « craque » presque. Pour y être sensible, il faut déjà avoir de la sympathie pour le personnage. Sinon il apparaît pleutre, incertain, fourbe et quand il se ressaisit aussitôt après, il devient, pour celui qui lui est hostile, hypocrite, florentin. Mais quelle vulnérabilité que cette curieuse franchise qui éclate par instants ! L'adversaire le sent et devine où il faut frapper. Ils ont eu raison. C'était bien avec des affaires du type de celle des fuites ou de l'Observatoire qu'il fallait le blesser.

Le cynisme est de bon ton quand on observe un homme politique. Il ne faut pas se laisser attendrir, surtout avec un homme comme Mitterrand ! Cependant, cette fois, il faut sans doute le croire un instant, quand il termine son discours du Sénat au cours duquel il a tenté de sauver son honneur : « Il m'arrive, s'écrie-t-il, d'être las de toujours retrouver devant moi les mêmes hommes qui emploient les mêmes procédés. Oui, je suis las d'être obligé de m'expliquer devant mes amis, devant mes enfants. Je me retourne vers les années qui viennent de s'écouler, marquées, pour moi, de tant de batailles, de tant de meurtrissures et je m'interroge : pourquoi ? Comment crierais-je assez fort que ce procès monstrueux et grotesque n'est pas vrai. Pourtant croyez-moi, j'ai dépassé l'heure de la colère et celle de l'amertume. Pourtant voici revenue, surgie des espérances de ma jeunesse, l'amie fidèle des jours d'épreuve. Elle est là, elle ne me quitte pas. Comment l'appellerai-je sinon par le nom qu'elle porte, la douce paix intérieure, la paix de la conscience ? »

On peut ironiser, refuser de tomber dans le piège. Mais cette fois on aura peut-être tort. Le grand reproche qu'on peut faire à Mitterrand aujourd'hui, presque vingt ans après ces paroles, et au-delà de toutes polémiques politiques, c'est de ne jamais savoir être chaleureux, de ne pas « faire vrai » quand il tente de « faire peuple », de ne pas savoir tendre la main, rire ou pleurer. C'est ce qui, pour beaucoup, le rend suspect quand il se présente comme un « homme de gauche ». Alors, il faut, sans doute, lui accorder le bénéfice de la sincérité, les rares fois où il « craque » ainsi et se demander si ce n'est pas précisément à cause de ces coups bas qui lui ont fait si mal que cet orgueilleux blessé est devenu si hautain.

Il l'a presque reconnu lui-même onze ans et quinze ans plus tard, dans de brèves phrases, fugitives. Dans *Ma part de vérité*, il écrit : « J'ai été placé par le destin à un poste qu'il n'offre qu'à ses favoris, où l'on reçoit l'hommage de l'injure, de l'injustice et de l'ingratitude. Quiconque l'a occupé et a su apprécier la nature de ce privilège, n'a pas beaucoup de degrés à franchir pour atteindre à la dignité du pouvoir. » Et en 1973, au cours d'une interview à l'hebdomadaire *Télé 7 jours*, il confiait : « Quand on est passé par là, le sentiment de l'injustice s'imprime profondément, mais aussi la volonté de dominer cette injustice. »

Au fond, on peut presque se demander si ce janséniste n'a pas éprouvé une espèce de plaisir malsain, masochiste, à être ainsi, pendant sa traversée du désert, seul, abandonné, vaincu et victime de l'acharnement (tout de même bien excessif et presque flatteur) de ses vainqueurs. Il se redresse, se retrouve, « serre les poings du désir de dominer la vie » comme écrit Mauriac.

Il décrit, toujours dans *Ma part de vérité,* ce que fut sa vie après le choc – car c'en fut bien un – de l'affaire de l'Observatoire. « J'ai travaillé, rêvé, flâné, réappris à aimer les choses et les êtres. Je connais des houx dans la forêt des Landes qui donnent au temps sa densité et rien ne me parle mieux de l'esprit et de la matière que la lumière d'été à six heures de l'après-midi, au travers d'un bois de chênes. J'ai voyagé aussi. La géographie est ma plus chère et ma plus vieille amie, avec la France en rose et l'Allemagne en vert des cartes de mon enfance. Je l'ai beaucoup fréquentée depuis. La chute lente du Ventoux sur la plaine de Carpentras, la tête ronde du Beuvray, la Loire laquée de Saint-Benoît, la roche de Solutré, la solitude de l'Aigoual sont pour moi des points de repères plus importants que la date des élections législatives. Je suis allé dans la Chine de Mao Tsé-toung : « Vous avez tort de ne pas fumer du bon tabac de mon pays ; on en tire de la fumée, on y gagne de la sagesse », m'a-t-il dit. En Iran : « Tant qu'il y aura du monde à la mosquée nous serons tranquilles » a claironné le Premier ministre au moment du dessert. Aux États-Unis, pays de mes atomes crochus, en Asie mineure, pour le plaisir. (...) L'action d'un homme politique sous la IVe République absorbait sa vie comme un papier buvard. Aussi ai-je pris mes distances avec l'événement et l'ai-je vu tel qu'il doit être vu, d'assez loin, rétabli dans ses exactes proportions. Enfin, j'ai lu et aiguisé ma curiosité hors de mes sentiers battus. A la veille de l'élection présidentielle, j'étais d'aplomb. »

Il avait besoin de faire le point, il avait été trop jeune embringué dans la tourmente politique et cette traversée du désert lui fut fort utile. Encore un point commun sans doute avec de Gaulle !

On l'imagine lisant, voyageant, préparant sa revanche, écrivant (un livre décevant sur la Chine *La Chine au défi,* 1961), prenant des notes pour un autre livre, de combat cette fois, *Le coup d'État permanent* qui ne paraîtra qu'en 1964, retrouvant un peu longuement sa famille qu'il n'avait guère eu le temps de voir et que nous n'avons même pas encore eu l'occasion d'évoquer. Il est vrai qu'elle n'a guère sa place ici puisque Mitterrand, avec sa pudeur habituelle, l'a toujours laissée à l'écart de sa vie publique. Donc juste un mot.

Le 28 octobre 1944, François Mitterrand qui venait de quitter ses éphémères fonctions de Secrétaire général des Prisonniers de Guerre et qui était encore tout auréolé de son prestige de chef de réseau, avait épousé Danielle Gouze, elle-même fille d'un héros (discret) de la Résistance. C'était chez les Gouze, à Cluny (Antoine Gouze avait été directeur du collège de Villefranche-sur-Saône mais il avait été révoqué par Vichy) qu'Henri Frenay et Bertie Albrecht se cachèrent pendant plusieurs semaines. La légende affirme que Mitterrand avait décidé d'épouser Danielle en voyant simplement sa photo chez la sœur de Danielle, Christine Gouze avec laquelle il faisait de la résistance et qui allait, elle, devenir la productrice Christine Gouze-Renal. Danielle avait d'ailleurs elle aussi fait de la Résistance.

On connaît peu la femme qui, à 0,81 % près des voix, aurait pu être « la première dame de France ». On sait qu'elle a donné deux fils à Mitterrand, qu'elle aime le jardinage et qu'elle fuit les journalistes. On croit savoir qu'elle s'est parfois montrée plus intransigeante que son mari et pour les choix politiques (elle se serait étonné de certaines concessions de François sous la IVe, et notamment sa participation au gouvernement Laniel) et pour le choix des amis. Elle n'a, par exemple, jamais pardonné à certains leur attitude lors de l'affaire de l'Observatoire. On connaît la grande rupture de Danielle et de Pierre Lazareff. Mais François Mitterrand n'aime pas qu'on parle de sa vie privée et ce qu'on peut en dire n'a guère d'intérêt.

Revenons-en donc à la politique. Mitterrand n'a pas totalement abandonné la politique pendant son « purgatoire » du Sénat. Même si la Haute Assemblée n'a aucun rôle et est parfaitement méprisée par le pouvoir, Mitterrand s'y est battu comme un beau diable. Attaquant surtout le régime présidentiel vers lequel tout conduit mais faisant feu de tout bois et ne sachant même pas gré à de Gaulle d'avoir mis fin à la guerre d'Algérie. Il est vrai qu'il aura été bien tardivement partisan de l'indépendance ! La veille du référendum « final » du 1er juillet 1962, il écrit encore dans *Le Courrier de la Nièvre* : « Quel Français n'éprouverait pas l'impression d'un déchirement ? (...) Nombreux sont ceux qui comme moi ressentent aujourd'hui presque chaudement le chagrin de ce grand départ. (...) Oui, l'Algérie s'en va (...) qu'elle nous épargne ses reproches si un instant nous détournons la tête pour cacher à ses regards cette peine qui nous étreint. » Mais en fait, Mitterrand ne revient vraiment « à la surface » qu'à l'automne 1962 à la veille des élections législatives où il va tenter de regagner son siège de député de la Nièvre.

Si de Gaulle a tout compliqué dans les rangs de la majorité où on retrouve toujours des « gaullistes de gauche » et des « gaullistes de droite » mais où, surtout, la fin de la guerre d'Algérie a jeté un certain désarroi, il a, au contraire, simplifié les choses pour les opposants au régime. C'est du moins ce que pense Mitterrand qui entend bien en profiter et qui écrit dans *Le Monde* du 2 octobre 1962 : « Le premier service que de Gaulle nous rende, c'est de faire que les républicains se retrouvent et se reconnaissent... Le premier devoir est de s'unir. Quiconque viendra dans ce combat sera notre ami, à l'exception de ceux qui ne songeaient qu'à renverser la République et en veulent à de Gaulle de l'avoir fait à leur place. Il faudra accuser les ministres complices, tendre la main à nos voisins, que nous les aimions ou non, envisager la candidature unique des républicains. La procédure n'est pas forcément pour nous mais l'espérance est de notre côté. S'unir, tenir, ensuite bâtir, tel doit être notre mot d'ordre. »

Et le 25 novembre, il retrouve son siège de député de la troisième circonscription de la Nièvre. Il est élu au second tour avec 21 705 voix contre 10 510 au candidat U.N.R., J. Tailleur. Jean Faulquier, le député gaulliste sortant, qui avait battu Mitterrand en 1958, était devenu entre-temps C.N.I. Mitterrand, qui avait obtenu 10 385 voix au premier tour, a pu rassembler un très grand nombre des voix du candidat communiste Lambert (5 007 voix) et du candidat S.F.I.O. Benoît (7 068). La traversée du désert est terminée...

Mais il y a encore beaucoup de chemin à parcourir. Mitterrand fait plus que jamais figure de « survivant ». Les élections du 25 novembre – qui ont suivi le référendum sur l'élection du Président de la République au suffrage universel (63 % de oui) – ont pris des allures de raz de marée gaulliste, ils sont 233 élus et forment le groupe le plus nombreux qui soit jamais entré à l'Assemblée sous une République.

14. LE DÉFI

« Je vous dirai peut-être de vieux mots... »

Le 25 novembre 1962, François Mitterrand est élu député de la Nièvre; le 5 décembre 1965, il mettra en ballottage le général de Gaulle aux élections présidentielles! Trois années très étonnantes pendant lesquelles va se dessiner brusquement le destin historique de Mitterrand et qui feront de lui le challenger incontestable du général de Gaulle et du régime, puis, par là même, l'unificateur de l'opposition et, par là même encore, de toute la gauche française.

Plus de quinze ans après, on pourrait avoir l'impression que tout cela était inévitable, parfaitement logique et que le dirigeant de l'U.D.S.R. était le candidat tout désigné pour assumer ce rôle. En fait, on va s'apercevoir que, bien sûr, rien n'était joué et que si le destin auquel Mitterrand a parfois quelque peu forcé la main a été déterminant, il a fallu aussi que le député de la Nièvre construise, brique à brique, son édifice.

Ces mois, Mitterrand les consacre à deux activités parallèles : d'une part, il est l'accusateur numéro un de la politique gaulliste. Rien n'a grâce à ses yeux, ni la politique européenne, ni la politique africaine, ni la politique internationale en général, ni la politique de défense, ni la politique intérieure, ni la politique économique ou sociale. Il est l'opposant systématique de la Ve, comme l'ont été certains gaullistes sous la IVe. Il est... le Debré du nouveau régime ! Et, bien sûr, son cheval de bataille préféré reste l'opposition au régime personnel du Général, la « défense de la République ». En même temps, et très logiquement, il tente de rassembler toutes les forces qui pourraient s'opposer efficacement à ce régime, de les regrouper, de ramasser les morceaux que la Ve a fait voler en éclats. Aujourd'hui, certains comparent ce regroupement qui allait devenir celui des forces de gauche à un grand mouvement qui, lentement, se réveille, à une foule qui se met en marche. On évoque les images d'un grand fleuve, on parle d'un immense espoir qui se lève. Mais il faut se souvenir de ces mois oubliés. On est bien loin de la future « union du peuple de France ». Mitterrand n'a rien, il est seul, dérisoire, comme les quelques autres qui avec lui ont dit non. Il n'apparaît pas comme un danger, mais tout au plus comme une survivance d'une époque qui agonise.

Mitterrand, tout président de l'U.D.S.R. qu'il est (mais l'U.D.S.R. n'a plus aucune réalité puisque, d'une part, elle s'est scindée et que la « majorité Pleven » a rejoint les rangs des gaullistes, et que, d'autre part, la notion de parti charnière, qui faisait toute sa valeur, n'a plus aucun sens maintenant), est, en fait, de la famille radicale plus encore qu'il ne l'a jamais été. Quelques semaines avant de reprendre son siège de député, il a participé au congrès radical de Vichy, en septembre 1962, un congrès qui ressemblait fort à celui d'une association d'anciens combattants nostalgiques. Il y a évoqué les espoirs d'une union de la gauche et du centre gauche. Puis rentrant au Palais-Bourbon, il s'y est inscrit tout naturellement au groupe du Rassemblement démocrate où se retrouvent les élus radicaux, les rares survivants de l'U.D.S.R., le Centre républicain de Bernard Lafay et d'André Morice et quelques personnalités isolées. A l'époque il est indiscutable que les gaullistes qui, comme Malraux, affirment : « Il n'y a que les gaullistes ou les communistes », ont raison. Mais Mitterrand ne se décourage pas. Il n'a d'ailleurs guère le choix ! Il réactive un peu la Ligue pour le combat républicain qu'il avait créée en 1958 au lendemain du coup d'État, avec les sénateurs Ludovic Tron (apparenté au groupe socialiste) et Émile Aubert (de la S.F.I.O.) et il se rapproche du Club des Jacobins de Charles Hernu. C'est la grande époque des clubs, des colloques, des ligues. Il va y avoir les clubs Jean Moulin, Tocqueville, Robespierre, Danton, Saint-Just, Pierre Bourdan, Citoyen 60, Démocratie nouvelle, l'Atelier républicain, le club breton des Bonnets rouges, la Gauche européenne, le Mouvement démocrate féminin, etc. De l'opposition de salon ! Mais Mitterrand ne néglige rien, tout est bon !

Cependant observons d'abord le nouveau député de la Nièvre face au régime. L'essentiel de sa politique c'est de s'en prendre à ce qu'il va appeler dans un livre qui paraîtra en 1964, le « coup d'État permanent ». Et sur ce thème-là, il tape très fort. Qu'on en juge : « De Gaulle serait-il un dictateur ? Je ne cherche pas à l'abaisser en le plaçant dans une rubrique où ma génération s'est habituée à ranger pêle-mêle Hitler et Mussolini, Franco et Salazar, Staline et Pilsudski. Mais si de Gaulle n'imite personne, ne ressemble à personne, sinon, à la rigueur à un Louis Napoléon Bonaparte qu'habiteraient les vertus bourgeoises de Louis-Philippe Ier, ce qui serait plutôt rassurant, le gaullisme, lui, porte des stigmates qui ne trompent pas. Son évolution évoque, avec une totale absence d'originalité, aussi bien les velléités des plus plates, des plus ternes, des plus molles dictatures telle celle qu'à Vichy, sous couleur d'ordre moral, le maréchal Pétain infligea aux Français, que l'implacable volonté de puissance des consuls d'Occident qui, pour donner le change, s'érigent en défenseurs de la civilisation chrétienne. (...) Qu'est-ce que la Ve République sinon la possession du pouvoir par un seul homme dont la moindre défaillance est guettée avec une égale attention par ses adversaires et par le clan de ses amis ? Magistrature temporaire ? Monarchie personnelle ? Consulat à vie ? Pachalik ? Et qui est-il, lui, de Gaulle ? Duce, Führer, caudillo, conducator, guide ? A quoi bon poser ces questions ? Les spécialistes du droit constitutionnel eux-mêmes ont perdu pied et ne se livrent que par habitude au petit jeu des définitions. J'appelle le régime gaulliste dictature parce que, tout compte fait, c'est à cela qu'il ressemble le plus, parce que c'est vers un renforcement continu du pouvoir personnel qu'inéluctablement il tend, parce qu'il ne dépend plus de lui de changer le cap. » On voit le ton. C'est celui que Mitterrand conservera toujours.

On pourrait multiplier les citations : « Qu'est-ce que le gaullisme depuis qu'issu de l'insurrection, il s'est emparé de la nation ? Un coup d'État de tous les jours. (...) La Constitution, ce chiffon de papier qui porte la signature de dix-huit millions de Français, de quelle main impatiente le général de Gaulle n'arrête-t-il pas de le froisser. (...) Ce régime dont on dit qu'on ne connaît pas son nom, qui se situerait, prétend-on faussement, entre le régime présidentiel et le régime parlementaire, il n'a jamais porté qu'un seul nom à travers tous les temps, il s'appelle la dictature. (...) Un régime qui préfère les ovations populaires aux votes de confiance du Parlement, un régime qui tient compte de la menace des foules plus que de la loi votée n'est pas un régime parlementaire, n'est pas une république... »

Tout ce que peut faire un tel régime, une telle « dictature » ne peut être que condamné et Mitterrand s'y emploie. L'adversaire du régime semble d'ailleurs parfaitement de bonne foi dans son irritation, sa rage continuelle, tout comme le régime est totalemnt logique avec lui-même. Prenons quelques exemples, un peu au hasard, et dans lesquels Mitterrand s'est particulièrement illustré entre 1962 et 1965 à la tribune.

Il était « naturel » que ce régime autoritaire (mais n'avait-on pas assez longtemps regretté le manque d'autorité des gouvernements précédents ?) tente de restaurer un minimum d'ordre dans la vie sociale et syndicale – mais c'était par là même remettre un tant soit peu en cause le droit de grève. Il était normal que cet État enfin fort et qui voulait redonner sa grandeur à la France, entende faire respecter Paris sur la scène internationale – mais c'était inévitablement prendre le risque de s'isoler, dans un superbe nationalisme, et devoir se lancer dans une politique de défense solitaire et coûteuse. Il était normal que cette France nouvelle remette en cause les relations qu'elle avait eues avec les pays qui lui avaient été associés et qui maintenant voguaient libres vers leur propre avenir – mais c'était se lancer dans une politique inconnue encore de la communauté ou de la coopération.

Adversaire du régime, Mitterrand s'oppose à toutes ces politiques. En juillet 1963, l'Assemblée doit discuter d'un projet gouvernemental qui réglemente « le droit de grève dans les services publics »... Cela fait suite à quelques grèves « sauvages » dans les transports publics qui ont particulièrement irrité ces derniers temps l'opinion et le pouvoir. Le gouvernement veut, entre autres, imposer le célèbre « préavis de grève ». Pour le député de la Nièvre « l'entreprise est d'envergure ». Et il le clame à la tribune de l'Assemblée : « Votre entreprise à vous, gouvernement de la Ve République, s'est d'abord attaquée aux droits individuels reconnus depuis l'avènement de la démocratie... [Mitterrand est interrompu par les vociférations les plus virulentes des députés gaullistes] Oui, le gouvernement des tribunaux d'exception... [nouvelles interruptions] Oui, le gouvernement de l'absence des libertés d'expression... Oui, le gouvernement ennemi des droits individuels s'attaque maintenant aux droits collectifs, au droit syndical, au droit de grève [André Fanton, jeune député gaulliste de Paris hurle de son banc : « Pesquet, Pesquet ! » On voit le niveau des nouveaux venus ! Le plus drôle est que Pesquet avait siégé sur le même banc que Fanton]... D'excès de pouvoirs en manquements constitutionnels, d'actes arbitraires en dénis de justice, vous tentez de donner au pouvoir absolu la caution de la loi. C'est cette caution que les républicains vous refuseront. »

Le projet de loi sur la « limitation » du droit de grève est adopté bien sûr. Mais s'il n'avait pas été l'adversaire du Général, Mitterrand se serait-il opposé à un tel texte qui, au fond, on peut le dire quelque quinze ans plus tard, n'a pas abattu les droits collectifs ni détruit le droit syndical ? Mitterrand n'a jamais été partisan de la « chienlit », des désordres, des excès du syndicalisme.

Au cours d'un autre grand débat sur la politique étrangère du gouvernement, le 24 janvier 1963, Mitterrand reproche cette fois à la diplomatie de de Gaulle de privilégier l'alliance avec l'Allemagne, de bouder l'O.N.U., et de tenir la dragée haute aux Américains : « Rien ne nous empêchera, dit-il, de poser la question de l'opportunité de cet accord franco-allemand, concomitant avec la réponse faite au président Kennedy, concomitant avec l'éclat de Bruxelles, toutes circonstances qui colorent l'entente franco-allemande et la singularisent au point de permettre d'employer à son propos l'expression détestable mais juste " d'axe Paris-Bonn ". Telle est la situation dans laquelle nous nous trouvons. Ce sont les États-Unis qui s'organisent, qui consultent, qui traitent en évitant la France. C'est la Grande-Bretagne qui s'éloigne. Ce sont quatre au moins des cinq pays associés à la France dans l'Europe qui s'inquiètent, qui s'aigrissent. C'est l'U.R.S.S., tenue à distance, et qui, elle-même, observe le déroulement des choses avec prudence. Bref, l'alliance de l'Ouest se distend, l'alliance de l'Est n'est pas dans la perspective et le trouble s'installe dans l'Europe des Six. (...) Voilà le sourire de la France à l'avenir ! »

L'intervention de Mitterrand ne change évidemment rien à la politique de Maurice Couve de Murville. Mais si Mitterrand n'avait pas été le ténor de l'opposition à de Gaulle, aurait-il été si dur pour une politique qui, au fond, voulait ressembler à une « politique de grandeur » ? Certes, Mitterrand est, et a toujours été, un partisan de l'Europe et de l'Alliance atlantique mais pas à n'importe quel prix et Maurice Couve de Murville, s'il avait voulu prêter plus d'attention aux propos de « l'honorable parlementaire » et s'il avait eu un peu de mémoire, aurait parfaitement pu mettre mal à l'aise Mitterrand en lui rappelant tout simplement quelques-unes de ses anciennes prises de position des années 1953-1954 quand celui-ci faisait pratiquement du gaullisme avant l'heure et peut-être sans le savoir et qu'il écrivait par exemple : « L'Europe nécessaire à la France n'est pas et ne peut pas décidément être la même que celle qui diminuera la force de la France sur l'étendue du monde » (*L'Express*, 1953)... « Ou bien on admet que l'Alliance atlantique est conduite par un pays leader, maître des décisions essentielles, ou bien on considère qu'elle réunit des nations souveraines qui ont leur mot à dire. (...) Ceux qui se sont très vite et très aisément habitués à placer le centre de notre diplomatie et de notre stratégie à Washington ne doivent pas s'étonner de la position du président des États-Unis. [Eisenhower vient de déclarer que la décision de l'emploi de la bombe atomique appartient aux États-Unis et à eux seuls qui sont, il est vrai, les seuls à la posséder à l'époque.] Les autres, partisans, tout autant que les premiers, du Pacte atlantique, souhaitent une nouvelle définition des responsabilités et des tâches entre alliés. » (*L'Express*, mars 1954.) N'est-ce pas précisément cette redéfinition que tente de Gaulle ?

Même attitude d'opposant systématique (et qui est donc parfois inévitablement à deux doigts de ce qu'on pourrait appeler de la mauvaise foi) de Mitterrand à l'égard de la politique de coopération avec les pays africains pour lesquels il garde toujours un faible. Le 10 juin 1964, Mitterrand s'écrie à l'Assemblée : « On a voulu substituer à la Communauté les accords de coopération. Mais je note au passage que lorsque la Guinée eut refusé, comme vous le lui aviez proposé, de répondre oui à la Constitution (le non n'était-il pas une option à l'avance acceptée par la France ?) non seulement elle fut exclue de la Communauté, mais encore on lui interdit, par punition sans doute, le bénéfice des accords de coopération, lesquels étaient pourtant parfaitement prévus dans cette hypothèse par la Constitution. (...) C'est ainsi que la politique d'aide aux pays en voie de développement, la politique de " leadership " du Tiers Monde n'est que le résultat d'une somme incroyable d'échecs sur tous les terrains de la politique extérieure. »

Mitterrand a parfaitement raison. La politique africaine de de Gaulle – et en tous les cas celle qu'a menée en son nom Jacques Foccart – a été catastrophique et souvent, en plus, ridicule (soutien à bout de bras de régimes grotesques comme celui de l'abbé Fulbert Youlou, corrompus comme celui du sinistre Tombalbaye, opérations militaires aventureuses et criminelles comme celle du Biafra ou celle du Tchad, etc.). Mais s'il n'avait pas été, une fois encore, l'opposant « numéro un », Mitterrand aurait-il oublié qu'au fond la politique du Général avait curieusement ressemblé à celle qu'il avait lui même prônée quand il rêvait, fidèle en cela à l'esprit de Brazzaville, d'un grand ensemble franco-africain ?

Mais Mitterrand a assez de talent pour faire oublier aux autres ce qu'il a dit jadis, et assez de fureur pour oublier lui-même ce qu'il pense sans doute au fond de lui encore aujourd'hui. Farouchement antigaulliste, comment pourrait-il se souvenir qu'il est gaullien ? Et d'ailleurs ce n'est pas le moment de se poser de telles questions, il faut préparer le combat.

Le 15 décembre 1963, s'inspirant de l'exemple célèbre de Gambetta luttant contre le maréchal de Mac Mahon, la Ligue pour le combat républicain et le Club des Jacobins décident d'organiser un « déjeuner des Mille » à Saint-Honoré-les-Bains, c'est-à-dire dans la circonscription même de Mitterrand. Il y a huit cents élus locaux, plus des personnalités des deux clubs, des gens de l'U.D.S.R., des radicaux, des socialistes, des francs-maçons. Autour de Mitterrand et d'Hernu, puissances invitantes, on reconnaît Maurice Faure, actuel président du parti radical, Gérard Jaquet de la S.F.I.O., et quelques autres. Le grand sujet du jour c'est l'organisation de l'opposition au régime gaulliste, l'unification de toutes les forces hostiles à de Gaulle qui sont, pour l'instant, bien insignifiantes, bien diffuses, mais qui, tout de même, apparaissent. On parle aussi des prochaines élections présidentielles qui doivent avoir lieu dans un peu plus de deux ans et pour lesquelles personne n'ose seulement imaginer un candidat qui aurait l'impudence de se présenter contre le Général.

Toute la presse retient une seule phrase de Mitterrand : « Pourquoi ne pas nous rapprocher le plus tôt possible, demain rien ne sera comme hier si nous le décidons. » On sait maintenant officiellement (il l'a « avoué ») – mais on s'en était douté sur le coup – que quand on cherchait ce 15 septembre, dans cette petite station balnéaire de la Nièvre, un candidat possible à opposer à de Gaulle pour ces premières élections d'un président de la République au suffrage universel, Mitterrand avait déjà sa « petite idée ».

Dans *Ma part de vérité*, il écrira en 1969 : « Depuis 1962, c'est-à-dire depuis qu'il a été décidé que l'élection du président de la République aurait lieu au suffrage universel, j'ai su que je serais candidat. Quand ? Comment ? Je ne pouvais le prévoir. J'étais seul. Je ne disposais de l'appui ni d'un parti, ni d'une Église, ni d'une contre-

Église, ni d'un journal, ni d'un courant d'opinion. Je n'avais pas d'argent et n'avais pas à en attendre des sources de distribution aussi classiques que discrètes que tout le monde connaît. Autant de raisons pour ne pas être candidat, à moins que ce ne fussent autant de raisons pour l'être. » Voilà encore une de ces confidences attendrissantes, plus littéraires que politiques, dont nous parlions. Comme c'est à la fois maladroit et révélateur ! Et donc, somme toute, sympathique. Lors du référendum de 1962 sur l'élection du président de la République au suffrage universel, Mitterrand a voté non. Certes, parce qu'il ne pouvait pas soudain se mettre à dire oui au Général et parce que ce référendum, comme tous les référendums, ressemblait à s'y méprendre à un plébiscite, mais aussi parce qu'il était, en bon républicain, tout à fait hostile à l'élection par le peuple du chef de l'État. Or que se dit-il au moment même où il dépose son non dans l'urne ? « En 1965, je me présenterai contre lui ! » Il sait qu'il n'a aucun moyen, que c'est ridicule... David contre Goliath, le fils contre le père, rien ne l'arrêtera, l'amour-haine vis-à-vis de de Gaulle lui donnera des forces qui lui feront déplacer des montagnes. Il le sait, il le sent. Curieux personnage !

Et il commence tout de suite à déplacer ses montagnes.

Au « déjeuner des Mille », il a fait le plein de son acquis, c'est-à-dire pas grand-chose : les radicaux (pas tous), quelques socialistes (bien peu), les clubs qui n'existent pas en fait. Il a deux ans maintenant pour s'attaquer à de Gaulle qui obtient généralement quinze à seize millions de voix si on en juge d'après ses derniers « plébiscites » ! Sur sa droite, il sait qu'il n'obtiendra rien et il ne croit, d'ailleurs, toujours pas en une démocratie chrétienne quelconque donc il est inutile de faire des avances aux Républicains populaires qu'il a d'ailleurs toujours détestés et qui le lui rendent bien. Il ne lui reste alors plus qu'à regarder vers sa gauche. Et n'a-t-il pas été ministre de Guy Mollet ?

Il ne perd pas de temps. Cinq jours avant le déjeuner de Saint-Honoré-les-Bains, il avait écrit dans *Le Courrier de la Nièvre* un article que tous les participants au repas ont pu lire et qui est pour le moins explicite : « Mon attitude à l'égard des communistes est simple : tout ce qui contribue à la lutte et à la victoire contre un régime qui tend à la dictature d'un homme et à l'établissement d'un parti unique est bon. Quatre à cinq millions d'électeurs qui sont du peuple, qui sont des travailleurs, votent communiste. Négliger leur concours et leurs suffrages serait coupable ou tout simplement stupide. De Gaulle a-t-il répudié les voix communistes lors du référendum d'avril 1962 ? Son parti n'a-t-il pas joué au jeu du « culbuto » en joignant ses votes à ceux des communistes pour abattre les gouvernements de la IVe République ? Je m'oppose toujours à ceux qui veulent enfermer les communistes dans une sorte de ghetto politique, qui veulent les traiter en citoyens de seconde zone. (...) Quand on me parle de Front populaire cela me fait sourire. Y a-t-il tellement que cela à rougir du Front populaire ? J'ajouterai que si faire le Front populaire c'est appeler les communistes au gouvernement, Léon Blum ne l'a pas fait en 1936, tandis que de Gaulle l'a fait en 1944. » Il ne veut même pas aller aussi loin que son grand modèle !

Quelques jours après ce premier appel du pied vers le P.C.F., il s'adresse aux socialistes. Il participe à des colloques informels où on retrouve, entre des étudiants de l'U.N.E.F., des jeunes agriculteurs du C.N.J.A., des intellectuels des clubs ou du P.S.U., quelques militants de la S.F.I.O. qui viennent ici « s'aérer » derrière Georges Brutelle, adjoint de Guy Mollet. Et Mitterrand s'écrie soudain : « Je dis tout de suite à mes amis socialistes organisés : sur tout ce que vos congrès ont adopté depuis des années (en tout cas depuis que, moi, j'ai l'âge de citoyen), il n'y a pas de divergence entre nous. Il faut bien que ce soit établi ici, sur les grandes lignes adoptées par vos congrès quant à la réalisation d'une société socialiste, il n'y a pas entre la plus large partie des inorganisés que nous sommes et les socialistes ayant reçu l'onction pour s'appeler ainsi, de divergence ; nous sommes favorables – et je les ai relus – à chacun des points que vous avez, majoritairement, votés dans vos congrès. Il faut que ce soit clair. (...) Nous éprouvons une sorte de dilection à nous sentir étroitement d'accord avec des hommes dont tant de querelles nous ont séparés et que nous sommes si heureux de retrouver aujourd'hui. Donc pas de préjugés ! (...) Oui, moi, je le crois vraiment, le choix socialiste est la seule réponse à l'expérience gaulliste. » C'est, bien sûr, un peu énorme comme opération de charme. Mais il a au moins l'honnêteté d'avouer au cours de la dernière phrase les raisons de son ralliement qui, sinon, aurait pu sembler bien tardif à certains : c'est le gaullisme qui le rend socialiste !

Mitterrand pourrait donc bien devenir soudain le « Monsieur X », c'est-à-dire le candidat idéal contre de Gaulle qu'on cherche depuis quelque temps et que la presse évoque de plus en plus, sous l'influence d'ailleurs d'un autre candidat... Mais l'autre candidat en question, sentant brusquement le danger qu'il y aurait à rester silencieux devant ce Mitterrand qui s'agite beaucoup, abat si ce n'est ses cartes, du moins son masque : le 18 décembre 1963, Gaston Defferre, député-maire socialiste de Marseille, annonce qu'il est candidat, et tout le monde reconnaît qu'en effet il ressemble à « Monsieur X » comme deux gouttes d'eau. L'opération Mitterrand capote, avant même d'avoir vraiment commencé ! Du moins le croit-on sur le moment...

François Mitterrand, beau joueur, s'incline. Il n'a d'ailleurs pas le choix, Defferre est autrement plus puissant que lui, puisqu'il a tout de même tout l'appareil du parti socialiste. Dès le 19 décembre, le député de la Nièvre écrit : « Maintenant Gaston Defferre doit se tourner vers les républicains, tous les républicains épris de justice, de liberté et de progrès et désireux de garantir l'autorité de l'État que compromet l'arbitraire du régime actuel. (...) On demandait un capitaine pour l'équipe de France qui combattra le pouvoir personnel. J'approuve la décision de Gaston Defferre et je lui dis que nous serons nombreux à serrer les coudes autour de lui. » (*Le Monde* du 20 décembre 1963.)

Va-t-il vraiment soutenir loyalement Defferre ? On peut se poser la question. C'est beaucoup plus difficile d'y répondre. Le 7 juin 1964, alors que la candidature de l'ancien ministre de la France d'Outre-Mer prend une certaine ampleur, Mitterrand déclare devant la Convention préparatoire des institutions républicaines : « Defferre existe. Il est socialiste. Il est l'élu de son propre parti et il est candidat. Notre devoir est de savoir de quelle manière on peut l'aider. C'est sans la moindre hésitation, bien que je porte en moi beaucoup de critiques, que j'estime nécessaire de soutenir Defferre. » Certains mauvais esprits pourraient donc voir chez Mitterrand, pour le moins, quelques réserves, une nuance de jalousie derrière les critiques nombreuses qu'il porte en lui et qu'il insinue. Peut-être ?

Mais en tout état de cause, il y a très vite une divergence fondamentale entre Defferre et Mitterrand sur l'analyse de la situation. Notre homme est convaincu – et il l'avait prouvé avant même la candidature de Defferre, quand il ne pensait qu'à la sienne – que pour avoir une chance un peu sérieuse de battre de Gaulle, il faut avoir les voix communistes. « Monsieur X » est, lui, persuadé qu'il faut éviter les voix du P.C. comme la peste car elles feraient fuir les autres électeurs et qu'on doit, au contraire, « mordre » le plus possible vers le centre et donc vers les démocrates chrétiens. Il a d'ailleurs déjà récupéré Lecanuet et son M.R.P. Mitterrand refait ses calculs et n'y croit toujours pas. Il le dit carrément au cours de réunions qui rassemblent des états-majors favorables à Defferre, en juin 1965, et où on retrouve la S.F.I.O., les radicaux, le M.R.P. et les clubs : « Nous devons accepter n'importe quelle alliance lorsqu'il s'agit de battre le pouvoir personnel. »

L'entêtement de Defferre et son échec (car le député-maire de Marseille va devoir finalement renoncer à sa candidature le 25 juin 1965) ont certainement beaucoup marqué Mitterrand. Cette expérience qu'il a vécue lui a permis « d'observer le terrain » et de voir que sa première analyse était la bonne. Il fallait aller vers la gauche, c'était la seule issue que laissait de Gaulle ; il fallait, non seulement, se dire adversaire du pouvoir personnel, ce qui aurait pu convenir, somme toute, à bien des familles politiques, mais, contre le Général, il était indispensable de se présenter comme « socialiste ». Le thème de la « dictature personnelle du Général » n'était pas suffisant, il ne passait pas. Il fallait donc aussi aller chercher tous les mécontents, toutes les victimes de la société française et ceux-là on ne les trouvait, bien sûr, qu'à gauche. Si Defferre avait dû déclarer forfait c'est parce que ce membre de la S.F.I.O. avait préféré tenter de charmer les chrétiens du M.R.P. que de rester fidèle à « sa gauche ».

Quand on avait discuté pour savoir si la fédération qui allait patronner la candidature de Defferre devait se qualifier de « socialiste », Mitterrand s'était écrié : « Ne pas l'appeler Fédération démocrate socialiste serait une grave faute, car ce serait laisser le champ libre à certaines fractions socialistes, voire au parti communiste. Et d'ailleurs le socialisme ce n'est pas seulement un parti, c'est une espérance, quelque chose de beau et d'exaltant. »

Dès que Defferre abandonne, Mitterrand sait, cette fois, que c'est « sa chance » et qu'il va pouvoir être candidat. Au fond, Defferre lui a préparé la voie, lui a grandement facilité les choses en réussissant à regrouper, tant bien que mal, quelques forces politiques, ce qui aurait été, sans doute, plus difficile à Mitterrand, seul et peu populaire alors, que ce ne le fut à l'un des grands de la S.F.I.O.

Mais Mitterrand est toujours très solitaire : à part ses amis et surtout Charles Hernu qui le pousse beaucoup, il n'a derrière lui que la Convention des institutions républicaines, une association de quelques-uns des clubs à la mode qui se sont rassemblés autour de la Ligue pour le combat républicain et du Club des Jacobins et qui n'a vraiment pris forme qu'au cours d'un séminaire qui s'est tenu à Saint-Gratien, chez Léon Hovnanian, un ami de

Mitterrand, en juillet 1965, au lendemain de l'échec de Defferre.

Mais cette solitude est, en fait, très utile pour sa candidature : d'abord, elle rassure Guy Mollet, toujours très ombrageux, qui n'avait pas été emballé par la candidature de Defferre ; elle faisait apparaître brusquement, pour Mollet, un rival au sein de « sa » S.F.I.O. Ensuite, cette solitude ravit les communistes puisqu'ils comprennent tout de suite que Mitterrand ne pourra pas s'offrir le luxe de refuser leurs voix, ce qui leur permettra peut-être de sortir du ghetto dans lequel ils languissent depuis 1947.

Mitterrand prend contact, directement ou par personne interposée, avec tout le monde. Guy Mollet s'engage à le soutenir. Il est visible qu'il ne croit pas un instant aux chances de succès de Mitterrand et qu'il ne veut surtout pas qu'un autre membre de la S.F.I.O. tente sa chance. Les communistes font savoir qu'ils n'ont aucune objection contre Mitterrand qui s'est montré ces derniers temps un « sincère adversaire du pouvoir personnel ». Pour les radicaux, Maurice Faure, qui avait pensé un instant faire acte de candidature, se rend à l'évidence.

La seule opposition viendra curieusement des mendésistes qui, sentant Mitterrand sur le point d'annoncer sa candidature, lancent le nom de Daniel Mayer, le président de la Ligue des droits de l'homme, ancien ministre de Blum et actuellement membre du Parti socialiste unifié. C'est une réaction « personnelle », en fait, de la part des fidèles de P.M.F. (que Mendès lui-même ne semble pas avoir téléguidée puisqu'il apporte son soutien à Mitterrand, et aussi, d'ailleurs, ... à Mayer). Pour la petite histoire, on peut rappeler que l'avocat P.S.U., Pierre Stibbe, écrit à ce moment-là, dans *Le Monde*, une tribune particulièrement venimeuse dans laquelle on peut lire notamment : « ... Il faut un homme d'une rigueur morale absolue qui ne puisse prêter le flanc à aucune attaque d'ordre personnel. Trop d'hommes politiques ont contribué à déprécier la politique par l'opportunisme, l'arrivisme, le goût de l'intrigue ou des affaires, pour que les militants de gauche ne se montrent pas farouchement intransigeants sur la valeur morale de l'homme appelé à les représenter dans une bataille importante. » On voit ainsi qu'il n'y a pas que la droite qui utilise les arguments les plus bas pour s'attaquer à Mitterrand...

Mais Daniel Mayer accepte de se désister en faveur de Mitterrand à l'issue d'une rencontre entre les deux hommes. Et le 9 septembre 1965, après que de Gaulle eut déclaré, bien superbement, à un journaliste qui « osait » lui demander s'il allait se présenter :

« Vous le saurez, je vous le promets, avant deux mois », Mitterrand annonçait sa candidature.

« A moins de trois mois de l'élection présidentielle, les républicains résolus à combattre le pouvoir personnel – et je pense d'abord à ceux qui, par tradition, et par idéal se reconnaissent dans la gauche française – sont dans l'incertitude. J'ai approuvé et soutenu la candidature de Gaston Defferre. Il n'est pas possible, après son retrait, de laisser plus longtemps se prolonger une situation qui fait le jeu du système actuel. J'ai donc décidé de solliciter les suffrages des Français et des Françaises le 5 décembre prochain. Il appartiendra aux organisations politiques comme à chaque citoyen de se déterminer en fonction des options fondamentales qui commandent ma candidature. En effet, une telle décision ne saurait se fonder seulement sur le refus d'un mode ou d'une méthode de gouvernement. Elle se justifie aussi et surtout dans les perspectives qu'elle ouvre à la nation. Il va de soi qu'il s'agit essentiellement pour moi d'opposer à l'arbitraire du pouvoir, au nationalisme chauvin et au conservatisme social, le respect scrupuleux de la loi et des libertés, la volonté de saisir toutes les chances de l'Europe et le dynamisme de l'expansion, ordonné par la mise en œuvre d'un plan démocratique. J'appelle ceux et celles qui ne se résignent pas à l'abandon de leur responsabilité civique à se joindre au combat pour une nouvelle espérance. » (Texte diffusé par l'Agence France-Presse, le 9 septembre 1965.)

« Moi, général de Gaulle, actuellement à Londres, j'invite les officiers et les soldats français qui (...) à se mettre en rapport avec moi... » On pourrait, en effet, comparer les deux appels, mais tous les appels se ressemblent. Ce qui est plus intéressant à relever, au-delà de la grandiloquence tout de même un peu excessive (notamment l'appel au « combat pour une nouvelle espérance »), c'est l'aveu que cette décision ne peut pas se justifier simplement par le refus du pouvoir personnel et qu'il faut ajouter à la haine qu'on peut avoir pour de Gaulle un « vernis » politique. C'est indiscutablement ici que se situe le grand virage politique de notre héros.

Le gaullien qu'il est (avec sa volonté de grandeur pour la France, avec son désir d'un État fort, avec son goût pour le style – et cela va de la démarche de Mitterrand à son goût pour le coup d'éclat politique en passant par sa langue d'écrivain du XIXe, devient un « homme de gauche » parce qu'il croit avoir trouvé là la faille de son adversaire. Et il est vrai que de Gaulle est alors devenu, du moins sur un plan superficiel, un homme de droite (n'oublions pas tout de même que, sur le fond, il y aura encore le discours de Pnom Penh, le mythe de la « participation », le rêve de la régionalisation, etc.). Mais c'est bien ici qu'on se perd entre les notions de droite et de gauche.

Ils sont l'un et l'autre gaulliens avec tout ce que cela signifie de réactionnaire. Mais en même temps, de Gaulle, personnage déjà entré dans l'histoire, veut voir plus loin et créer le monde politique futur car cet ancien rebelle de 1940 qui n'a pas hésité – comme l'a noté Mitterrand – à « trahir sa classe », sait parfaitement que nous vivons encore sur les « découvertes » politiques de la fin du XVIIIe siècle ; il tâtonne donc avec cette participation, avec cette régionalisation, avec de nouveaux pouvoirs qui émergent mais qu'on connaît mal. Peut-on alors en faire un conservateur, même si le pouvoir qu'il détient l'oblige à « conserver » et même si son entourage tient à « sauvegarder ». De son côté, Mitterrand est obligé de pactiser avec des forces qui sont certes de gauche mais qui n'ont rien de très nouveau. La S.F.I.O. de Guy Mollet, le P.C. de Waldeck Rochet (Thorez est mort en 1964), tout cela n'est pas très « jeune », très « progressiste »... Mais revenons à ce mois de septembre 1965.

Mitterrand va se lancer à corps perdu dans la campagne. Il n'est entouré réellement que par son « gang » d'amis traditionnels et par la Fédération de la gauche démocrate (la « petite », la « grande » ayant sombré avant même d'exister avec la tentative Defferre) qui est officiellement fondée le 10 septembre 1965.

Les partis politiques « amis » soutiennent Mitterrand mais celui-ci ne veut à aucun prix être leur homme, leur candidat et d'ailleurs c'est sa seule chance, en maintenant l'équivoque, de bénéficier de leur soutien. La S.F.I.O. lui a bien fait savoir qu'elle ne voulait pas d'une campagne commune avec le P.C. et le parti de Guy Mollet est tout de même la clé de voûte de l'opération. Les socialistes ne souhaitent surtout pas agiter le spectre du Front populaire... Mitterrand non plus d'ailleurs qui, s'il a condamné les calculs de Defferre, espère tout de même bien lui aussi « mordre » au centre le plus possible. Il refuse donc toute négociation avec le parti de Waldeck Rochet et ne rencontrera jamais les dirigeants du P.C. pendant la campagne. Ce sont ses lieutenants, Charles Hernu, Roland Dumas ou Claude Estier qui seront chargés des contacts, des « missions d'information » (selon la terminologie exacte), qu'on veut les plus discrets possibles. Mitterrand accepte les voix du P.C. et estime être ainsi déjà bien gentil avec lui. Quand certains dirigeants communistes souhaitent un « programme commun », Mitterrand s'insurge et refuse. Waldeck Rochet est alors obligé de se contenter d'une « plate-forme acceptable ». Le seul cadeau que consent le candidat à la présidence pour obtenir les quelques millions de voix que représente le P.C., c'est de répéter qu'il se refuse à « toute exclusive ». Cadeau insignifiant aux yeux du grand public mais qui, pour les communistes, est sans prix : c'est leur sortie du fameux ghetto. Pour le moment ils n'en demandent pas plus.

Avec les radicaux, c'est plus compliqué. Indiscutablement, les « enfants d'Édouard Herriot » regrettent la candidature de Gaston Defferre qui, tout en étant « de gauche », ce qui leur plaisait assez puisqu'ils se veulent eux-mêmes « gens de gauche », les plaçait au centre de l'opération car le député-maire de Marseille allait assez loin vers le centre droit. Et puis pour les radicaux qui sont maintenant devenus le vrai parti-charnière, cela pose des problèmes de susceptibilité et d'amitiés. En effet, ils font partie du Rassemblement démocratique (avec le Centre républicain et l'U.D.S.R.) et donc comptent Mitterrand parmi leurs compagnons de route mais, en même temps, ils font partie du Comité des démocrates avec le M.R.P. et le Centre national des indépendants. Or le M.R.P. a décidé d'avoir, lui aussi, son candidat, et tout le monde sait déjà que ce sera Jean Lecanuet. Félix Gaillard et Maurice Faure, affolés par les voix communistes que va obtenir Mitterrand, sont nettement favorables à Lecanuet... Ce n'est qu'au dernier moment que les radicaux finiront par se prononcer pour la candidature de Mitterrand, en déclarant, du bout des lèvres, qu' « ils apprécient la portée et la valeur de la candidature de Jean Lecanuet, mais que, fidèles à leur tradition de parti de gauche, ils recommandent à leurs militants de soutenir la candidature de François Mitterrand ». *(Sic !)* Cette prise de position des radicaux, qui peut faire sourire par son jésuitisme bien radical, est très révélatrice. Elle prouve que Mitterrand a eu raison dans tous ses paris. Il a bien fait, d'une part, de se présenter comme un candidat « de gauche », ce qui oblige tous les partis qui se prétendent tels à être logiques sinon sincères et à le soutenir ; il a eu raison, d'autre part, de faire du « forcing » du côté des communistes, car en dépit de la répugnance de chacun, personne ne pouvait en fait (contrairement à ce qu'avait pensé Defferre) se permettre de refuser de mêler ses voix à celles des communistes, du moins jusqu'au centre gauche.

Si Mitterrand se présente bien comme le candidat de la gauche en général, mais d'aucun parti en particulier, si, sur ses affiches, on ne voit apparaître ni le sigle du P.C., ni celui de la S.F.I.O., ni celui des radicaux, ni même d'ailleurs celui de l'U.D.S.R., si les cent (ou deux cents) millions qu'il va dépenser pour cette campagne ne viennent d'aucune caisse noire d'aucun parti, si son slogan préféré reste : « Mitterrand, un président jeune pour une France moderne » (slogan qui, vu l'âge du général, pouvait convenir à n'importe qui, mais qui n'était guère courtois à l'égard de de Gaulle et qu'on pourra, avant longtemps, opposer à Mitterrand qui lui aussi vieillit), il faut bien dire que, dans tous ses discours, il ménage avec beaucoup d'habileté toutes les formations qui le soutiennent, et c'est normal.

Mais en relisant ses paroles on a souvent presque envie de sourire tant d'équilibre, les clins d'œil, les appels du pied sont bien distribués. A croire qu'en préparant chacune de ses phrases, il faisait dans sa tête le calcul des voix (disparates) que chacun allait lui rapporter. Il y a un mot sur les nationalisations (voix communistes), un mot sur la défense de l'Europe (voix socialistes), un mot sur la défense du citoyen (voix radicales), un mot sur la condamnation de « l'Europe des trusts et des cartels » (voix communistes de nouveau), puis, sans pudeur, sur l'Alliance atlantique (voix socialistes une seconde fois), puis ce sont les libertés fondamentales (les radicaux derechef). Tout cela « passe » très bien pour qui n'est pas trop regardant, et personne, en ce moment, ne veut l'être, mais on finit par se demander, en voyant tout le monde applaudir, pourquoi donc tous ces gens-là se sont-ils entre-déchirés, sur ces mêmes thèmes pendant si longtemps...

Cependant, il faut reconnaître qu'avec beaucoup de prudence, Mitterrand présente tout de même un véritable programme politique tout au long de sa campagne. Il offre ce qu'il appelle lui-même « sept options » qui traitent des institutions, des libertés, de l'Europe, de la force de frappe, de la planification, de la justice sociale et de l'Éducation nationale. C'est un programme certes incomplet mais cohérent.

Pour les institutions – l'un de ses thèmes favoris – il rejette à la fois la IVe (les gaullistes l'accusent continuellement d'être un survivant de cette IVe), qui fut un « régime d'anarchie », et la Ve, qui est le « régime du pouvoir personnel ». Et il propose l'abrogation des articles de la Constitution « qui donnent aux excès du pouvoir l'alibi de la loi », c'est-à-dire l'article 16 sur les pleins pouvoirs, l'article 11 sur le référendum, les articles qui ont trait au Conseil constitutionnel « qui n'est plus qu'un instrument de l'exécutif », au Conseil supérieur de la Magistrature, « simple donneur d'avis », l'article 89 sur la révision de la Constitution, etc.

Pour les libertés, il se fait l'avocat de quatre libertés qui, selon lui, sont menacées : les libertés individuelles, et c'est le procès de la « justice gaullienne » avec notamment sa Cour de sûreté de l'État ; le droit à l'information, et c'est le procès de l'O.R.T.F., « organe exclusif du pouvoir » ; les libertés syndicales, et Mitterrand affirme que le droit de grève a été « battu en brèche par la loi de 1963 » ; les libertés locales, et c'est la défense des communes, « cellules mères de la démocratie (...) que le gouvernement, par des mesures autoritaires, veut prendre en main ». (France-Inter, 30 novembre 1965.)

Pour l'Europe où il aurait pu être « gêné aux entournures », devant ménager à la fois la S.F.I.O. et le P.C., il reste prudent mais fidèle à ses vieilles convictions européennes : il est « pour l'Europe politique » et « contre celle des trusts » – reprenant ainsi une formule chère au parti communiste. (*Le Nouvel Observateur* du 29 septembre 1965.) Position donc particulièrement habile ! Et il s'offre même le luxe d'ironiser sur son concurrent « européen » (Lecanuet) en déclarant dans une belle envolée : « L'Europe est trop belle et trop grande pour pouvoir appartenir à un clan ou à une fraction politique. Confisquer l'Europe serait la trahir. » (*Le Combat républicain* n° 1, il s'agit d'un bulletin que publieront les amis de Mitterrand pendant toute la durée de la campagne.)

Pour la force de frappe, il est catégorique, il est vrai qu'il n'a là aucun problème avec ses « alliés » : « Je suis catégoriquement hostile, déclare-t-il, à France-Inter le 25 novembre 1965, à la force de frappe. Si l'on me démontrait que la force de frappe assurait la sécurité de la France menacée, j'aurais le réflexe que j'ai eu pendant la dernière guerre, je me battrais pour mon pays et j'accepterais tous les armements qui me permettraient d'assurer mon indépendance nationale, et d'autre part si on me disait que cela coûte cher d'assurer la liberté de la France, je dirais, eh bien, que cela coûte cher, je préfère encore la liberté. Mais comme je suis absolument sûr, parce que personne ne m'a encore démontré le contraire, que non seulement la bombe atomique ne garantit pas la liberté de la France, mais accroît l'insécurité en créant de nouvelles chances de guerre et de conflits et qu'au demeurant on choisit une politique militaire coûteuse, ruineuse, inutile et dérisoire plutôt qu'une politique qui assurerait plus certainement la vraie grandeur de la France, alors je suis contre la bombe atomique et contre l'armement nucléaire quel que soit l'argument qu'on emploie. » On sait que Mitterrand changera d'avis plus tard sur ce sujet et reconnaîtra que la force de frappe est « un fait irréversible ». Tout le monde peut se tromper...

A propos de la planification, Mitterrand s'en prend à toute la politique économique du régime qui, selon lui, n'aide « ni l'expansion, ni la progression des investissements » et préfère « donner les privilèges aux grandes entreprises, alors que la masse des travailleurs voient leur revenu s'accroître plus lentement et leurs charges augmenter ». Pour le candidat de la gauche dont l'économie n'est jamais la matière forte : « Il faut prévoir les conséquences sociales des transformations économiques, fixer les lignes directrices, corriger les effets des mécanismes aveugles du marché et faussés par les pratiques des monopoles, exprimer une volonté collective de développement économique (...) encore faut-il que cette planification soit établie démocratiquement. »

La justice sociale est un thème cher à tout candidat. Elle permet, au risque de faire de la démagogie, de faire miroiter des lendemains meilleurs à tout le monde en cas de victoire. Mitterrand n'oublie personne. Ni les mal logés : « Nous bloquerons, au moins provisoirement, le prix des terrains à bâtir, nous relèverons à 600 000 logements la cadence annuelle de construction, nous concentrerons les aides de l'État sur 250 000 logements sociaux. (...) » Ni les mal payés : « Nous supprimerons les zones de salaires. » Ni les agriculteurs : « Nous redonnerons la parité de son revenu à l'agriculteur. » Ni les femmes, il leur promet l'égalité des salaires, mais aussi, et ce qui est sans doute plus important, plus courageux, l'abrogation de la loi de 1920 sur l'avortement : « Je n'ai pas dit comme beaucoup d'autres le disent : il faut donner aux femmes le droit de ne pas avoir d'enfants ; je dis : il faut leur donner le droit d'en avoir, mais par l'emploi, par les salaires, par la protection sociale, précisément par les conditions données à l'épanouissement d'un foyer pour une vie heureuse. » Ni les anciens combattants, auxquels il promet des pensions indexées au coût de la vie. Ni les vieux devant lesquels il s'engage à faire appliquer les conclusions de la Commission Laroque (217 F par mois). Ni les rapatriés, auxquels il promet l'indemnisation et l'amnistie. Ni les commerçants : « Le devoir de l'État consiste à aider le commerçant à remplir sa mission et non à le traquer. » Bref, il n'oublie personne. « Demain on rasera gratis ! » Mais il est candidat et personne ne peut lui reprocher de n'avoir que de bonnes intentions. Et d'ailleurs on ne peut toujours pas lui reprocher de ne pas avoir tenu ses promesses !

Enfin l'éducation nationale, il en fait « la priorité des priorités », formule qu'avait déjà lancée Gaston Defferre.

Le 25 novembre 1965, Mitterrand rend publiques, dans *Le Combat républicain*, le journal de sa campagne, les « vingt-huit propositions concrètes » : « 1. Un gouvernement de gestion ; 2. Des modifications constitutionnelles ; 3. Un contrat de gouvernement et un gouvernement de législature ; 4. Suppression de la législation d'exception ; 5. Adoption d'un nouveau statut de la radio-télévision ; 6. Abolition des textes sur la restriction du droit de grève ; 7. Droits de contestation des sections syndicales au niveau de l'entreprise ; 8. Création d'une caisse nationale des collectivités locales ; 9. Reprise immédiate des négociations sur le Marché commun pour aboutir à la réalisation de l'Europe verte ; 10. Création d'une autorité politique européenne ; 11. Participation de la France à la conférence du désarmement ; 12. Plan pour la non-dissémination des armes nucléaires ; 13. Signature du pacte de Moscou sur l'arrêt des expériences nucléaires ; 14. Révision de l'O.T.A.N. par négociation amiable ; 15. Plan d'aide au Tiers Monde ; 16. Reconversion catégorique de la force de frappe française, arrêt des troisième et quatrième étages de l'usine de Pierrelatte ; 17. Table ronde gouvernement-syndicats ouvriers et organisations agricoles ; 18. Un nouveau Ve Plan ; 19. Une législature, un plan ; 20. Création d'un ministère de l'Économie et du Plan et d'un secrétariat d'État à l'Économie régionale ; 21. Respect des priorités régionales ; 22. Création d'une banque nationale d'investissements ; 23. Relèvement des abattements à la base et des déductions pour charges familiales ; 24. Aide aux catégories les plus défavorisées (application des recommandations de la commission Laroque, rapports constants pour les anciens combattants, indemnisation pour les rapatriés, égalisation des salaires masculins et féminins) ; 25. Autorisation de la régulation des naissances ; 26. Réservation de 25 % du budget civil à l'éducation nationale ; 27. Remise en ordre énergique des services de police ; 28. Examen des principes d'une politique démocratique dans les territoires et départements d'Outre-Mer. » On peut noter au passage qu'un certain nombre de points de ce programme ont été mis en œuvre depuis, mais par d'autres que Mitterrand il est vrai...

François Mitterrand a mené une campagne très brillante. Il a tenu des dizaines de réunions aux quatre coins de la France, parfois plusieurs par jour, se déplaçant en voiture, en avion, en hélicoptère, donnant des interviews, rencontrant tout le monde, prenant des bains de foule, bref, ne ménageant pas sa peine. Il partait vaincu et presque ridicule. Pour l'opinion publique, bien souvent, l'abandon, avant même le combat, de Defferre avait démontré que le défi était grotesque. Et pour cette même opinion Mitterrand, non seulement, n'était pas un « homme de gauche » mais encore et surtout il avait une fort mauvaise image. C'était un survivant de la IVe qui tentait de refaire surface et, en plus, il traînait derrière lui un certain nombre de scandales. De Gaulle d'ailleurs ne prit pas la peine de faire campagne. L'incarnation de la légitimité française, il est vrai, n'avait pas à entrer dans l'arène, même pour sauvegarder son « trône ».

Mais petit à petit les sondages (dont on doutait encore, il est vrai, à l'époque) commencèrent à annoncer que le député de la Nièvre pourrait bien mettre le Général en ballottage. Crime de lèse-majesté !

Le pouvoir s'inquiète un peu. On envoie les ministres faire campagne, de Gaulle fait quelques apparitions à la télévision. Ce ne furent pas ses meilleures. Il le comprit d'ailleurs tout de suite et n'en fut que plus mauvais. Curieusement, le Général ne trouva qu'un argument : le chantage au chaos, qui irrita certains électeurs.

Brusquement, un bon nombre de Français trouvent le Général vieilli, oublient le bilan qu'il peut tout de même présenter (la paix en Algérie, le redressement économique, la stabilité politique, le prestige de la France, etc.) et pensent que, finalement, maintenant que le danger est passé, on pourrait, peut-être, renvoyer « l'homme providentiel » dans son village. Mitterrand, lui, est très bon. Si ses alliances ne le mettent pas tout à fait à l'aise, si son programme n'est en fait qu'une série de compromis, il l'a bien vite oublié. Cette campagne c'est la chance de sa vie, son combat personnel, il pense moins à entrer à l'Élysée (il n'y a jamais cru sincèrement) qu'à blesser son adversaire, non pas lui faire mordre la poussière, mais lui faire mal, lui prouver qu'il existe, lui Mitterrand, et qu'on a eu tort de l'ignorer. Il faut aussi qu'il se venge de la francisque, de l'affaire des fuites, de celle de l'Observatoire, de toute cette meute, souvent minable, de barons et de sous-barons du régime qui l'ont traîné dans la boue. Alors tout cela lui donne un sursaut d'énergie, de talent surtout. Fabuleux règlement de compte avec le héros, avec le père, avec soi-même aussi.

Quelques instants avant la fin de la campagne, dans sa dernière intervention à la télévision, le 3 décembre 1965, Mitterrand réussit sans doute l'un de ses meilleurs « morceaux de bravoure » :

« Françaises, Français, non, ce n'est pas vrai, vous n'aurez pas à choisir, dimanche, entre la IVe et la Ve République. Pas plus que vous n'aurez à choisir entre le ministre de la IVe que je fus, à trente ans, et le ministre de la IIIe République que fut le général de Gaulle dans le gouvernement de la débâcle. Non, ce n'est pas vrai, vous n'aurez pas à choisir, dimanche, entre le soldat qui incarna l'honneur de la patrie le 18 juin 1940 et une génération qui aurait manqué à ses devoirs. Dans les camps de prisonniers de guerre, dans les rangs de la Résistance intérieure, tout un peuple de Français s'est levé, comme de Gaulle, et avec lui, pour conquérir le droit d'être libre. Non, ce n'est pas vrai, vous n'aurez pas à choisir, dimanche, entre le désordre et la stabilité. Le désordre vous l'avez condamné et personne n'osera y revenir. Quant à la stabilité, qui donc la remet en question sinon celui qui proclame qu'il n'y a plus en France que lui, qui serait tout, et les autres, qui ne seraient rien. Non, ce n'est pas vrai, vous n'aurez pas à choisir, dimanche, entre le régime actuel et celui des partis. (...)

« Je ne suis pas l'homme d'un parti. Je ne suis pas l'homme d'une coalition de partis. Je suis le candidat de toute la gauche, de la gauche généreuse, de la gauche fraternelle qui, avant moi, qui, après moi, a été et sera la valeur permanente de notre peuple. (...) Je vous dirai peut-être de vieux mots, mais pour moi, pour nous tous, hommes et femmes de la gauche, femmes et hommes de progrès, ils ont gardé toute leur valeur. Ils s'appellent Justice, Progrès, Liberté, Paix. Quand j'avais vingt-cinq ans, je me suis évadé d'Allemagne. J'aime la liberté. J'ai rejoint le général de Gaulle. J'aime la liberté. Je suis revenu dans la France occupée pour reprendre ma place au combat. J'aime la liberté. Mais qu'est-ce que la gauche sinon le parti de la liberté. Encore et toujours rappelez-vous. Ce sont les mots de la Marseillaise : « Liberté, liberté chérie, combats avec tes défenseurs. » (...) Il y a dans notre décision de dimanche toutes les promesses de l'espérance. Croire en la justice et au bonheur, c'est cela le message de la gauche. »

C'est là, sans aucun doute, l'une des plus belles philippiques que les téléspectateurs français auront pu entendre et qui mérite de rester dans les anthologies de la littérature politique. Mais un psychanalyste pourrait y relever des indications intéressantes !

D'abord cette invraisemblable répétition de non. Le candidat ne se présente pas lui-même. Il n'est que la négation de son adversaire, il n'est quelque chose que grâce à son adversaire et contre lui. C'est l'éclatement du non du capitaine Morland, du non de mai

1958. Et puis c'est l'étalement en plein jour de cet éternel « complexe » à l'égard de de Gaulle. Et, d'une phrase, il compare les deux vies : même si plus personne ne veut de la IVe, il ne peut pas s'empêcher d'être encore fier d'avoir été ministre « à trente ans », même si ce fut sous ce régime honni ; et, soudain, il se souvient que de Gaulle lui-même a été ministre sous la IIIe dans un « gouvernement de débâcle ». Fallait-il qu'il y ait cette haine personnelle pour oser évoquer comme image de l'homme du 18 juin celle du sous-secrétaire d'État à la Défense de Paul Reynaud et faire mine de le lui reprocher, alors qu'on peut difficilement rendre le colonel de Gaulle responsable de la débâcle ! Mais d'ailleurs de Gaulle n'a pas l'exclusive de la Résistance et s'il a bien lancé son appel du 18 juin, Mitterrand lui aussi « s'est levé, comme de Gaulle, pour conquérir le droit d'être libre », ce de Gaulle qui ose aujourd'hui avoir l'air de dire que les autres (c'est-à-dire lui, Mitterrand) « ce n'est rien ». Tout cela est merveilleusement bien dit mais relève, en effet, de la psychanalyse.

Heureusement la seconde partie du discours dépasse un peu ce règlement de comptes, et on le sent là parfaitement sincère quand il se dit « homme de gauche », ce qui pour lui veut dire « homme de la liberté ». « J'ai rejoint de Gaulle. J'aime la liberté. » Quel aveu ! Mais, et il le reconnaît parfaitement — « je vous dirai peut-être de vieux mots » —, il est un homme de gauche au sens ancien du terme, comme on le disait sans doute à Jarnac de son père. Et il précise même « homme de gauche, homme de progrès ». Ce n'est pas l'Internationale qu'il chante, c'est la Marseillaise. Certes, c'est encore là un discours électoral, mais c'est surtout son cri du cœur. Il sait qu'il ne sera pas élu dimanche, alors il dit ce qu'il pense, et comme on peut lui faire confiance quand il avoue sa haine pour de Gaulle, on doit le croire quand il s'enflamme pour la « gauche fraternelle, généreuse », qui est, et il le dit, « cette valeur permanente de notre peuple ».

Le 5 décembre 1965, Charles de Gaulle obtient 10 828 523 voix, soit 44,64 % des suffrages exprimés, il est donc en ballottage. François Mitterrand obtient 7 694 003 voix (31,72 %), Jean Lecanuet 3 777 119 voix (15,5 %), Jean-Louis Tixier-Vignancour 1 260 208 voix (5,19 %), Pierre Marcilhacy 415 018 voix (1,43 %) et Marcel Barbu 279 683 voix (0,96 %).

Mitterrand a ainsi réussi l'incroyable, il a fait vaciller de Gaulle. Qui l'aurait cru ? Bien sûr, les analystes politiques font remarquer que Mitterrand n'a pas réussi à faire le plein des voix de gauche, tant s'en faut, et que si on compare ce scrutin aux législatives de 1962 qui, pourtant, n'avaient pas été un succès pour la gauche, on s'aperçoit que Mitterrand a perdu quelque trois millions de voix. Les régions ouvrières du Nord ou de la banlieue parisienne (la fameuse « ceinture rouge ») n'ont pas voté pour Mitterrand ! Il faudra donc en tirer les conclusions qui s'imposent. Mais il n'empêche qu'il s'agissait cette fois de défier de Gaulle et que chacun sait alors qu'aucune comparaison n'est possible et que le Général a toujours trouvé une bonne partie de son électorat parmi les électeurs du P.C.F. ! Et d'ailleurs Mitterrand est arrivé en tête dans six départements du centre et dans quatorze départements du Sud-Ouest et du Midi. Les sondages révéleront alors que 87 % des électeurs communistes, 55 % des électeurs socialistes et radicaux et 6 % des électeurs du M.R.P. ont voté pour lui. C'est bien un triomphe inespéré.

Il faut maintenant préparer le deuxième tour. Si le goût de la revanche (contre le sort) sert souvent d'aiguillon à Mitterrand, l'odeur de la défaite réveillait toujours de Gaulle. Et, entre les deux tours, ce sera cette fois le Général qui sera le meilleur. Il ne méprise plus hautainement, il attaque et il écrase. Pierre Viansson-Ponté écrit dans son *Histoire de la République gaullienne* : « Le duel [télévisé pour le second round] s'ouvre le samedi 11 au soir. Surprise : le Général est descendu de son Olympe. Il a renoncé au décor noble et au ton solennel pour le dépouillement, la simplicité, la vigueur. Assis derrière une simple table, devant une tenture unie, il fait sans barguigner, un vrai discours électoral, sans métaphores ni allusions, direct et incisif. Autre surprise : son challenger, qui n'avait jamais voulu se mettre « en situation », apparaît derrière un bureau Louis XV, un vrai bureau présidentiel et prend un ton de chef d'État. Les rôles sont renversés. »

Mitterrand « passe » donc beaucoup moins bien cette fois. Et puis le magouillage politique auquel, sinon lui du moins ses amis, se livrent pour tenter de gagner quelques voix inespérées choque et redonne à Mitterrand sa mauvaise image d'homme de la IVe qu'on venait un peu d'oublier. On obtient pour le candidat de la gauche un désistement, du bout des lèvres, de Lecanuet, mais, ce qui est plus grave, toute l'extrême droite le rejoint par antigaullisme : Tixier-Vignancour qui lui offre ses 5 % de voix et, pire encore, Soustelle et Bidault (qui sont en exil) et même le capitaine Sergent, le chef de l'O.A.S. recherché soi-disant par toutes les polices de France et de Navarre. Mitterrand — qui ne croit pas au « miracle », mais on ne sait jamais... — se contente de dire : « Qu'on ne me demande pas de trier les bulletins de vote, cela n'est pas mon affaire. »

Le 19 décembre au soir, les résultats tombent : Charles de Gaulle : 13 083 699 voix (55,1 %), François Mitterrand : 10 619 735 voix (44,9 %). De Gaulle est élu, mais Mitterrand a gagné...

15. LE « TROISIÈME ROUND », LES ÉLECTIONS DE 1967

« Le Parti communiste est notre allié privilégié. »

Mitterrand a donc gagné le défi personnel qu'il avait lancé à de Gaulle. Il a réussi à le mettre en ballottage, à détruire le mythe de son invincibilité, à se présenter à la face du monde comme « l'adversaire du général de Gaulle ». Il sait que ce sera, aux yeux de l'histoire, son plus beau titre de gloire et, pour lui, c'est, en effet, le plus beau, celui auquel il rêvait depuis si longtemps. Mais les feux de la rampe se sont éteints au soir du 19 décembre et Mitterrand s'aperçoit qu'il n'est plus rien. Les trois mois qu'il vient de passer sont comme un rêve dont il se réveille en frissonnant un peu. Cette campagne menée tambour battant ressemble curieusement à un gigantesque bluff. Tout y était construit sur des mots. D'abord ce fameux non — et c'est pour cela qu'il avait réussi —, ensuite une série incroyable d'équivoques. Maintenant que la France, grâce à Mitterrand, a pu dire si ce n'est « non » à de Gaulle, du moins « attention ! », tout retombe, tout est fini, semble-t-il. Le beau mouvement populaire qu'il avait rassemblé s'est de nouveau dilué dans la foule et chacun est retourné à ses occupations. On s'est congratulé, on s'est félicité soi-même, on a complimenté Mitterrand, le preux chevalier, le champion courageux du tournoi, mais on est vite revenu chez soi, cité Malesherbes, place de Valois, ou au siège du P.C. La parenthèse est refermée et Mitterrand se retrouve solitaire, à relire les résultats département par département.

Mais le « candidat malheureux » a pris goût à la chose. Il n'y croyait pas mais il s'est rendu compte que c'était possible. Il ne lui a manqué, somme toute, que 6 % des voix! Si tous les socialistes avaient voté pour lui... Alors, tout de suite, il tourne la page et décide de continuer son combat. Les éditorialistes ont raison quand ils affirment qu'il va y avoir un troisième tour, une belle entre de Gaulle et lui et que ce sera pour les prochaines élections législatives, de mars 1967. Et d'ailleurs au cours même de la campagne il avait déclaré, sans illusions mais avec détermination : « Si je ne suis pas élu président de la République, alors ma foi ce serait une sorte d'encouragement à la continuation de l'effort. » Certes ce ne sera plus un combat solitaire, le vrai duel, mais qu'importe. Mitterrand ne porte pas non plus dans son cœur cette majorité de « godillots » et tous les moyens sont bons pour abattre le « grand homme ».

Seulement la tactique doit cette fois changer. Pour les présidentielles, Mitterrand devait être un homme seul ; c'est une position qu'il aime, lui qui a toujours préféré être entouré par quelques rares intimes plutôt que de faire partie d'un grand ensemble, lui qui avait préféré son petit mouvement de prisonniers, sa petite U.D.S.R. charnière. En décembre 1965, c'était un combat d'homme à homme comme il les aime, il n'avait été le candidat d'aucun parti, mais de l'union de la gauche, ce qui à l'époque ne voulait pas dire grand-chose. Il était un peu comme de Gaulle et ce n'était pas pour lui déplaire. De Gaulle n'était que le candidat du gaullisme, lui avait été le candidat de l'antigaullisme et certains commençaient même à dire du « mitterrandisme ». Mais cette fois tout était différent, on n'allait pas voter pour un homme mais pour 487 députés. Seul, Mitterrand ne pouvait espérer que son siège de la 3e circonscription de la Nièvre!

Il lui faut donc des structures, des partisans par centaines, par milliers, organisés, travaillant, un parti en un mot. Mais ce mot lui déplaît, il s'y sent mal à l'aise. Alors il se souvient de ses rencontres d'octobre et de novembre derniers, de cette foule qui l'acclamait et devant laquelle il s'écriait : « Vous ne trouvez pas qu'à partir de ce soir, oui vous tous, passionnés pour la politique de votre pays, vous ne trouvez pas qu'on se sent mieux comme ça? Vous ne trouvez pas que plutôt que d'être chacun de son côté à méditer à la fois sur la manière d'abattre l'adversaire commun, et puis sur la meilleure manière d'égratigner le voisin, vous ne croyez pas que c'est plus agréable de regarder en face toutes les citoyennes et tous les citoyens qui aiment la République, qui servent la démocratie, parce que pour eux ce sont des noms propres comme les noms de leur famille ? »

Bref, il récapitule et il comprend que peut-être il a déjà cette gigantesque clientèle dont il va avoir besoin en mars 1967. Il l'avait rassemblée sur son nom parce qu'il refusait de Gaulle et le pouvoir personnel, mais en la regardant, et c'était la première « vraie » foule qu'il voyait, il a découvert qu'elle était sans doute différente de celle qu'il avait imaginée et que les grands mots de « gauche », « d'espérance du peuple », de « cœur de l'homme » qu'il avait évoqués pour dire « quelque chose », elle y croyait. Cela l'avait, sans aucun doute, touché. Le tacticien était devenu antigaulliste pour des raisons personnelles et parce qu'il était juriste, puis il était devenu candidat de la gauche pour mener à bien son combat presque par « opportunisme », parce qu'il ne pouvait pas s'offrir le luxe de faire le tri des bulletins, mais voilà que finalement il avait été pris au jeu de ses propres mots et surtout il avait entendu l'écho que lui renvoyaient ses auditeurs.

Alors, il décide de rassembler tous ces gens.

Mais où ?

Quand on a été un homme de la IVe, et qui plus est de la famille radicale, et un dirigeant de l'U.D.S.R., on ne peut pas se défaire de ses vieilles (et mauvaises) habitudes. Il va se servir d'un rassemblement, regrouper des partis, noyauter, utiliser une formation charnière. Redoutable expérience des combinaisons d'antan et de l'U.D.S.R. ! Il a tout ce qu'il lui faut sous la main. La « petite » Fédération de la gauche démocrate et socialiste qui avait été fondée officiellement le lendemain de sa candidature à l'Élysée est toujours là et elle est même auréolée d'un certain prestige grâce au score du 19 décembre. Il va s'en servir et en faire la structure dont il a besoin pour mars 1967. Ce sera le grand parti mitterrandiste.

Au sein de cette fédération, il y a Guy Mollet et Gérard Jaquet pour la S.F.I.O., Jacques Maroselli et Robert Fabre pour les radicaux, Mitterrand lui-même et son ami Georges Beauchamp pour l'U.D.S.R., Charles Hernu et Ludovic Tron pour la Convention des institutions républicaines (issue de la Ligue pour le combat républicain de Mitterrand et du Club des Jacobins de Hernu). Mitterrand qui est président de cette F.G.D.S. en tant qu'U.D.S.R. (et surtout ancien héros des présidentielles), va donc pouvoir noyauter le mouvement grâce à la Convention des institutions républicaines en demandant notamment que la C.I.R. puisse recevoir des adhésions individuelles au sein de la fédération, ce qui « court-circuitera » les autres partis qui n'y sont que représentés. Pourquoi ? Tout simplement parce qu'il veut faire de la F.G.D.S. un grand parti mitterrandiste au-dessus des vieux partis structurés qui la composent. Il est à la fois intimidé par cette vieille S.F.I.O. et par ce mémorable parti radical, et bien décidé à s'en servir mais pour en faire autre chose.

Très rapidement il demande la fusion de tous les éléments de la F.G.D.S. C'est son rêve d'un grand parti travailliste (que nous avions évoqué dès 1944), d'une grande social-démocratie. Au fond, c'est sans doute le moment où il est le plus logique avec lui-même, le plus sincère. Gaullien de la famille radicale et socialisant (depuis son contact avec la foule), Mitterrand est là enfin parfaitement dans son élément. Il s'est trouvé...

Le 13 mars 1966, il s'écrie : « Les partis doivent comprendre que s'ils ne réalisent pas la synthèse, ils seront ensevelis sous les ruines de la démocratie. » Et ce même jour il lance — malheureusement — l'idée d'un « contre-gouvernement ».

L'idée en elle-même aurait pu être plaisante. Elle prouve que, brusquement, avec la naissance de ce grand parti travailliste et mitterrandiste, l'ancien candidat de l'union de la gauche a trouvé son équilibre parfait. Contre les « conservateurs » (gaullistes), cet admirateur de la démocratie britannique forme son *shadow cabinet*. Seulement, le grand parti travailliste n'existe que dans les rêves de Mitterrand. Dans la réalité ce n'est qu'un regroupement fugitif et parfois incohérent des partis d'opposition. Alors, inévitablement, le *shadow cabinet* va ressembler comme un frère à n'importe quelle combinaison ministérielle de la IVe République. Qu'on en juge. Président : Mitterrand (U.D.S.R.), assisté de Robert Fabre (radical) pour l'aménagement du territoire ; Affaires étrangères et Défense : Guy Mollet (S.F.I.O.) ; Éducation nationale et Culture : René Billères (radical), assisté de Pierre Mauroy (socialiste) pour la Jeunesse et Christian Labrousse pour les Affaires scientifiques ; Affaires sociales et administratives : Gaston Defferre (S.F.I.O.), assisté de Marie-Thérèse Eyquem et Georges Guille ; Plan : Étienne Hirsch, assisté de Ludovic Tron. L'équilibre entre toutes les formations de la F.G.D.S. est parfaitement respecté. C'était sans doute normal, mais cela fit le plus mauvais effet. Ce n'était pas là le début d'une ère nouvelle, c'était du replâtrage, le retour aux mauvaises habitudes.

Les historiens discuteront sans doute longuement sur les raisons de l'échec de la création d'une véritable Fédération de la

Gauche démocrate et socialiste, telle que l'avait rêvée Mitterrand, c'est-à-dire un grand parti dans lequel S.F.I.O., radicaux et autres se seraient fondus. Cet échec, comme celui du rêve travailliste de 1944 aura, en effet, des conséquences graves pour l'avenir de la vie politique française, ne serait-ce que parce qu'il obligera Mitterrand qui reste, ainsi, sans structure, à aller en chercher une déjà toute faite : la S.F.I.O.

Pourquoi Guy Mollet, pour les socialistes, et René Billères, pour les radicaux, n'ont-ils pas voulu jouer le jeu que leur proposait Mitterrand ? Les amis du futur dirigeant du futur P.S. répondent que le député-maire d'Arras tenait trop à son fauteuil de secrétaire général de la S.F.I.O., et qu'il ne voulait rien changer à la vieille maison dont il avait hérité au lendemain de la Libération. Et s'ils ne peuvent pas soupçonner René Billères de cette même « jalousie » personnelle mêlée à un sens profond du « patrimoine à sauvegarder », ils l'accusent de passéisme. C'est un peu rapide pour expliquer l'échec d'une telle espérance. Il ne faut pas oublier qu'aussi bien les vieux socialistes que les vieux radicaux avaient été satisfaits de l'opération Mitterrand (après des hésitations bien légitimes) et qu'ils avaient parfaitement respecté leurs engagements de la soutenir contre de Gaulle. S'ils n'ont pas voulu se saborder par la suite pour faire plaisir à Mitterrand, c'est tout simplement parce que beaucoup de choses les séparaient les uns des autres et sans lesquelles ils n'auraient sans doute pas eu à attendre le jeune député de la Nièvre pour se retrouver. Quoiqu'en dise François Mitterrand, le radicalisme et le socialisme ce n'est pas la même chose, même s'ils ont, depuis sept ans, un même ennemi, de Gaulle. Mitterrand était trop obsédé par son propre combat contre le Général pour pouvoir concevoir que d'autres, qui avaient cette même haine, n'oublient pas tout le reste pour ce combat. Or les autres, eux, continuaient à faire « le tri des bulletins de vote » et surtout le décompte de leurs cartes d'adhérents.

La Fédération de la gauche démocrate et socialiste ne pourra donc jamais être autre chose qu'une espèce de grand comité de soutien à Mitterrand et de gigantesque club où se retrouverait l'opposition au Général. Mitterrand devra s'en contenter. Il n'aura pas son U.N.R. ! Pas encore du moins. A-t-il ici compris que le jour où il voudrait vraiment un appareil à lui, il lui faudrait entrer dans une citadelle déjà existante et redescendre (ou s'élever) au niveau des partis ? C'est vraisemblable. Mais nous n'en sommes pas encore là.

Mitterrand rejoue donc le jeu qu'il avait pratiqué avant les présidentielles. Avec, bien sûr, les différences qu'imposent les législatives. Il annonce en juin 1966 que : « Rien ne passe à mes yeux avant l'union de la gauche, dans laquelle je comprends évidemment le parti communiste. » Et il ajoute qu'il considère le P.C.F. comme « un allié privilégié », deux mots qui feront beaucoup jaser. Tout le monde comprend, en effet, que Mitterrand va devoir, cette fois, aller plus loin avec Waldeck-Rochet. C'est indispensable. Pour les présidentielles, il n'y avait pas à discuter. C'était aux communistes de dire s'ils soutiendraient la candidature de Mitterrand ou s'ils présenteraient leur propre candidat. Mitterrand pouvait faire pression, faire remarquer que la candidature unique était, pour tout le monde, un grand espoir, pouvait éviter de heurter de plein fouet le P.C., mais une fois le principe du soutien communiste admis, il n'y avait pas à discuter. Ici, il allait falloir évoquer chaque circonscription. Pire, même, le programme d'un député, aussi curieux que cela puisse paraître, est forcément plus détaillé que celui d'un candidat à l'Élysée qui peut s'en tenir à quelques grands thèmes. Faire alliance avec le P.C. pour l'Élysée, c'est, du moins dans un premier temps (qu'on s'était bien gardé de dépasser), admettre qu'on bénéficiera des voix communistes, ce n'était donc pas vraiment une alliance, tandis que pour des législatives, les communistes également seront à l'arrivée : on fait donc aussi leur jeu.

D'où l'inquiétude de certains alliés de Mitterrand au sein de la Fédération et notamment des radicaux qui, très logiquement, auraient préféré qu'on oublie le pacte de décembre 1965, qu'on laisse les communistes gagner (ou perdre) leurs sièges et qu'éventuellement après, on discute d'une majorité à l'Assemblée nationale. Mitterrand ne peut pas se le permettre. Pourquoi ? Parce que, tout président de la F.G.D.S., tout héros de cette union anti-de Gaulle qu'il soit, il est minoritaire dans ce mouvement. Mouvement charnière, catalyseur surtout, il a réussi à le former mais il n'a pas pu le rendre homogène, faire disparaître les grands appareils qui le composaient, il n'en est donc pas le maître et la charnière ne sert plus à rien maintenant, elle tourne dans le vide. Il lui faut donc rejouer avec un élément extérieur pour conserver son rôle de président au-dessus des partis. Il ne sera pas président des travaillistes, alors il sera maître d'un pacte entre la gauche non communiste et les communistes. Son rôle restera bien indispensable. La victoire, si victoire il y a, de la Fédération aurait été celle de Mollet, de Billères et de lui-même. La victoire avec les communistes sera surtout la sienne, celle de son pari de 1965, encore celle d'un espoir nouveau.

A l'automne 1966, il obtient sans difficulté des accords entre la S.F.I.O., les radicaux et la C.I.R. : on présentera dans 430 circonscriptions un candidat unique sous l'étiquette F.G.D.S. avec un programme. C'est un succès indéniable pour Mitterrand puisque la F.G.D.S. c'est lui et que, pour le grand public, c'est bien la belle entre de Gaulle et Mitterrand qui se prépare ainsi. Pour les milieux politiques, ce n'est guère plus qu'un nouveau Front républicain remanié. Et c'est pourquoi Mitterrand doit aller plus loin.

En décembre, il rencontre, au nom des fédérés, les communistes. C'est la première fois qu'il entame le dialogue avec eux. Il faut, sans aucun doute, faire un certain effort, d'un côté et de l'autre de la table, pour oublier le passé. « Le communisme, c'est l'ennemi », « Mitterrand, c'est la réaction », etc. Phrases vieilles de quinze ans, il est vrai, mais tout de même ! On se contente de se souvenir de l'année dernière : les communistes ont voté « très correctement » pour Mitterrand et celui-ci, « très correctement », a fait sortir le P.C.F. de son ghetto en acceptant – qu'il l'ait reconnu ou non – de porter parmi d'autres les couleurs bien envahissantes du P.C. dans son duel historique. Les communistes savent attendre, c'est bien connu. Ils ont compris cette fois que Mitterrand ne leur échapperait plus, à plus ou moins long terme et surtout depuis qu'il a raté son opération de la F.G.D.S. Ah ! s'il avait pu être le président d'un très grand parti démocrate-socialiste, il aurait encore pu se contenter d'accepter du bout de ses lèvres méprisantes les voix du P.C. qui alors n'aurait pas eu le choix, mais puisqu'il est encore et toujours le prisonnier de Guy Mollet, sans parler de René Billères, il ne faut pas qu'il se montre trop susceptible. Waldeck-Rochet ressort, à tout hasard, son projet de programme commun, comme l'année dernière mais avec plus d'insistance : « Il faut bien que nos candidats aient un programme commun avec les vôtres puisque nous faisons cause commune, puisqu'il y a un programme commun de la F.G.D.S., alignons ces deux programmes... », dit-il en substance. Mitterrand tient bon. Il sait que s'il accepte, tout éclate et que l'édifice sur lequel il s'est si péniblement hissé s'effondrera comme un jeu de cartes : Mollet s'en ira aussi vite que Billères ou presque. Et alors il sera seul en face du P.C.F. et donc il disparaîtra dans la trappe.

Il fait remarquer à Waldeck-Rochet qu'il ne s'agit pas de faire entrer le P.C.F. dans la Fédération, ni de chercher des candidatures uniques, mais simplement de décider qu'au second tour le candidat le moins bien placé, qu'il soit de la F.G.D.S. ou du P.C.F., se désistera en faveur de l'autre pour empêcher la victoire du candidat de la droite (gaulliste). C'est toujours aux yeux de Mitterrand une alliance stratégique. Pas question d'aller plus loin. Waldeck Rochet semble se dire : « Bon, ce n'est pas encore pour cette fois, patience; laissons-le venir. » Et le 22 décembre 1966, on paraphe en commun un texte qui, comme l'écrit Jacques Fauvet dans *Le Monde*, est un « procès-verbal, un catalogue, un semi-contrat ». Mais c'est tout de même plus qu'un simple accord électoral (d'ailleurs avec les communistes un simple accord électoral va déjà très loin) puisqu'on se promet de se revoir après les élections pour, alors, dialoguer sérieusement. Les communistes sont patients...

Mitterrand mène encore une fort belle campagne. Pour lui c'est bien la belle qu'il joue contre de Gaulle et d'ailleurs le Général semble presque l'avoir provoquée en déclarant dès l'automne 1966 : « Les élections législatives prochaines auront pour notre pays une importance considérable parce qu'il s'agit de savoir si la France va poursuivre normalement sa marche en avant ou bien risquer de retomber dans le marasme d'antan. (...) Encore une fois, j'en parle du point de vue du chef de l'État, compte tenu de ses attributions constitutionnelles, et j'ajoute que, pour ma part, je ne doute pas de l'issue. » De Gaulle interviendra de nouveau lors de la campagne sur le même thème en répétant le 9 février 1967 : « Ce qui va être en jeu, c'est la Ve République. Elle est le régime qu'il faut à la France. » Mitterrand est d'accord avec la première phrase, pas avec la seconde...

De tous les meetings que tiendra pendant ces quelques semaines le patron de la F.G.D.S., on remarquera surtout le face à face qui l'opposera le 22 février, au Premier ministre Georges Pompidou, au palais des expositions de Nevers. Celui qui allait être le successeur de de Gaulle évoque le chaos que représente Mitterrand et Mitterrand parle de la dictature que représente le régime, le tout au milieu d'un fantastique chahut des partisans nivernais du député de Château-Chinon et des amis (souvent trop musclés) du Premier ministre.

En fait, la campagne a inévitablement moins de succès que celle de 1965. Même si tous les candidats de la F.G.D.S. et du P.C.F. répètent continuellement qu'il s'agit du même combat contre le pouvoir absolu, le public n'a pas le plaisir de devoir cette fois, choisir entre le « personnage historique » et son challenger, il n'a en face de lui que des noms de candidats parfois inconnus, les sortants ou les « aspirants » du coin. Et puis les gens sont un peu fatigués de ces attaques sur le chaos ou la dictature qui sont toujours les mêmes et qui ne passent plus. Pour qu'il y ait eu une vraie belle il aurait fallu que Mitterrand gagne déjà une manche...

Le facteur « unitaire » s'est aussi un peu dissipé aux yeux de l'électeur moyen. En 1965, c'était simple, il y avait Mitterrand-de Gaulle, cette fois, il y a toujours de Gaulle d'un côté, même si c'est par personnes interposées, mais de l'autre, en dépit des affirmations, on sait parfaitement qu'il y a beaucoup trop de sigles : F.G.D.S., S.F.I.O., C.I.R., P.C., sans parler des radicaux, du P.S.U. et de quelques autres.

Rarement résultats électoraux seront aussi difficiles à analyser que ceux des 5 et 12 mars 1967. En effet, pour les uns, les amis de Mitterrand, c'est une victoire indiscutable : la F.G.D.S. a 116 élus plus 5 apparentés, soit 121. Les socialistes, les radicaux et le centre gauche ont donc gagné 31 sièges. Les communistes ont 71 élus plus 2 apparentés, ils en ont donc gagné 32. La gauche a donc maintenant 194 députés alors qu'elle n'en avait que 131. Et les gaullistes qui, par la même occasion, ont perdu des sièges, ne conservent plus la majorité que par une seule voix ! Voix qui pourrait bien être, on va s'en apercevoir, celle de Valéry Giscard d'Estaing !

Mais les gaullistes peuvent aussi se montrer satisfaits ou presque. En dépit de tous les efforts de Mitterrand au cours des derniers mois, toute la gauche réunie, communistes compris, n'a pas pu atteindre le score de Mitterrand au second tour des présidentielles de 1965, elle n'a que 43 % des voix, contre 44,80 %.

Pire même, la Fédération de la gauche démocrate et socialiste si chère à Mitterrand n'a été une « bonne affaire » (sur le plan du nombre des voix) ni pour les socialistes ni pour les radicaux : en 1962, lors des dernières élections législatives, ils avaient à eux deux obtenu 20,1 % des voix, cette fois ils n'en ont eu que 18,7 %.

Tirant, deux ans plus tard, les leçons de ces élections et de leurs conséquences, Mitterrand écrira dans *Ma part de vérité* : « Le 12 mars 1967, l'alliance des partis de gauche tint bon, n'eut à réprimer que peu d'indisciplines et revint plus nombreuse à l'Assemblée nationale, dans l'euphorie de ses protagonistes. (...) Si la défaite n'est qu'à un seul, la victoire appartient à tous. Chacun s'attribua donc l'essentiel du mérite. Mais l'année s'écoula sans reprise de la négociation entre les diverses formations de gauche. La Fédération s'égara dans le dédale des problèmes intérieurs, dosages, protocoles, pondération, préséances, ces délices des sectes qui n'ont plus de vigueur que pour les simulacres. On dit aujourd'hui que la Fédération est morte de son échec de 1968. C'est une vue superficielle des choses. La Fédération est morte de son succès de 1965. La panique des années précédentes passée, les partis, qui s'étaient mal résignés à subir sinon la loi du moins l'impulsion d'éléments allogènes dont je fournissais le prototype, jugèrent le moment venu de refaire surface et carrière. »

Nous allons voir maintenant ce qu'a été « l'échec de 1968 », mais il ne fait aucun doute que Mitterrand a parfaitement raison quand il tient le succès de 1965 pour responsable de l'éclatement de la Fédération. Et on comprend surtout son amertume. Dès le soir du 12 mars 1967, il a entendu certains, radicaux notamment, lui reprocher d'avoir fait perdre des voix à la gauche non communiste par son alliance avec le P.C.F. Cela dit, il a encore davantage raison quand il écrit que les partis s'étaient mal résignés, même sous la panique, à subir la loi de Mitterrand et qu'ils étaient bien décidés, maintenant qu'ils étaient de nouveau en selle, à caracoler librement. Il comprend peut-être aussi alors pourquoi sa Fédération n'avait pas pu voir le jour autrement que sous les traits d'un vague rassemblement à but électoral.

Mais il tirera, probablement, d'autres conclusions qu'il gardera pour lui-même. Il a compris qu'il ne fallait pas être un « élément allogène » si l'on voulait faire subir sa loi ou du moins son impulsion. Dans quatre ans ce sera... Épinay.

16. MAI 68, UN HOMME FINI...

« Je suis candidat. »

Au début de l'année 1968, François Mitterrand est sans doute un homme heureux. Tout se présente bien pour lui. Il est toujours auréolé du prestige de son combat singulier contre de Gaulle, et quoiqu'on puisse murmurer dans certains milieux politiques, c'est bien lui qui a permis aux partis de gauche de revenir en nombre à l'Assemblée ; enfin sa politique unitaire qui, seule, lui permettra de contrer des velléités passéistes de ses amis Mollet ou Billères, avance tranquillement.

En février par exemple, la Fédération de la gauche démocrate et socialiste a signé avec le parti communiste une « plate-forme commune ». C'est un texte important. Et qui plus est relativement honnête puisque, s'il souligne toutes les convergences entre les signataires sur les grands thèmes de la politique intérieure, il n'élude pas les divergences, parfois fondamentales, sur la politique étrangère, notamment à propos de l'Europe. Mitterrand écrira dans *Ma part de vérité* : « On s'est beaucoup servi du dictionnaire pour baptiser le texte publié le 24 février 1968 sous la signature du parti communiste et de la Fédération. Cette querelle terminologique sous-entendait évidemment un choix politique. Les optimistes de l'union de la gauche à tout prix l'ont appelé programme commun ; les nostalgiques du centre, constat ; ceux des négociateurs qui désiraient une longue pause après un si rude effort se sont contentés de la définition statique " accord élargi " par référence à l'accord du 20 décembre 1966 ; ceux qui voyaient dans l'accord élargi la preuve qu'une évolution continue était possible en direction du programme commun ont dit qu'il s'agissait d'une plate-forme. Je me range parmi ces derniers, même s'il m'est arrivé, pour apaiser les avant-derniers, de parler d'accord élargi. »

Mitterrand est donc convaincu qu'on se dirige lentement mais sûrement vers le programme commun, mais sans être un « optimiste à tout prix ». Il poursuit son idée. Il a, pense-t-il, encore quatre ans devant lui puisque les prochaines élections présidentielles tout comme les prochaines élections législatives tomberont, en raison du hasard des échéances, en 1972. C'est plus qu'il ne lui en faut. Claude Fuzier (S.F.I.O.) estime qu'un parti unique de la gauche pourrait voir le jour au début de 1969...

Et le temps travaille pour Mitterrand puisqu'en face tout se dégrade régulièrement. La fatigue du pouvoir n'épargne pas le régime, dans sa dixième année, bien au contraire. Et mis à part le vieillissement du Général, les divisions au sein de la majorité (qui n'est plus vraiment la majorité : depuis la démission du groupe R.I. d'un député de la Polynésie, M. Sandfort, et l'annulation de l'élection d'un député de la Corse, M. Faggianelli, elle n'a plus que 242 élus) se multiplient. Il y a eu le fameux « oui mais » de Giscard de janvier 1967 qui surtout dans *L'Express* du mois d'août avait déclaré : « L'autorité du président de la République ne doit trancher qu'après les délibérations nécessaires » et critiqué « l'exercice solitaire du pouvoir », ce qui avait « embarrassé » les ministres Républicains indépendants qui l'avaient d'ailleurs désavoué. La situation générale va donc plutôt mal. La production nationale est inférieure, nettement, à ce qui était prévu par le Plan et on compte maintenant 500 000 chômeurs dans le pays. Mitterrand pense donc, début mai, qu'il ne lui reste plus qu'à attendre tranquillement le pouvoir. Il est le chef de l'opposition officielle au gouvernement gaulliste. « L'opposition de Sa Majesté »... comme l'avait écrit Sartre dès 1965.

Et soudain, c'est l'explosion de mai 68 ! Il est facile aujourd'hui d'affirmer qu'on pouvait s'y attendre, que tout laissait prévoir un tel éclatement, qu'il était inscrit dans la logique des choses puisque tout allait mal et que, pire, la France... s'ennuyait. Dans une étonnante prémonition, Pierre Viansson-Ponté avait écrit, dès le 15 mars 1968, dans *Le Monde* un article qui commençait par ces mots : « Ce qui caractérise actuellement notre vie publique, c'est l'ennui » et qui se terminait par « l'ardeur et l'imagination sont aussi nécessaires que le bien-être et l'expansion ». Mais il faut bien reconnaître que personne ne s'y attendait. Pas plus Mitterrand que Pompidou qui venait de partir pour un voyage officiel en Iran et en Afghanistan !

Comment réagit Mitterrand quand tout dégénère et qu'on ne lui donne pas le temps d'y réfléchir ?

Il réagit mal... D'abord il n'a pas su évaluer le danger, ensuite il n'a rien compris à ce qui se passait, puis il s'est affolé et enfin il a foncé tête baissée et bien maladroitement. C'est beaucoup d'erreurs en un seul petit mois de mai.

Erreur d'évaluation : deux ans plus tard il déclarera à Europe n° 1 : « Je crois que, pour être équitable, il faut d'abord dire que c'est la majorité qui a été surprise, le général de Gaulle lui-même, ainsi que le gouvernement qui était dirigé depuis plusieurs années par Georges Pompidou. » C'est vrai, mais c'est là une défense bien lamentable. Ce n'est pas parce que le gouvernement fait une faute que l'opposition peut la faire et ce « de Gaulle lui-même » est inacceptable ou alors révélateur.

Le 3 mai, à la suite de bagarres déjà très violentes aux alentours de la Sorbonne, la police interpelle 600 étudiants. Mitterrand qui est à Vichy déclare : « Nous qui sommes de gauche, nous considérons que les rapports avec la jeunesse ne doivent pas se fonder sur la force. Si la méthode employée par les étudiants n'est pas la meilleure, cela ne veut pas dire que celle employée par le ministre de l'Intérieur soit la bonne. (...) la jeunesse a, certes, ses torts. Ce n'est pas un âge heureux. Mais, une société qui la matraque a toujours tort quand elle n'a pas su lui ouvrir les portes de l'histoire. » Bref, Mitterrand regarde beaucoup plus les forces de l'ordre que ces jeunes révoltés et se dit qu'il va, peut-être, y avoir là une nouvelle occasion d'attaquer le régime. Et pourquoi, diable, affirme-t-il que la jeunesse n'est pas un âge heureux ?...

Mais il n'a rien compris. Le 8 mai, alors que les manifestations prennent de plus en plus d'ampleur, un débat s'ouvre au Palais-Bourbon sur les problèmes de l'Université. Mitterrand dresse un bilan sévère de l'action du gouvernement, mais comme il sent que ça ne suffit pas et que les manifestants qui hurlent à quelques centaines de mètres de l'Assemblée ne seraient sans doute pas sensibles à ses arguments chiffrés, il cherche ailleurs. On pourrait croire qu'il s'approche de la vérité quand il en vient à dire : « Il y a, enfin, une mise en question de notre société. J'ai entendu réclamer pour la jeunesse un idéal ou à défaut de vastes objectifs. Encore faudrait-il dire lesquels ? » Mais il continue : « La patrie ? Oui, l'amour de la patrie a longtemps et doit longtemps encore inspirer la jeunesse. Encore faut-il donner un sens à cette patrie en donnant corps et vie à ses régions, en décentralisant, c'est-à-dire en faisant confiance aux citoyens, en intéressant les jeunes et les élites locales à l'équipement des secteurs et des départements menacés par le désert économique et humain. » Il a eu de la chance que les jeunes en question soient ce jour-là occupés ailleurs et non pas dans les tribunes de l'Assemblée. Il les aurait sans doute fait beaucoup rire avec son recours à la Patrie !

Du 10 au 11 mai c'est la grande nuit d'émeutes. Celle des barricades. A deux heures et demie du matin, le ministre de l'Intérieur, Christian Fouchet, a donné ordre aux C.R.S. et aux policiers de « rétablir l'ordre public ». Et on se bat jusqu'au jour, pratiquement à quelques dizaines de mètres de l'appartement de Mitterrand. Là, Mitterrand perd pied. Il se dit confusément que c'est la révolution et qu'il faut vite prendre le train en marche, même si on ne sait pas très bien où il va, quitte, plus tard, à tenter d'en prendre la direction. Après tout n'était-il pas, lui, le chef de l'opposition ? Pour protester contre les brutalités policières de cette nuit du 10 au 11, les dirigeants des manifestants, Cohn-Bendit, Sauvageot et Geismar, organisent un grand défilé à travers Paris, pendant que les organisations syndicales qui veulent elles aussi prendre le train en marche déclenchent une grève générale. Défilé et grève ont lieu le 13 mai. Mitterrand qui n'a eu ni le courage ni l'idée de prendre position ailleurs qu'au Palais-Bourbon, va... se joindre au grand défilé.

Et soudain pour lui, pour l'homme qui avait défié de Gaulle, pour le « héros de la gauche » et de la... contestation (jusqu'à présent), c'est le choc affreux, l'offense. Il est dans la foule, en fin de cortège, avec les vieux. Devant, c'est le trio des révolutionnaires qu'on applaudit frénétiquement comme il ne l'a jamais été, lui Mitterrand. Un peu derrière arrivent Séguy et Maire auxquels on offre un succès d'estime parce qu'on va avoir besoin des ouvriers pour faire la révolution et qu'on veut les rassurer. Mais Mitterrand, Mollet, Billères et Waldeck-Rochet passent parfaitement inaperçus ou alors, quand on les reconnaît et qu'on veut bien leur prêter attention, c'est pour lâcher un commentaire presque désobligeant. « Ingratitude de la jeunesse » doit penser Mitterrand agacé, effrayé par cette foule. Il s'était habitué aux masses qui l'acclamaient, il a peur de celle-ci qui le renie. Il comprend aussi, et surtout, que pour ces jeunes qui veulent tout balancer, ce n'est pas seulement de Gaulle et son régime autoritaire et la Ve République qu'il faut liquider, c'est tout le monde, tous les « adultes », tous les responsables au sens large du terme, tout le système, toute cette civilisation. Or il fait partie de toute cela, il a accepté de jouer le jeu avec de Gaulle, même si c'était pour s'opposer à lui, de faire des discours, des promesses, des combinaisons électorales. Pour lui, aller jusque vers les communistes c'était le comble du courage, des audaces, pour ces centaines de milliers de jeunes, le communisme c'est aussi la droite, les vieux, la réaction. Il se présentait comme le défenseur de la France, de l'État, de la grandeur, de ces révoltés qui tiennent, pour l'instant, le pouvoir ne veulent ni de la France ni de l'État ni de la grandeur, même si c'est celle de Jaurès ou de Blum. Il est bien d'un autre monde.

« La victoire est dans la rue », c'est le slogan à la mode et surtout c'est, semble-t-il, la réalité. Il ne peut pas l'admettre. Pour lui la révolution, elle se fait dans les congrès et la victoire s'obtient dans les urnes. Il déteste cette anarchie qu'il ne peut pas comprendre. Le 14 mai, Pompidou étant enfin rentré d'Afghanistan, un grand débat a lieu à l'Assemblée, sur les « événements ». Mitterrand s'en prend aux brutalités policières, à la politique du régime, mais ce qui frappe le plus, dans son long discours, c'est l'étonnante péroraison: « Qui était responsable au cours de ces derniers jours ? Une chose est sûre: il existait un gouvernement responsable, présent ici à Paris. Monsieur le Premier ministre, votre majorité vous a-t-elle mesuré les pouvoirs et même les pleins pouvoirs pour prévoir, diriger et gouverner ? (...) Qu'avez-vous fait de l'État, Monsieur le Premier ministre ? (...) Nous ne savons pas où sont les responsabilités. Nous ne savons même plus où est la responsabilité de l'équipe ministérielle. Sans doute, êtes-vous tous devant nous, Messieurs les ministres, mais parce qu'il le faut bien : vous ne pouvez pas avouer à quel point vous en êtes. Vous voici de retour, Monsieur le Premier ministre, mais vous ne serez pas le miraculé de Kaboul. (...) Monsieur le Premier ministre, qu'avez-vous fait de l'autorité de l'État ? (...) Oui, Monsieur le Premier ministre, où est l'autorité de l'État ? Qui est responsable ? (...) Devant ce drame, votre situation rappelle, à ceux qui ont vécu cette période, la situation du président Laniel devant l'Assemblée angoissée du désordre public, lorsqu'il offrait comme seul remède à un autre drame national, la constitution d'une commission. (...) »

Responsables, responsabilités, autorité de l'État sont les mots qui reviennent tout au long de ce discours et il ne s'agit pas seulement des responsabilités passées, mais bien, surtout, de celles qui se sont, ou plutôt ne se sont pas exercées au cours des derniers jours : « Au regard de l'administration, nous voyons un préfet de police exiger des ordres écrits parce qu'on lui demande du côté de l'Université – et sous quelle influence ? – de lancer sa police à l'intérieur de la Sorbonne. Qui est responsable ? » François Mitterrand est scandalisé par le désordre et par la démission de l'Autorité, comme un homme de droite le serait, comme de Gaulle l'a été devant la chienlit !

Il en a parfaitement le droit et être « de gauche » ne veut pas dire approuver les désordres dans la rue. Mais alors Georges Pompidou aurait bien pu lui demander ce qu'il faisait, lui l'homme d'ordre, la veille, au milieu du cortège des manifestants ! Allait-il chercher des applaudissements et se faire reconnaître ? Et pourquoi n'avait-il pas lancé un appel au calme, à l'ordre, à la dignité et montré qu'il tenait bien en main l'opposition au régime ?

Mitterrand y a sûrement pensé. Mais, d'une part, il a sans doute eu peur devant cette foule, comprenant que son style oratoire ne suffirait pas à récupérer ce flot, à faire arrêter les jets de pavés, et, d'autre part – ce qui est plus fondamental – quand il a prêté l'oreille aux cris de cette masse, il n'a jamais entendu son nom. C'était Mendès que les plus raisonnables des rebelles appelaient ! Pierre Mendès France, son aîné de dix ans ! P.M.F. avait donc eu raison d'être intransigeant, de refuser le dialogue avec de Gaulle, de refuser de se présenter aux élections présidentielles puisqu'il avait refusé le principe même de l'élection du président de la République au suffrage universel, de repousser toutes les combinaisons, même tous les espoirs. Les jeunes, qui avaient le pouvoir dans les rues de Paris, le réclamaient maintenant. Suffrage autrement plus important que celui recueilli à une élection, car c'était, peut-être, celui de l'histoire. Mendès avait d'ailleurs, lui, eu le courage d'aller dans la rue, au milieu des barricades ! (Les amis de Mitterrand affirment aujourd'hui que c'est P.M.F. lui-même qui avait déconseillé à Mitterrand d'y aller et que Mitterrand avait alors cru comprendre que Mendès n'irait pas non plus... sinon, il y serait allé, bien sûr, pour ne pas laisser P.M.F. seul avec la jeunesse.)

Le 24 mai, de Gaulle tente de reprendre les choses en main. Il annonce un référendum sur la participation, pour le 16 juin. On lui a dit que ces jeunes voulaient « participer ». Comme cela a toujours fait partie de ses idées personnelles, de ses vieux rêves pour la société de demain, il le leur accorde. Et puis le bon vieux plébiscite n'a-t-il pas déjà fait ses preuves ?

Mitterrand reprend aussitôt pied. Revoici l'adversaire qu'il connaît, on reparle entre gens du même monde, on reparle... élections. Immédiatement il dit non au référendum. Et il s'apprête déjà à repartir en campagne et à répéter ce qu'il vient de dire, d'une manière bien dérisoire, à l'Assemblée : « Aux étudiants, nous dirons qu'ils ont eu raison de demander autonomie, cogestion, amnistie et l'usage des libertés essentielles à l'intérieur de l'Université. Aux travailleurs, nous dirons qu'ils ont eu raison de se battre pour la vie et nous pensons que seul un gouvernement de la gauche pourra établir le dialogue. (...) Si nous ne le faisons pas, qui le fera ? » Il donne raison à tout le monde après avoir reproché au gouvernement de n'avoir pas su faire preuve d'autorité. Il est vrai que ce n'est pas là une attitude incohérente. Mais Mendès France qui déclare lui aussi : « Un plébiscite ne se discute pas. Ça se combat », va pendant ce temps-là se faire applaudir au stade Charléty. Mitterrand est dans l'hémicycle, P.M.F. parmi les jeunes !

Il faut cependant bien dire que Mendès a fait une erreur considérable en allant ainsi pavoiser au milieu des drapeaux rouges et noirs. Et Mitterrand s'en rend compte tout de suite. Il a toujours su avoir l'œil sur ses adversaires. Il sait, lui le provincial, que la France qu'on n'appelle pas encore « profonde » commence à fort mal réagir devant les agissements des « jeunes Parisiens ». Alors il contre-attaque en quelque sorte sur les deux fronts, de Gaulle et Mendès France. Ainsi, il a cette fois en face de lui ses deux grandes idoles.

Le 28 mai, il tient une conférence de presse. Pense-t-il avant de prendre la parole à cette autre conférence de presse tenue, en des circonstances presque semblables, dix ans plus tôt, le 19 mai 1958, par de Gaulle ? C'est certain. Ses paroles en sont presque l'écho !

« En France, depuis le 3 mai 1968, il n'y a plus d'État et ce qui en tient lieu ne dispose même pas des apparences du pouvoir. Tous les Français savent que le gouvernement actuel est incapable de résoudre la crise qu'il a provoquée et qu'il est réduit à agiter la menace du désordre pour tenter de se maintenir en place quelques semaines encore. Pour quel dérisoire avenir ? Nul n'en sait rien, pas même lui.

« Mais notre pays n'a pas le choix entre l'anarchie et l'homme dont je ne dirai rien aujourd'hui sinon qu'il ne peut plus faire l'histoire. Il s'agit de fonder la démocratie socialiste et d'ouvrir à la jeunesse cette perspective exaltante : la nouvelle alliance du socialisme et de la liberté. (...) Peu importe la personnalité de celui qui assumera la responsabilité initiale de cette tâche. L'essentiel est qu'elle soit accomplie. Or elle ne le sera pas en retournant au confusionisme antérieur ou en renonçant à la politique de réconciliation des forces démocratiques et socialistes que j'ai engagée il y a maintenant près de trois ans. (...)

« Pour l'immédiat, je verse au grand débat qui occupe les Français les réflexions suivantes : 1. Il va de soi que les républicains diront non au référendum-plébiscite. Mais le référendum n'étant qu'un subterfuge, il convient dès maintenant de constater la vacance du pouvoir et d'organiser la succession. 2. Le départ du général de Gaulle après le 16 juin provoquera naturellement la disparition du Premier ministre et de son gouvernement. Dans cette hypothèse, je propose qu'un gouvernement provisoire de gestion soit aussitôt mis en place. Sa mission sera de trois ordres : remettre l'État en marche (...) ; répondre aux justes revendications des divers groupes socio-professionnels ; organiser les conditions pratiques de l'élection du président de la République. 3. L'un des premiers actes du président de la République sera de dissoudre l'Assemblée. (...)

« Qui formera le gouvernement provisoire ? S'il le faut, j'assumerai cette responsabilité. Mais d'autres que moi peuvent légitimement y prétendre. Je pense d'abord à Pierre Mendès France. (...) Et qui sera le président de la République ? (...) D'ores et déjà je vous l'annonce, je suis candidat.

« Telles sont les conditions qui me paraissent nécessaires pour que les Français, ayant repris en main leurs propres affaires parce qu'ils auront dit non au plébiscite, soient dotés d'un État capable de reprendre rang dans l'Europe, d'épanouir nos libertés et surtout de rétablir à l'intérieur la concorde et la paix. »

Comment, en effet, ne pas évoquer la conférence de de Gaulle de mai 1958 ? Mitterrand refuse de condamner les rebelles et est prêt, s'il le faut, à assumer la responsabilité du pouvoir en précisant bien les conditions qui lui paraissent nécessaires pour que la France reprenne son rang, grâce à un État fort qui succéderait à un État qui n'a même plus les apparences du pouvoir et qui rétablirait la concorde et la paix !

Mitterrand apparaîtra à tous les téléspectateurs comme un « apprenti dictateur » (c'est Mitterrand lui-même qui le reconnaîtra plus tard) s'essayant à un coup d'État. La télévision a, il est vrai, diffusé un film truqué, fait de montages, et présentant le nouveau candidat sous son plus mauvais jour.

On reprochera longtemps à Mitterrand cette initiative. Mais il faut dire, en insistant, que, sur le moment, au milieu du chaos, tout le monde ou presque approuvera le geste du leader de la gauche. Tous les fédérés, les socialistes et les radicaux donc, mais aussi Antoine Pinay, Jean Lecanuet et même Pierre Marcilhacy. Quant aux communistes, qui proposent un gouvernement populaire, ils lui reprochent simplement de ne pas les avoir prévenus (alors qu'il venait de rencontrer, la veille même, et chez lui, Waldeck-Rochet et Georges Marchais) et surtout d'avoir évoqué le nom de Pierre Mendès France pour le poste de Premier ministre. Le P.C.F. ne pardonne pas à P.M.F. (qu'il a toujours détesté) d'être allé à Charléty, même s'il n'y a pas prononcé un seul mot. Même certains gaullistes font déjà savoir que, dans l'intérêt du pays, bien sûr, ils seraient éventuellement prêts à se rallier à Mitterrand. Ces périodes de crise n'offrent pas toujours un très beau spectacle...

En fait l'erreur historique de Mitterrand est de ne pas avoir pris cette position plus tôt. Car il est déjà trop tard. De Gaulle, une fois de plus « réveillé » par l'odeur de la défaite, a décidé de réagir. Le 29 mai, il disparaît pendant six heures cinquante-cinq minutes. C'est l'affolement à Paris. Mais, en fait, il est allé « bavarder » avec le général Massu à Baden Baden pour, peut-être, prendre le pouls de l'armée ou, plus sûrement, regonfler son énergie dans ses origines. Le 30 au matin il revient et fait dans l'après-midi une déclaration à la radio : « Étant détenteur de la légitimité nationale et républicaine (...) j'ai pris mes résolutions. (...) Je ne me retirerai pas... Je ne changerai pas de Premier ministre... J'ai proposé au pays un référendum. (...) J'en diffère la date. (...) Si cette situation de force se maintient, je devrai pour maintenir la République prendre, conformément à la Constitution, d'autres voies que le scrutin... » En quelques minutes De Gaulle a rétabli la situation ! Un million (dit-on) de gaullistes défilent au même moment sur les Champs-Élysées derrière Malraux et Debré et on crie « Mitterrand au poteau ! » Mai 68 est terminé !

Mitterrand n'a pas sauvé la situation. Il s'est « ridiculisé »...

De Gaulle a dissous l'Assemblée. De nouvelles élections vont donc avoir lieu les 23 et 30 juin 1968. Les gaullistes triomphent. Jamais de Gaulle n'a été si populaire ou presque. La France a eu si peur et les gaullistes sont bien décidés à en profiter au maximum. Il n'y a pas souvent de pareils coups de chance ! Il faut donc, comme toujours, des boucs émissaires. Mitterrand est tout désigné. On lui envoie même dans la Nièvre un concurrent de choix, Jean-Claude Servan-Schreiber. Et Mitterrand devra se battre aux deux tours pour sauver son propre siège.

Au plan national c'est un « carnage » pour tous les amis de l'ancien adversaire du Général. La F.G.D.S. perd 61 sièges, les communistes 39. La majorité en gagne 118 ! Les gaullistes 97 et les Républicains indépendants 21. L'U.D. V^{e} a, à elle seule, la majorité absolue, et largement, avec 294 élus sur les 485 de l'Assemblée.

Mitterrand est un homme fini. Du moins le pense-t-on. Mais lui déclare simplement : « Je suis aujourd'hui l'homme le plus haï de France ; cela me donne une petite chance d'être un jour le plus aimé. » A lui aussi l'odeur de la défaite est salutaire...

17. LA PRISE D'UNE CITADELLE

« La gauche c'est, maintenant, le socialisme. »

Élu péniblement, considéré de nouveau par l'opinion comme un aventurier, rendu par ses propres amis responsable de l'échec cuisant que vient de subir la gauche, Mitterrand n'a plus qu'à réfléchir. Et c'est ce qu'il fait. Il médite les leçons que lui impose l'histoire. Un événement pour le moins inattendu et extraordinaire a balayé, en quelques jours, des mois d'efforts, un édifice patiemment élaboré. Le gaullisme était une construction totalement artificielle, faite autour d'un homme, rassemblant des éléments souvent opposés, disparates ; l'union de la gauche était, au contraire, une réalité, profondément ancrée dans le pays, avec des idées, un idéal ; et c'est le gaullisme qui a gagné, dans la tourmente. Mitterrand ne comprend pas et cherche où est la faille. Certes, il y a la grandeur historique de de Gaulle, élément irrationnel, mais ce n'est pas suffisant pour tout expliquer. Il pensait d'ailleurs avoir réussi à abattre en partie cette image historique en 1965 et en 1967. Alors ? Mitterrand en arrive à penser qu'il lui faut tout recommencer à zéro, mais qu'il n'a pas eu tort quant au fond, qu'il faut simplement mieux adapter certains « détails ». D'abord sa propre « image de marque », ensuite son instrument, ses structures.

Au cours de sa campagne électorale de 1965, il avait réussi à faire oublier le politicard de la IVe. Jouant sur le même registre que de Gaulle, il s'était présenté comme un homme d'État au-dessus des partis, animé par une foi difficilement assimilable à un clan. Il s'est présenté surtout comme l'homme probe, le juriste, le légaliste républicain, démocratique, qui s'élevait contre la dictature d'un homme et d'un « gang ». Mais, et on arrive ici aux structures, il n'avait pas pu éviter d'être entouré par un ramassis hétéroclite. S'il avait dénoncé le monde gaulliste affairiste, souvent douteux, on lui avait reproché en échange son entourage, ses forces politiciennes, d'une autre époque. Finalement, c'était moins son alliance électorale avec le P.C. qui lui avait fait du tort que ses combines avec la S.F.I.O. et les radicaux. On l'avait accusé, certes, de faire le lit des communistes, mais encore et surtout d'être toujours l'homme de la IVe. Et puis on lui avait reproché, même parmi ses amis, d'être un homme de gauche de fraîche date. Or si c'était tout à fait exact et si son « gauchissement » n'était qu'électoral, au début, et pour mieux s'opposer à de Gaulle, au fil des mois et des rencontres de circonstance, il avait tout de même été touché, ému par une certaine « grâce ». Il avait fini par être convaincu de ses propres paroles : le socialisme ce n'était pas seulement un parti, c'était aussi une grande espérance et il s'était aperçu que cette grâce n'avait rien de contradictoire, au fond, avec ses propres convictions de chrétien de province, libéral, démocrate, républicain, que le tohu-bohu de la IVe lui avait un peu fait oublier.

Il fallait donc affirmer sa silhouette et surtout puisqu'il n'avait pas, tout seul, hélas, les moyens de s'imposer à la nation et que les combinaisons auxquelles il s'était livré lui avaient fait tant de mal, qu'il se trouve un parti à lui. Or comme il ne pouvait rien y avoir de nouveau sur terre, sauf quand on s'appelle de Gaulle, il n'avait plus qu'à s'emparer d'un parti déjà existant, ce qui en clair voulait dire la S.F.I.O., qu'il rajeunirait de fond en comble.

C'était un travail de longue haleine mais qu'il mènera tout de même à grande allure puisqu'il faudra moins de trois ans pour aller de sa pénible élection du 30 juin 1968 à son triomphe d'Épinay du 13 juin 1971.

La première année est une année de solitude. Ses anciens amis politiques le saluent à peine. C'est un pestiféré. La Fédération de la gauche démocrate et socialiste s'est effondrée d'elle-même et le député de la Nièvre s'est retrouvé sur les bancs des non-inscrits à l'Assemblée nationale. Un comble ! L'ancien chef de l'opposition ! Il est vrai qu'il n'y a plus d'opposition, en fait. D'autre part, il y a eu le drame de Prague et l'entrée des chars soviétiques dans la capitale de la Tchécoslovaquie. C'est pour le moins « fâcheux » pour l'homme qui avait signé, en février dernier, une plate-forme avec les communistes qui la lui avait donnée. Les bolcheviks n'avaient donc pas changé ! De quoi clouer le bec pour un bon moment aux partisans du question posée à Prague en ce printemps 1968 trouve sa réponse à Paris. » Elle avait trouvé sa réponse à Prague et c'étaient les communistes qui la lui avait donnée. Les bolcheviks n'avaient donc pas changé ! De quoi clouer le bec pour un moment aux partisans du dialogue avec eux. Et Mitterrand reste en effet silencieux... dans son coin. Il va ainsi rater « le rêve de sa vie ».

Le 2 février, à Quimper, de Gaulle qui semble plus fort que jamais, annonce qu'il va faire procéder à un référendum sur la réforme des régions et la transformation du Sénat. D'une part, c'est là un de ses vieux projets que de donner vie à la région et cela répond à une certaine volonté de participation qu'ont exprimée les jeunes de mai 68, d'autre part, cela va lui permettre de régler enfin un compte avec le Sénat où ces parlementaires d'une autre époque ont voulu garder Monnerville jusqu'en 1968 bien qu'il ait accusé de Gaulle de « forfaiture ». Le Général a la rancune tenace. Et d'ailleurs le Luxembourg n'avait-il pas servi d'asile à Mitterrand et aux autres après 1958 ?

On va encore longtemps sans aucun doute épiloguer sur ce référendum que rien n'imposait. Les gaullistes les plus purs, ou du moins les plus nostalgiques, sont toujours convaincus que le Général a voulu ainsi se suicider politiquement, faire une belle sortie. C'est un argument qui tient mal. La sortie n'a pas été belle ! Et peu en rapport avec le personnage historique. Il est un fait que, sur le moment, personne ne soupçonnait que ce Cinquième référendum de la Ve République aurait les résultats qu'il a eus.

Mitterrand ne se lance pas dans la bagarre. Avec quels moyens d'ailleurs aurait-il pu le faire ? Il se contentent de reprendre certaines vieilles phrases de 1958 ou de 1962 : « Un référendum n'est démocratique que s'il est clair, honnête et conforme à la Constitution. Il est évident que celui que nous propose le général de Gaulle ne répond à aucune de ces trois conditions. » On le voit, il n'est plus le battant d'autrefois.

Et le 27 avril 1969, de Gaulle est battu par 53,17 % de non. Comme il l'avait annoncé, il quitte immédiatement le pouvoir. Le 28 avril à 0 heure 11, de Colombey, il fait publier un communiqué : « Je cesse d'exercer mes fonctions de président de la République. Cette décision prend effet aujourd'hui à midi. » Il y a onze ans que Mitterrand rêvait à cet instant, la chute de la statue ! Et pourtant il n'y trouve aucun plaisir. Ce n'est pas lui qui a abattu le personnage historique, ce n'est même pas la gauche, même pas l'opposition. De Gaulle est tombé de lui-même, pourrait-on dire, fatigué et sous les coups parfois les plus sournois de certains de ses fidèles qui commençaient à s'impatienter, à trouver le temps long (Giscard d'Estaing, on s'en souvient, a préconisé le non, mais on ne pouvait plus, depuis longtemps déjà, le considérer comme faisant partie des fidèles). Certes, dans deux siècles, les historiens, qui n'auront plus le temps d'entrer dans les détails des mois, pourront dire que de Gaulle est tombé « à la suite de mai 68 ». C'est vrai. S'il avait pu sembler un instant reprendre « le taureau par les cornes », il n'avait en fait jamais pu remonter lui-même la pente et comprendre ce qui lui était arrivé. Mais Mitterrand n'y était pour rien.

Il va donc y avoir des élections présidentielles, le 1er et le 15 juin 1969, pour remplacer de Gaulle. On sait déjà (et on le sait depuis le 17 janvier dernier, avec la fameuse déclaration de Pompidou à Rome, et cela a fait partie du « complot gaulliste contre le Général ») que l'ancien Premier ministre de de Gaulle sera candidat. Mitterrand ose à peine évoquer devant ceux qui le boudent la possibilité d'une candidature unique de la gauche qui pourrait être la sienne. Visiblement, les socialistes s'imaginent qu'avec le départ de de Gaulle, on va pouvoir revenir à un monde meilleur dans lequel ils pourront reprendre leurs bonnes vieilles habitudes. Le gaullisme sans de Gaulle est impossible, on va donc se retrouver sous la IVe ou presque. Guy Mollet recouvre toute sa jeunesse, même si Alain Savary va lui succéder prochainement comme premier secrétaire du parti. Le 4 mai à Alfortville la S.F.I.O. a changé de nom, elle s'appelle dorénavant le parti socialiste. Mollet pense peut-être qu'il a ses chances pour l'Élysée... En tout cas il avance le nom de Christian Pineau, son fidèle ancien ministre des Affaires étrangères au moment de Suez. Ce n'est pas très sérieux mais cela pourrait permettre, ou une opération Mollet de dernière minute, ou de laisser la place à Alain Poher, président du Sénat, M.R.P., qui ferait un excellent président de la République d'une IVe bis. Mais Gaston Defferre qui n'a pas oublié qu'il a été Monsieur X et qui pense que de Gaulle ayant maintenant disparu de la scène, son analyse est forcément meilleure que celle de Mitterrand (la social-démocratie centre gauche et non la recherche des voix communistes) lance sa candidature sans prévenir personne, du moins ni Mollet ni, bien sûr, Mitterrand. Mollet avance alors le nom de Savary, en vain. Les socialistes sont obligés de soutenir Defferre. Le député-maire de Marseille affirmera plus tard (après son échec retentissant) qu'il n'avait pas d'autre ambition, en se portant candidat, que de « faire sauter Mollet de son siège de premier secrétaire du parti ». Toujours est-il que maintenant toute la gauche va aller en ordre dispersé aux élections. Le Parti socialiste unifié présente Michel Rocard. Les communistes, Jacques Duclos.

Les résultats seront éloquents. Premier tour : Pompidou : 44 %, Poher : 23 %, Duclos : 21 %, Defferre (qui avait annoncé qu'il prendrait comme Premier ministre Mendès France) : 5 % (!), Rocard : 3 %, Ducatel : 1 %, Krivine : 1 %. Deuxième tour : Pompidou : 58 %, Poher : 42 %.

C.Q.F.D. C'est du moins ce que peut dire Mitterrand. Et dans sa solitude, il ne s'en prive pas. Entre les deux tours, il avait écrit dans *Le Monde* un article qui commençait par ces mots : « Je n'ai pas caché mon sentiment avant la campagne présidentielle. Seule l'union de la gauche pouvait mobiliser un vaste courant populaire en face de Georges Pompidou. A défaut de cette union, il est évident que le parti communiste était le mieux armé, notamment en raison de sa position unitaire. (...) Le refus du dialogue à gauche est maintenu par quelques hommes politiques dont la responsabilité est lourde ; le refus de l'union voulue ne pouvait conduire qu'à la situation que nous ressentons tous avec peine ce soir. Pour ne pas aggraver la division, je me suis tu pendant la campagne (...). »

Mais il va reprendre la parole en présentant justement son portrait aux Français. Il publie alors *Ma part de vérité*. C'est un livre auquel nous avons déjà fait de nombreuses références car c'est, en fait, une autobiographie, une confession aussi, très honnête, de l'homme. Au-delà de qualités littéraires évidentes, Mitterrand abat le masque. Du moins peut-on le croire. Il se présente sans fard. On a l'impression qu'avant de dialoguer ainsi (officiellement avec le journaliste Alain Duhamel, en fait, avec lui-même) Mitterrand, comme il le fait souvent dans ses discours, a imaginé tout ce que pourraient dire ses ennemis, sans s'épargner la moindre accusation, et qu'il y répond alors. Oui, il est un bourgeois, oui, il a été anticommuniste, oui, il n'est un homme de gauche que de fraîche date, oui, il a de l'ambition, oui, il a fait des erreurs, oui, il a souvent hésité, oui il a été ministre de la IVe, oui, ses rapports avec de Gaulle sont équivoques etc. Merveilleuse plaidoirie qui désarme ainsi tous les adversaires et qui, surtout, ne peut qu'émouvoir le lecteur, c'est-à-dire l'électeur.

Aujourd'hui, c'est la grande mode. Tous les hommes politiques, même les plus petits, se croient obligés de publier leurs confidences. Il suffit d'avoir été un candidat dont on a un peu parlé pour se croire autorisé à imposer ses mémoires et ses souvenirs d'enfance. Mais en 1969, Mitterrand innovait et c'est surtout le ton qui surprit.

Mais au-delà de la confidence qui ne peut qu'attirer une certaine sympathie, Mitterrand veut faire le point pour lui-même et pour les autres, à la veille du nouveau combat qu'il a décidé de mener et qui dans un premier temps n'a qu'un objectif : s'emparer du parti socialiste.

Alors, il répond d'abord aux attaques que ne vont pas manquer de lui lancer ceux qui tiennent la « citadelle ». « Je ne suis pas né à gauche, encore moins socialiste... Il faudra beaucoup d'indulgence aux docteurs de la loi marxiste, dont ce n'est pas le péché mignon, pour me le pardonner. J'aggraverai mon cas en confessant que je n'ai montré par la suite aucune précocité... Non, je n'ai pas rencontré le dieu du socialisme au détour du chemin. Je ne me suis pas jeté à genoux et je n'ai pas pleuré de joie. » Et puis il reconnaît implicitement que s'il est devenu homme de gauche, c'est un peu au hasard de son combat personnel contre de Gaulle : « A force de la croiser sans la voir, j'ai fini par rencontrer une certaine vérité. (...) Ce n'était pas seulement un système politique que je combattais, c'était aussi le système économique dont il était l'expression et l'agent. Mais quand je me suis présenté à la présidence de la République, il me fallait parer au plus pressé, démystifier les Français, leur dire qu'ils avaient le droit, le devoir, le pouvoir de gérer eux-mêmes leurs propres affaires, qu'il était indigne d'eux d'en abandonner le soin à un seul, fût-il le général de Gaulle. J'ai employé pour cela les vieux mots qui me semblaient capables de réveiller les réflexes de notre peuple : liberté, justice, bonheur, responsabilité. Je les ai prononcés parce que je croyais aux valeurs qu'ils expriment. » Mitterrand faisait donc alors du socialisme sans le savoir, comme M. Jourdain de la prose, et c'était pour charmer la belle marquise. « Mais j'étais contraint d'aller vite, de frapper fort. Puisqu'il s'agissait de prise de conscience, j'attendais d'une campagne incisive et brève qu'elle ébranlât la conscience civique soudain sollicitée par un débat contradictoire. L'union de la gauche, support et justification de ma candidature, agirait à son tour comme un révélateur de la conscience de classe. » L'expression « l'union de la gauche, support et justification de ma candidature » est éloquente. Et la première victime de la révélation a été Mitterrand lui-même. Il le reconnait presque entre les lignes ! Et ses confidences sur sa vocation tardive l'amènent à en tirer les conclusions qui s'imposent : « La gauche, qu'est-ce que c'est ? C'est maintenant le socialisme. » Il y a justement un parti socialiste qui vient de naître. Oui, mais ajoute Mitterrand : « Encore serait-je mal à l'aise de vivre avec le socialisme s'il était cette momie que conservent dans leur vitrine les gardiens de la foi. Le socialisme, c'est aussi et surtout l'élan, le mouvement collectif, la communion des hommes à le recherche de la justice. Quand ils l'auront compris, croyez-moi, il leur restera beaucoup à faire. »

Tout est ainsi parfaitement en place. L'ancien candidat de la gauche a besoin d'un parti, la gauche, c'est le socialisme, il y a un parti socialiste, celui-ci s'est complètement effondré (après l'échec cuisant de Defferre), il n'y a plus qu'à s'en emparer et à aller dépoussiérer les vitrines.

Le 8 novembre 1970, Mitterrand propose au P.S. une union avec la Convention des institutions républicaines qui a surnagé au milieu de la tempête et qui reste le seul radeau de l'ancien candidat de la gauche réunie si ce n'est unie.

Le parti socialiste a eu beau changer de nom en mai 1969 et de premier secrétaire en juillet de la même année, il est encore, c'est le moins qu'on puisse dire, en fort mauvais état. Alain Savary, qui a succédé à Guy Mollet, est un parfait honnête homme, plein de bonne volonté, au-dessus de tout soupçon, mais on se rend compte rapidement que ce n'est pas lui qui pourra « sauver la boutique ». Il hésite même à se débarrasser réellement de Mollet qui continue en fait, par personnes interposées, à régner cité Malesherbes. Or c'est pour cela que Savary avait été nommé.

Bien vite, cet homme que tout le monde respecte parvient à liguer une véritable coalition au sein du parti contre lui. Pierre Mauroy, qui fait partie de la droite du P.S. essentiellement parce que dans le Nord (où il est l'héritier spirituel et électoral d'Augustin Laurent) il a fort à faire avec les communistes, et qui a longtemps fait figure de dauphin de Mollet, lui en veut de l'avoir, involontairement, coiffé sur le poteau et lui reproche sa modération. Defferre qui n'a jamais, lui, aimé Savary (sans doute pas assez méditerranéen à son goût), lui reproche aussi de ne pas liquider toutes les séquelles du « mollettisme », et puis le « battu de juin 1969 » voudrait que tout soit transformé maintenant. Il a compris où en était le socialisme français :

5 %. Gérard Jaquet, personnage clé de l'ancienne S.F.I.O. veut aussi le changement. Il aime bien Mitterrand. N'a-t-il pas fait partie un temps de la convention ? Il sera sans doute l'un des grands acteurs du noyautage. De l'autre côté de l'éventail socialiste, il y a les jeunes loups du parti, les « gauchistes » qui ont créé le C.E.R.E.S., Chevènement, Motchane, Sarre. Ils ruent carrément dans les brancards. Savary a essayé de les mater. Il n'y est pas arrivé, et il s'en est fait des ennemis mortels.

Tout cela fait une coalition bien hétéroclite mais bien déterminée. Mitterrand l'observe avec un certain plaisir. Il n'a jamais aimé ce Savary qui depuis des années est pour lui comme un reproche vivant. Ils étaient tous deux membres du gouvernement Guy Mollet. Quand l'avion de Ben Bella avait été détourné par les militaires d'Alger, Savary était parti en claquant la porte, suivant ainsi, de quelques semaines, Mendès France qui avait compris plus tôt quel tour prenait la politique algérienne du secrétaire général de la S.F.I.O. Mitterrand était resté, et n'en était pas fier. Depuis, les deux hommes se battaient froid. Mitterrand savait parfaitement que c'était Savary qui s'était opposé à son entrée au parti socialiste autonome. Il le soupçonnait aussi d'être en partie responsable de la désagréable campagne qu'avait lancée le P.S.U. contre lui à la veille des élections présidentielles de 1965.

Mais en fait, la coalition anti-Savary est surtout une coalition anti-Mollet et reflète la volonté chez tous ces gens, de la droite à la gauche du parti, d'un réel changement pour qu'on puisse tenter un retour vers le pouvoir. Leur dernier bon souvenir, au fond, c'était tout de même le scrutin de mars 1967 et, qu'ils le veuillent ou non, c'était bien à Mitterrand qu'ils le devaient.

Tout a été écrit sur le congrès d'Épinay qui devait se tenir les 11, 12 et 13 juin 1971 devant 800 délégués socialistes, 97 conventionnels et 60 inorganisés. C'est vrai que Mitterrand n'avait pas sa carte de socialiste en y entrant et qu'il allait en ressortir premier secrétaire. Mais au cours de son intervention décisive il va rappeler la célèbre phrase de Krasucki : « Où trouve-t-on les militaires sinon parmi les civils ? Où trouve-t-on les socialistes sinon parmi ceux qui ne le sont pas ? » A bon entendeur, salut ! C'est vrai que tout s'est déroulé dans les coulisses, comme s'il s'était agi du pire des congrès radicaux ; c'est vrai que ce fut pour beaucoup la « journée des dupes », que quelquefois les partisans de Mitterrand n'ont pas été très élégants pour mener à bien leur scénario, et que Mitterrand, lui-même, a joué par moments plusieurs jeux ; et c'est enfin vrai qu'il aurait très bien pu rater son assaut, puisque, une fois encore, c'était moins sur un programme bien défini, cohérent, qu'il se battait que pour s'imposer personnellement. Mais avec un peu de recul on est obligé de reconnaître que la victoire de Mitterrand s'imposait « historiquement ». Après l'échec de toutes les coalitions de gauche, faites de bric et de broc, il était indiscutable que le seul espoir pour la gauche était maintenant de tenter « quelque chose », et Mitterrand était le seul homme, sur la place politique française, à pouvoir faire du parti socialiste un parti fort.

Mitterrand a donc bien joué et gagné à Épinay. Mais ce qui est le plus intéressant, c'est de voir qu'au cours même des débats – qui étaient encore incertains par moments – il a déjà « annoncé la couleur » et prédit ce qu'il allait faire, comme s'il avait une étape d'avance, comme s'il entendait bien entraîner tout le monde dans une dynamique imparable. En 1969, il avait annexé le parti socialiste et l'avait écrit dans son livre, *Ma part de vérité*, en 1971 à ce congrès socialiste d'Épinay, il en est au programme commun de 1972. Il brûle les étapes ; il a son idée fixe.

Il déclare, en effet, aux congressistes, pour lesquels, rappelons-le, il n'est encore presque qu'un « invité » : « L'union de la gauche, comment la voyons-nous ? Elle comporte évidemment l'alliance de toutes les gauches responsables, elle considère, cela va de soi, le parti communiste comme un parti responsable. (...) Je penche pour ceux qui, dans ce congrès, préfèrent les actions concrètes, veulent définir des plates-formes politiques et le cas échéant des programmes. (...) Quel est celui d'entre nous qui pense une seconde que nous ne serons pas les alliés électoraux des communistes en 1973 ? (...) Bon, alors si on se présente ensemble, par un accord de deuxième tour avec les communistes, vous croyez que vous pourrez aborder les élections sans dire aux Français pour quoi faire ? Cela aussi c'est créer les conditions de l'échec permanent. (...) Voilà pourquoi, en conclusion, je dirai qu'il n'y a pas d'alliance électorale s'il n'y a pas de programme électoral, pas de majorité commune s'il n'y a pas de contrat de majorité, pas de gouvernement de gauche s'il n'y pas de contrat de gouvernement. » Le processus auquel Mitterrand pense depuis des années est maintenant au point. Il a tiré la leçon de tous les échecs, de toutes les erreurs. Ceux auxquels il s'adresse, aussi.

Faisant miroiter de tels lendemains, Mitterrand ne pouvait que l'emporter. La victoire, elle était possible avec Mitterrand puisqu'àprès tout – on ne se souvient en ces occasions que des bons moments – il avait eu 44 % des voix contre de Gaulle et que maintenant l'adversaire n'était même plus le Général. En outre, ce qu'il proposait cette fois aux socialistes, ce n'était plus seulement la victoire de la gauche, c'était la victoire du parti socialiste. Du temps de Guy Mollet et de la F.G.D.S. on appelait les vieux socialistes à participer à la victoire. Aujourd'hui on la leur promettait. Il y a de quoi réveiller un parti. Certes, Mitterrand avait besoin du P.S., c'était indiscutable, mais le P.S. avait au moins autant besoin de lui pour gagner... Et Mitterrand remporta 43 926 mandats alors que Savary n'en recueillit que 41 757. Exit Savary, exit l'ombre de Mollet, et en avant pour une nouvelle étape vers la victoire...

Mitterrand lui-même résumera cette étape essentielle de sa carrière politique dans un article que publiera *L'Express* quelques jours plus tard : « Par goût, peut-être suis-je un homme solitaire. A l'U.D.S.R. comme à la Convention, mon activité reposait sur de petites équipes de travail, non sur un parti de masse. Peu à peu, j'ai découvert ce qui, à mes yeux est aujourd'hui vérité : le socialisme représente la seule réponse aux problèmes du monde actuel. (...) Mais il n'a pas la moindre chance de succès sans la constitution de grands partis. Ayant compris cela, j'en ai tiré les conséquences, finie l'appartenance aux groupuscules ! »

18. LE GRAND PARI

Mitterrand a tout, en ce soir de juin 1971 : un grand parti, prestigieux, celui de Jaurès et de Blum, et de nouveau sa position préférée, celle de maître incontesté de l'opposition. Le vaincu de 1968 a fait un beau rétablissement. Mais, en fait, Mitterrand n'a rien. Le Parti socialiste n'existe plus depuis longtemps et pour ce qui est de l'union de la gauche, tout reste à faire encore et ce sera certainement plus difficile qu'en 1965 ou qu'en 1967 car le temps a passé et les communistes ne se contenteront plus de donner leurs voix pour le simple plaisir de les voir acceptées par quelqu'un. Et puis Mitterrand s'aperçoit que s'il était dans une position bien faible du temps de la Fédération de la gauche, n'ayant rien en main pour négocier les alliances, cette faiblesse même avait un avantage indéniable : précisément, on ne pouvait trop rien lui demander. Il arbitrait, éventuellement, il était au-dessus de la mêlée et pouvait à tout moment menacer de démissionner (ce qu'il n'avait pas manqué de faire). Maintenant qu'il « est » le Parti socialiste, il doit traiter de puissance à puissance avec le P.C.F. et celui-ci ne va pas hésiter à se montrer exigeant. Et il ne pourra plus menacer de claquer la porte et de partir en solitaire. Il est devenu « responsable ».

Et ça commence tout de suite mal avec le parti communiste. Mitterrand aimait bien Waldeck-Rochet. Son côté « paysan les pieds dans le terroir » lui plaisait. Il savait à quoi s'en tenir avec lui. Mais maintenant c'est Georges Marchais qui parle pour les communistes, Waldeck-Rochet ayant été éliminé par la maladie. Mitterrand aime moins les ouvriers, surtout s'ils font du sectarisme. De son côté, Marchais regrette Alain Savary et ne le cache pas. Bien sûr, pour lui, Savary était autrement moins dangereux.

La première année est marquée par toute une série de piques que s'enverront les deux interlocuteurs avant même d'avoir commencé la reprise du dialogue, qui pourtant cette fois, d'après les engagement publics de Mitterrand et en raison des circonstances, devrait être sérieux.

Il est vrai que le secrétaire général adjoint du P.C. a des raisons de se tenir sur ses gardes. Dans l'euphorie d'Épinay, Mitterrand n'a pas eu la pudeur de cacher son jeu. Il a carrément déclaré : « Eh bien, maintenant que notre parti existe [ce qui était peu aimable pour Savary ou pour Mollet], je voudrais que sa mission soit d'abord de conquérir. En termes un peu techniques on appelle ça : la vocation majoritaire. Je suis pour la vocation majoritaire de ce parti. (...) Mais conquérir quoi ? Conquérir où ? D'abord les autres socialistes ! Ensuite, je pense – comment cela va-t-il me classer ? Je ne sais pas encore – qu'il faut d'abord songer à reconquérir le terrain perdu sur les communistes. » C'était clair. Et il ajoutait : « Je suis, si vous voulez bien, volontaire pour être le militant que vous demandez, un parmi 90000 aujourd'hui, un parmi 200000 demain, un parmi les millions de socialistes qui seront après-demain les conquérants de la société française. »

Certes, Marchais peut comprendre que là, Mitterrand s'adressait à des militants socialistes et voulait les charmer, mais tout de même cela ne peut pas l'empêcher de classer le nouveau premier secrétaire du parti ami comme un redoutable et dangereux concurrent–conquérant. Defferre, lui au moins, serait allé chasser sur un autre terrain. On se boude donc un peu. « Ce néophyte va mettre de l'eau dans son vin » pense Marchais « et comprendre rapidement que, par définition, le parti communiste est le premier parti de la gauche, non seulement par le nombre de ses militants, bien sûr, mais aussi par celui de ses électeurs. » « Les communistes n'auront pas le choix quand ils verront ce que nous allons représenter » pense, de son côté, Mitterrand et il s'active, précisément, pour que le P.S. profite immédiatement de l'impact indiscutable qu'a eu sur l'opinion le congrès d'Épinay.

Contrairement à ce qu'avait affirmé le candidat au poste de

premier secrétaire, le P.S. ne comptait pas 90000 adhérents en juin 1971. Il en avait au mieux 55000, et encore en étant généreux. Il est vrai que Mitterrand comptait alors aussi tous les conventionnels et les isolés. A la fin de 1971, le P.S. de Mitterrand a pratiquement doublé ses effectifs et avoisine cette fois vraiment les 80000 membres. C'est encore peu à côté des 400000 que compte le P.C., mais le danger se précise.

On se bat tellement froid dans la grande famille de la gauche que quand Georges Pompidou annonce pour le 23 avril 1972 un référendum sur l'entrée de la Grande-Bretagne dans le Marché commun, on ne se consulte même pas. Le P.C. fait savoir qu'il demandera à ses électeurs de voter non, Mitterrand répond en déclarant que le P.S. préconisera l'abstention. Les communistes ne manquent pas de remarquer que maintenant Mitterrand ne dit plus toujours non...

En fait, Mitterrand a doublement raison. Sur le fond, il refuse que Pompidou adopte le système gaullien du plébiscite à propos de n'importe quel problème, et sur un plan purement tactique, il a compris que ce scrutin n'intéresserait personne et qu'il y aurait donc un nombre record d'abstentions. Et Mitterrand a gagné ce pari (facile à dire vrai). Il n'y a jamais eu autant d'abstentionnistes : 11503000 (40 %) ! Mais les communistes, de leur côté, ont pu ainsi faire un décompte approximatif de leurs voix : 17 %. Le oui l'emporte donc haut la main et Pompidou peut être satisfait lui aussi, tout en regrettant de voir à quel point les Français se désintéressent de l'Europe. Mais c'était bien connu !

Cependant ce référendum (sans importance) a tout de même souligné que l'union de la gauche n'avait pas fait de progrès. Or, les prochaines élections législatives sont pour l'année suivante. Il faut donc se mettre au travail et aborder ce fameux programme commun.

Le 27 avril 1972, la délégation socialiste rencontre, pour la première fois, la délégation communiste afin d'établir l'ordre du jour des travaux. Brusquement, on s'aperçoit que tout le monde est très pressé. Le P.C., qui rêve depuis des années à ce programme commun qui va, enfin, lui ouvrir les portes de la vie politique normale, fermées depuis son expulsion par Ramadier du gouvernement, pense obtenir ainsi sa « carte de démocrate ». Le P.S., qui souhaite continuer à innover, démontrer qu'il n'a plus rien à voir avec la S.F.I.O. de Guy Mollet, de Suez et du contingent en Algérie, mais qui ne veut pas non plus qu'on le prenne pour un parti social-démocrate, entend bien avoir sa « carte de révolutionnaire ».

Alors tout va être mené tambour battant. Deux mois, jour pour jour, après la première rencontre, le texte commun sera signé. Le 27 juin 1972. Une date historique. On voulait en finir avant les vacances et on pensait qu'en allant vite on obligerait l'autre à faire davantage de concessions et à moins réfléchir. Tout le monde connaît ce fameux programme commun et ses nombreuses imperfections. La suite des événements allait d'ailleurs les souligner avant même qu'il ne soit question de le mettre en application ! On peut donc se demander s'il a été suffisamment travaillé et s'il n'aurait pas fallu au besoin partir plus tard en vacances... On avait mis cinquante-deux ans pour se retrouver depuis Tours, on aurait dû rester un peu plus de deux mois autour de la table...

Cela dit, ce qui nous intéresse aujourd'hui c'est de voir sur quoi Mitterrand s'est montré intraitable et sur quoi il a cédé puisque cet accord ne pouvait, par définition, qu'être un compromis.

Nous l'avons bien senti tout au cours de la carrière de Mitterrand, il n'est pas un économiste. Il est, et jusqu'au bout des ongles, un politique. Même s'il déclare maintenant qu'il a compris qu'en même temps qu'un combat politique il avait mené tout au long de ces dernières années une lutte économique (puisque « l'ennemi politique était un ennemi économique et que c'était le même »), il n'a toujours pas de formation marxiste. Il va donc être intraitable pour ce qu'il connaît et il se « laissera avoir », en dépit de son entourage d'énarques, pour le reste qui, aux yeux de ses interlocuteurs, était souvent le plus important.

Il attaque donc « bille en tête » sur les institutions. Il veut protéger la démocratie, le principe de l'alternance, la république. S'il s'est battu contre le pouvoir de l'homme seul, ce n'est pas pour jouer avec le risque du parti unique. Les communistes souhaitent, par exemple, que la dissolution du Parlement soit automatique en cas de désaccord des partenaires. Mitterrand s'y refuse catégoriquement. Pas question que les communistes, une fois la gauche au pouvoir, puissent se livrer à un chantage permanent contre le gouvernement, en le menaçant de le mettre en minorité, ce qui nécessiterait de recourir aux électeurs. Ou pire encore, qu'ils puissent choisir, quand bon leur semblera, le moment de déclencher des élections. Mitterrand a assez pratiqué le jeu parlementaire pour le redouter. Il veut aussi pouvoir, en cas de conflit très grave, envisager (à son profit) un renversement des alliances et trouver une autre majorité — vers la droite, pourquoi pas — si les communistes lui font défection. Il ne le dit pas, bien sûr, mais Marchais, devant son intransigeance, doit céder.

Les communistes, on le sait et on le comprend, n'aiment ni le Marché commun ni l'Alliance atlantique. Qu'importe, Mitterrand, ancien ami de Robert Schuman et vieil atlantiste convaincu, ne cède pas. La construction européenne se poursuivra et la France ne sortira pas de l'Alliance atlantique. Marchais cède.

Pour la Défense, le P.C.F. ne demande rien moins que la destruction des stocks d'armes nucléaires. Mitterrand, on l'a vu, fut un temps l'adversaire farouche de la force de frappe de de Gaulle. Mais il a beaucoup évolué et il a surtout compris que son nouvel électorat ne le suivait pas dans cette voie. Là encore il est donc très ferme et ne cède pas. C'est Marchais qui abandonne.

Mitterrand et le P.S. n'ont donc pas fait un geste, ni sur les questions de politique, ni sur les questions militaires, ni à propos de la politique étrangère. Le P.C. attend le P.S. sur les questions économiques puisque c'est la grande épreuve du marxisme. Et c'est le fameux problème des nationalisations. Les communistes en demandent des dizaines. Le P.S. en accepte sans difficulté neuf : Dassault, Roussel-Uclaf, Rhône-Poulenc, I.T.T.-France, Thomson-Brandt, Honeywell-Bull, Péchiney-Ugine-Kuhlmann, Saint-Gobain-Pont-à-Mousson et la Compagnie générale d'Électricité. Le P.S. parvient à dissuader le P.C. sur un grand nombre d'autres nationalisations, mais le P.C. insiste pour la sidérurgie, les pétroles et Hachette. Finalement Mitterrand cède, à moitié. Il faut bien que lui aussi fasse un effort ! Pour la sidérurgie et les pétroles il accepte des « prises de participation pouvant aller jusqu'à des participations majoritaires » et pour Hachette, que le « statut des N.M.P.P. soit modifié de manière à les soustraire de l'emprise du groupe Hachette et à assurer les garanties démocratiques à la distribution de la presse ».

Le P.S. demande alors qu'on introduise l'autogestion dans le programme mais le P.C. ne veut pas en entendre parler, et comme Mitterrand insiste, sans doute plus pour faire plaisir à ses « gauchistes », voire à la C.F.D.T., que par conviction propre, on laisse la question en suspens et on note qu'il y a divergence, dans le texte.

Mitterrand est convaincu qu'il a gagné. Sur tous les dossiers qu'il connaît, il est sûr de lui. Pour les problèmes économiques qui l'ennuient il pense qu'il a limité la casse au maximum et que tout cela n'aura pas beaucoup de conséquences. Qui pourrait défendre Dassault ?

Marchais, lui aussi, est content. Il a « son » programme commun et pour lui la porte est maintenant ouverte à bien des choses grâce à ces neuf nationalisations et aux trois autres qui ont été envisagées. L'essentiel est que le principe ait été admis et inscrit noir sur blanc par « nos amis socialistes ». Mitterrand est persuadé que les communistes vont maintenant être comblés... Pour eux, tout cela n'est qu'un début.

Laissons aux experts économiques le soin de juger des avantages, des défauts, du réalisme, de la « folie » de ce programme commun. Et ils ne s'en sont d'ailleurs pas privés. Contentons-nous de noter que, cette fois, Mitterrand est « allé très loin » dans ce compromis historique. On a vu comment, d'étape en étape, cet ancien ennemi des communistes y avait été conduit. Son obsession de la victoire lui a fait oublier bien des choses. Son goût de l'alliance, la manœuvre, aussi.

Cependant, et même si son évolution en direction du marxisme semble, depuis des années, avoir été très régulière et presque irréversible, et même s'il a l'air parfaitement convaincu, ce matin du 27 juin 1972, après une nuit harassante de négociations ultimes, d'avoir signé un texte capital, on peut se demander si, en son for intérieur, il a la conviction d'avoir « commis l'irréparable ». Cinq ans après on s'apercevra que tout cela pouvait très bien n'être qu'un chiffon de papier. Certes, dira-t-on, mais si la gauche s'était emparé du pouvoir entre-temps ? On l'a vu, Mitterrand, tout homme de gauche convaincu qu'il est, s'était laissé une porte de sortie essentielle : la possibilité de changer de majorité au milieu du gué, car, jusqu'à preuve du contraire le politique l'emporte encore sur l'économique. Si la gauche était passée et si les communistes avaient commencé à se montrer trop gourmands ou même simplement à demander un iota de plus, rien n'empêche d'imaginer alors Mitterrand faisant volte-face, et devant « le péril rouge » se souvenant qu'il est un radical...

Tout son pari, en fait, reposait sur une conviction : le P.C. ne pourra jamais rien faire seul. Et sur une ferme volonté : ne pas lui mettre le pied à l'étrier. Mais nous y reviendrons, et pour cause.

Toujours est-il que la signature du programme commun redonne à la gauche une vitalité indiscutable dont on va bien vite se rendre compte avec les élections législatives de mars 1973, moins d'un an plus tard.

Les socialistes gagnent 48 sièges, les radicaux (qui ont rejoint le programme commun) 4 sièges, le P.C.F. 39 sièges. Pendant ce temps la majorité, elle, perd ces sièges : les gaullistes 89, les républicains indépendants 7. Certes, la majorité a encore plus de 300 sièges, mais l'opposition, cette fois réunie autour d'un programme commun, en a près de 180. Elle ne retrouve pas ses 193 élus de 1967, mais elle peut oublier le « cauchemar » de 1968.

Le lendemain du second tour, Mitterrand écrit dans *Le Monde* : « Le programme commun n'a pas reçu l'approbation d'une majorité de Français, même si 47 ou 48 % lui sont favorables. Nous sommes minoritaires et nous en tenons compte. »

Tout cela, il faut bien le dire, grâce à Mitterrand, à sa personnalité, à son obsession, même si, peu après ce succès, il écrit, dans *Le Nouvel Observateur* et avec une sorte de fausse modestie : « Que se passerait-il si, demain, j'avais un accident de voiture ? J'ai l'orgueil de penser que ce ne serait pas indifférent pour la conduite de notre action. La personnalisation a pu être une bonne chose pendant un certain temps, après le congrès d'Épinay. Mais elle serait à la longue dangereuse. C'est pourquoi je me réjouis de voir le Parti socialiste obtenir un indice de sympathie supérieur au mien, si j'en crois les sondages. L'accident de voiture ? Eh bien, il laisserait maintenant, je l'espère, notre parti en situation irréversible de progrès et de victoire, capable de devenir le premier parti de France, sur tous les plans où cette formule a un sens, et par là de gouverner et de changer le cours des choses. Ainsi serait atteint le but historique que je me suis fixé, qui me tient le plus au cœur. »

Mais ce n'est pas Mitterrand qui va disparaître. Le 2 avril 1974, dans la soirée, on apprenait que Georges Pompidou venait de mourir, chez lui, quai de Béthune.

Dans *La Paille et le grain* qu'il publiera en 1975 et où il rassemblera des « notes griffonnées sous le coup de l'émotion ou par souci de fixer à leur date et dans leur contexte une impression », Mitterrand écrit de très belles pages sur la mort de celui qui fut si longtemps son adversaire : « Il aimait l'État, s'aimait dans l'État. Mais après cinq ans d'une présidence sans partage rien n'était encore commencé. Maladie ? Malchance ? Défaut de caractère ? On a beaucoup et partout discuté de son acharnement à exercer ses fonctions jusqu'au bout. Le courage était-il de partir, était-il de rester ? Je ne tranche pas. (...) Étrange aventure que celle de ce monarque aux racines de terre profondes, formé à distinguer dans les jeux de miroirs où s'exerce l'intelligence, l'image originale de la réalité et qui finit son règne en compagnie des Polignac, dans la figure de

Charles X. Oui, je le plains, je ne suis pas son ennemi. Peut-être Georges Pompidou était-il plus grand qu'il ne fut. Ce cri du dernier acte " dans ma famille on ne se couche que pour mourir " ne vient pas de n'importe où. »

Mitterrand a donc, ce soir-là, chez *Lipp*, quand le patron de la brasserie vient lui apprendre que le président de la République est mort, un moment de sympathie pour cet adversaire. Parce qu'il aimait l'État ? Peut-être. Parce qu'il avait des « racines de terre profondes » ? Sans doute. Mais peut-être plus encore parce que, comme il va l'écrire : « L'affaire Markovic qui le blessa au cœur doublement durcit sa volonté d'entrer, à son compte, à son heure, dans cette Histoire de France dont ses familiers rapportent qu'enfant il s'enchantait. »

Oui, c'est sans doute là la phrase importante, dans cette espèce d'hommage que Mitterrand rend à Pompidou. Lui, qui écrivait au plein moment de l'affaire Markovic, en mars 1969 : « Je réprouve sans réserve le terrain choisi par certains, notamment quelques officines gaullistes, pour atteindre, directement ou indirectement, et pour abattre l'ancien Premier ministre. Ce ne sont en tous les cas pas les méthodes de la gauche », se souvient, soudain, de la francisque, de l'affaire des fuites, de l'affaire de l'Observatoire qui, elles aussi, on peut être sûr, blessèrent Mitterrand et durcirent (comme l'avait écrit Mauriac) sa volonté d'entrer, à son compte, et à son heure, dans cette histoire de France dont enfant il s'enchantait.

Mais maintenant il faut justement préparer la campagne présidentielle...

19. A 0,67 % près...

« L'échec n'est pas la défaite. »

Cette fois Mitterrand sait qu'il a « toutes ses chances ». Jamais jusqu'à présent et plus jamais peut-être il n'a trouvé et ne retrouvera pareille situation. Il n'a pas à défier de Gaulle le géant, ni même – et il le répétera tout au long de cette campagne – le gaullisme qui « est mort avec Pompidou ». On a oublié l'homme de la IVe et le faux pas de mai 1968. Le Parti socialiste est devenu un vrai et grand parti. Le programme de la gauche « fait sérieux ». Il a permis de gagner des voix et les communistes ont joué le jeu qu'on leur demandait : celui de la discrétion, voire de la soumission, pour ne pas effrayer les 5 % d'électeurs qu'il faut absolument gagner sur la droite des radicaux de gauche pour passer la barre fatidique.

A droite, au contraire, on comprend que la majorité va éclater. Le Premier ministre en place, Pierre Messmer, a des ambitions pour lui-même et rechigne à soutenir le gaulliste qui s'impose, Chaban-Delmas. Plus grave, les Républicains indépendants, qui depuis quelques temps traînaient la patte pour soutenir la majorité gaulliste (et qui sans doute avaient aidé à la chute de de Gaulle en conseillant le non au référendum de 1969), sont bien décidés, cette fois à abattre leurs cartes. En clair, Valéry Giscard d'Estaing va se présenter. Sans parler d'une initiative personnelle, plus folklorique que dangereuse, celle du pudibond et hargneux maire de Tours, Jean Royer.

Tout est renversé, cette fois le candidat de l'union c'est Mitterrand. Les combines, les ambitions personnelles, les alliances un peu contre nature sont de l'autre côté. Un jeune qu'on croyait gaulliste, Chirac, passe chez Giscard. Le candidat « sérieux » c'est Mitterrand (du moins apparemment car il est à la fois le candidat des radicaux, des socialistes et des communistes), et c'est lui qui va pouvoir reprocher aux autres leur passé, leurs incohérences, leurs divisions, leurs trahisons ! Juste retour des choses que Mitterrand apprécie certainement.

Dès le 4 avril, Jacques Chaban-Delmas est candidat, cette précipitation sera sa première et grave erreur. On ne tire pas sur une ambulance ! Son manque de pudeur a profondément choqué les Français, plus que son histoire de feuille de déclaration d'impôts ou que son récent mariage fleur bleue et un peu trop publicitaire. Personne ne lui sait gré de sa « nouvelle société » bien vite oubliée et tout le monde trouve que quand il monte quatre à quatre les marches d'escalier devant les photographes, il s'essouffle maintenant beaucoup trop.

Mitterrand peut enfin jouer les de Gaulle. Il ne se précipite pas. Il attend son heure puisqu'il pense qu'il est indispensable. En effet, la gauche ne peut, bien sûr, pas avoir un autre candidat que lui. Mais il ne faut pas trop attendre non plus, vieille tactique gaullienne. Mitterrand ne veut pas être le candidat d'un parti. Ni de son propre parti, le P.S. (et il se fera mettre symboliquement « en congé de parti ») ni surtout du P.C. Il va donc annoncer lui-même, tout seul, sa candidature, en temps utile mais juste avant que Georges Marchais ait eu le temps de prendre position officiellement en sa faveur. Le P.C. aurait voulu le parrainer, il ne pourra que le soutenir. Mitterrand veut être, comme de Gaulle, au-dessus des partis, d'abord parce que c'est dans son caractère, ensuite parce qu'il sait parfaitement qu'il ne passerait pas la barre des 50 % en se limitant à « son » union de la gauche, enfin parce qu'il respecte profondément la fonction qu'il brigue et qu'il veut montrer qu'une fois à l'Élysée – et il y croit – il sera prêt à oublier, si ce n'est l'idéal sur lequel il se sera fait élire, du moins ceux qui lui auront servi de tremplin.

Le lundi 8 avril, Mitterrand annonce donc sa candidature, le même jour que Valéry Giscard d'Estaing. Les experts imaginent tout de suite pour le second tour un duel Mitterrand-Chaban-Delmas, le gaullisme contre l'antigaullisme, la « nouvelle société » contre celle du programme commun, et le tout interprété par des anciens ténors de la IVe. Mitterrand qui ne croit plus au danger du gaullisme pour lui, qui connaît Chaban et qui sait que le maire de Bordeaux ne tiendra pas la distance, comprend parfaitement que c'est Giscard qui est redoutable. Précisément parce que V.G.E. n'est pas gaulliste (mais que tout de même l'ancien ministre du Général, tout parricide qu'il ait été, peut récupérer les voix majoritaires par définition) et surtout parce que le maître des Républicains indépendants offre cette particularité, bien utile en la circonstance, d'être à la fois une certaine image d'un vieux passé (les indépendants, qu'ils soient ou non républicains c'est Pinay, l'emprunt Pinay et la France du bas de laine) d'un passé qui a peut-être parfois une certaine revanche à prendre sur le gaullisme qui lui a fait honte – ou mal – en 1944, puis qui l'a « trahi » en 1962, et, en même temps, un portrait assez exact de l'avenir. Si les adeptes de l'homme au petit chapon rond de Saint-Chamond, voire certains pétainistes ou certains nostalgiques de l'O.A.S. (qui, par haine de de Gaulle, avaient voté Mitterrand en 1965) peuvent se sentir attirés par Giscard, il ne fait aucun doute que pour les jeunes technocrates, ce polytechnicien qui a fait l'École nationale d'administration et qui peut jouer les ordinateurs vivants est bien attirant. Toutes les jeunes filles ont rêvé d'épouser un X, tous les hommes sont persuadés qu'ils auraient pu faire l'E.N.A. ! Or le combat se jouera sur quelques centaines de milliers de voix « marginales » puisque les deux « masses » de la nation s'équilibrent.

En fait, et Mitterrand s'en rend compte tout de suite, Giscard va pouvoir occuper tout le terrain qui n'est pas encore envahi par le programme commun, ce qui ne laissera pas à la gauche la possibilité de s'étendre et de grignoter ce qui lui manque. Ayant dit non au Général en 1969, étant aujourd'hui l'adversaire de Chaban-Delmas, l'ancien ministre des Finances de de Gaulle ne peut guère – hélas ! – être attaqué sur le bilan économique (médiocre) de la Ve. Il pourra bénéficier du positif et désavouer le négatif ! Mais, et c'est peut-être là le fond du problème, et ce qui va le plus blesser Mitterrand, cette fois, le slogan : « Un président jeune pour la France de demain », ce n'est pas Mitterrand qui peut l'employer mais Giscard, à la fois contre Chaban et contre Mitterrand, les deux « vieux » de la IVe qui, l'un et l'autre, chacun à sa manière, ont été des héros de la Ve. Or la France veut maintenant d'une VIe République... et V.G.E. ne s'en prive pas. Il ne cessera de répéter à Mitterrand qu'il est l'homme d'un autre temps, du passé. Là aussi les choses se sont retournées mais pas à l'avantage des « hommes de progrès ».

Mitterrand tente donc de se présenter sous un jour nouveau,

plus jeune, et de jouer au technocrate. Lui que l'économie a toujours prodigieusement ennuyé et qui est un orateur excellent mais de la IIIe République, va devoir être sobre et débattre chiffres ! Mais l'« autre » est imbattable sur ce terrain.

Et tout va en fait se passer à la télévision, même si tous les concurrents multiplient les tours de France. Or Mitterrand est bien meilleur à la tribune de l'Assemblée, à la Mutualité, au Parc des Expositions que sur le petit écran. Sans doute, est-ce déjà une question de génération.

Il ne fait d'ailleurs aucun doute qu'aux yeux de l'histoire ces élections présidentielles de 1974 resteront un simple duel télévisé Giscard-Mitterrand. Chaban-Delmas a trop vite fait figure d' « éliminé pitoyable » et on ne retiendra de la tentative de Jean Royer qu'une photo : celle montrant une contestataire dénudant ses seins devant le défenseur de la morale et du petit commerce.

Quant aux autres candidats, Arlette Laguillier, Krivine, etc. on a déjà oublié leur nom.

Il faut alors relire la remarquable étude faite par plusieurs universitaires spécialistes de la sociologie électorale ou de la communication politique, Jean-Marie Cotteret, Claude Emeri, Jacques Gerstlé, et René Moreau, *Giscard d'Estaing, Mitterrand, 54 774 mots pour convaincre*. C'est une analyse scientifique des dix interventions télévisées de deux candidats. Elle est étonnament révélatrice.

On s'aperçoit, d'abord, que Giscard est indiscutablement un meilleur « technicien » de la télévision que Mitterrand. Il sait, par exemple, mieux utiliser son temps de parole que Mitterrand. Ils ont eu droit l'un et l'autre à 140 minutes. Giscard en a utilisé 134, Mitterrand 126, or chaque minute compte, c'est peut-être quelques voix de plus ou de moins. En outre Giscard parle nettement plus vite que Mitterrand : 148 mots à la minute contre 129, ce qui fait que Mitterrand n'a pu « placer » que 17 153 mots alors que son concurrent en plaçait 19 250. Alors que pour ses dix interventions Giscard n'a eu besoin que de quinze prises de vue (les interventions étaient enregistrées et chaque candidat pouvait recommencer trois fois l'enregistrement), Mitterrand, lui, a eu besoin de dix-neuf prises de vue. Goût de la perfection ? Pas forcément, les enregistrements de Giscard étaient bons tout de suite, ce qui allait être démontré dans le fameux face à face qui, lui, ne pouvait être qu'en direct, et qui coûta peut-être l'Élysée à Mitterrand.

Mais l'étude va plus loin. On remarque que Giscard a choisi sept fois le monologue, deux fois la discussion (une fois avec Jean Lecanuet et Michel Poniatowski, une fois avec Christian Bonnet, Melle Deschamps et Mme Grodhomme) et une fois l'interview (avec Jacques Chancel), alors que Mitterrand, lui, n'a choisi que trois fois le monologue mais cinq fois l'interview (trois fois avec Maurice Séveno, deux fois avec Joseph Pasteur) et deux fois la discussion (une fois avec Marchais, Mauroy et Fabre, et une fois avec sa femme et Paul Guimard). Quelle conclusion en tirer ? Refus du monologue par goût de la démocratie ou peur d'affronter seul les caméras et besoin de « compères » ? C'est difficile à dire. En tout cas on a bien l'impression maintenant que le monologue est le style le plus payant dans ces circonstances. On en arrive alors à l'étude des mots eux-mêmes. Le vocabulaire électoral de Mitterrand est indiscutablement plus riche que celui de Giscard, puisque, bien qu'ayant moins parlé que lui, il a utilisé 275 mots différents de plus que Giscard. Les auteurs de cette étude notent que « l'emploi de mots nouveaux par Mitterrand est très sensiblement identique à celui du général de Gaulle au cours de ses interventions radiodiffusées ». La culture d'autrefois requérait davantage la variété du vocabulaire que celle d'aujourd'hui ; mais justement celle d'aujourd'hui est faite pour l'audiovisuel et la publicité avec son matraquage. Quels sont ces mots ? Les mots les plus fréquents de Mitterrand sont, dans l'ordre décroissant : Français, France, monsieur, politique, Giscard d'Estaing, vie, travail, prix, temps, hommes, nombre, président, pays, mois, question, monde, République, milliards, gauche, forces. Ceux de Giscard : France, République, Française, Français, président, société, politique, travail, campagne, monsieur, problèmes, travailleurs, choix, monde, vie, social, présidentielle, changement, pays.

Mais ce qui est surtout intéressant, ce sont les mots « politiques » ou du moins ressentis comme tels par les téléspectateurs. Et ici encore on a quelques surprises : Mitterrand a prononcé 7 fois le mot « femme », ... Giscard 15 fois ; Mitterrand a prononcé 5 fois le mot « jeunes », Giscard 10 fois ; Mitterrand a prononcé 1 fois le mot « personnes âgées », Giscard 7 fois ; Mitterrand a prononcé 7 fois le mot « travailleurs », Giscard... 37 fois, Mitterrand a prononcé 1 fois le mot « agriculteurs », Giscard 8 fois. Jamais Mitterrand n'a prononcé le mot « ouvrier », Giscard l'a prononcé 8 fois. Bref, le candidat de la gauche s'est fait battre sur son propre terrain par Giscard ! Cela peut sans doute s'expliquer par une très nette volonté de Mitterrand de « démarxiser » son image, désir qui n'a fait que croître tout au fil de la campagne, et c'est ainsi par exemple qu'avant le premier tour il utilise 14 fois le mot « gauche », 18 fois le mot « nationalisation » et 3 fois le terme « programme commun », alors qu'entre les deux tours il ne les utilisera plus respectivement que 5, 2 et 1 fois. On remarque, il est vrai, une même « dépolitisation du discours » chez Giscard d'Estaing entre ces deux tours.

Au-delà de tous ces chiffres une constatation s'impose : au fond, contre de Gaulle, Mitterrand était un battant, un attaquant, il disait « non », « non, au pouvoir personnel », « non à la dictature d'un seul homme », et il était bon. Maintenant que, par antigaullisme, il est devenu lui-même « quelque chose », le dirigeant de la gauche unie, le père du programme commun, il est sur la défensive et il est moins bon indiscutablement. Pourquoi ? Parce qu'il est plus facile d'attaquer que de se défendre ? Sûrement. Auquel cas, il se serait laissé piéger à son propre jeu de « chef responsable » car il n'est pourtant toujours que le dirigeant de l'opposition, rôle apparemment propre à la contre-attaque. Alors ? Certains en concluraient qu'il « sent » mal son dossier. Mais ce serait lui faire un procès d'intention, voire d'honnêteté.

Et pourtant on devine bien qu'il a quelques difficultés quand il tente de récupérer des voix éparses en s'écriant par exemple à propos du mouvement général de la gauche unie : « Cela me fait penser aux premiers âges du christianisme : le refus de la violence, de la force de la domination de l'homme par l'homme, la libération de l'être et aussi le refus du profit. Je ne sais si vous vous souvenez que, pendant longtemps, l'Église avait refusé l'usure et que l'argent puisse rapporter de l'argent par soi-même. » Ou quand il se défend de « collectivisme » et qu'il déclare : « On cherche à expliquer que si la gauche prenait le pouvoir, elle supprimerait la propriété, et on veut faire peur à la majorité des Français qui aiment la propriété comme moi je l'aime, la propriété qui est due au travail, au travail de plusieurs générations lorsqu'il ne s'agit pas d'une accumulation du capital qui permet la domination des superbénéfices des sociétés nationales et multinationales, du grand capital, des banques. »

Le plus curieux c'est que le téléspectateur moyen croit parfaitement Mitterrand quand celui-ci affirme qu'il aime la propriété « qui est due au travail et au travail de plusieurs générations ». Mais ce qu'il ne comprend plus, c'est que Mitterrand ait fait cette alliance avec les communistes qui n'ont jamais passé pour être les plus grands défenseurs de la propriété et de l'héritage. Alors cet électeur se demande qui Mitterrand veut-il abuser : lui qui va déposer son bulletin ou ses compères communistes ? Et à nouveau c'est l'image d'un Mitterrand peu crédible qui resurgit. Pourtant cette fois, il a, c'est le moins qu'on puisse dire, annoncé la couleur, il a pris des engagements écrits, noir sur blanc, tout est clair. Autrefois on lui reprochait – très injustement – de pêcher en eaux troubles et cette fois on lui reproche d'avoir signé un accord non seulement dangereux mais auquel il est le premier à ne pas croire. Le programme commun lui fait alors indiscutablement grand tort.

Au premier tour il obtient 43,36 % des voix devant Giscard (32,76 %) et Chaban (14,76 %).

Entre les deux tours, Mitterrand montre des signes évidents de fatigue qui éclateront notamment lors du fameux débat décisif du 10 mai 1974 où, pendant le face à face, il baissera plusieurs fois les bras devant un Giscard en pleine forme qui se jouera de lui, avec une certaine mauvaise foi, sur les chiffres, et qui l'acculera en lui assénant des : « Vous êtes un homme du passé », ... « Vous partez d'un raisonnement sur le passé », ... « J'aurais préféré, et je le lui ai dit, que nous parlions de l'avenir, c'est impossible il parle toujours du passé », ... « Monsieur Mitterrand, vous avez cité des chiffres, ils étaient faux »,... « A partir du moment où nous discutons de chiffres, il faut discuter de chiffres exacts »...

Mitterrand n'avait sans doute pas prévu cette attaque contre son côté passéiste de la part d'un Giscard candidat Républicain indépendant contre le candidat de la gauche. Au cours de ses discours radiotélévisés, sur les cinquante-neuf références historiques qu'il avait évoquées, trente-sept étaient antérieures à 1956, alors que Valéry Giscard d'Estaing qui évoqua à quarante-cinq reprises le passé ne choisit que cinq fois des événements antérieurs à 1956. Ces choix avaient-ils été, chez l'un et chez l'autre, conscients ? Sûrement pas. Ils n'en étaient que plus révélateurs.

Le soir même du débat, tous les amis de Mitterrand surent que la partie n'était plus gagnée. Leur candidat avait indiscutablement perdu quelques centièmes de voix, peut-être ceux qui allaient justement départager les deux candidats. Mitterrand lui-même en eut parfaitement conscience. Dès le lendemain, au cours d'une intervention pour laquelle il avait choisi le dialogue (avec sa femme et Paul Guimard) il l'avouait d'ailleurs : « Est-ce que je n'ai pas été assez agressif ? Voyez-vous je ne me sentais aucune hargne, aucune animosité contre Valéry Giscard d'Estaing. (...) Je ne voulais pas qu'un débat aussi important pût tourner à une sorte d'épreuve sportive, à, comme on dit, un combat de boxe. J'ai trop de respect pour la fonction à laquelle j'aspire, à laquelle aspire Valéry Giscard d'Estaing pour transformer ce type de débat sur un plan qui ne doit pas être celui-là, bon ! Et puis j'ai une nature qui, quelquefois, m'amène, en effet, à la polémique et je tiens absolument à ce que l'opinion publique sache que, président de la République, je dois aussi dominer en moi-même tout ce qui pourrait m'entraîner à ne pas considérer l'intérêt général et à respecter chacune des catégories sociales qui m'écoute. Alors cette espèce de quant à soi a, peut-être, enlevé un peu de punch dans ce qui n'était pas un combat, mais dans ce qui devait être une explication... »

Bref, Mitterrand avoue qu'il a été « mauvais » Le public (qui est le corps électoral) aime – et c'est l'un des défauts majeurs de l'élection du chef de l'État au suffrage universel – assister à un combat de boxe. Combat auquel de Gaulle s'était refusé, bien sûr, et que Mitterrand regrette.

Le dimanche 19 mai 1974 fut sans doute la journée la plus longue de la vie de Mitterrand. Personne ne pouvait, en fait, faire de pronostics si ce n'est que tout allait se jouer « dans un mouchoir de poche ». Mitterrand était à Château-Chinon entouré de sa « cour ». Les uns, ses vrais amis, étaient inquiets, ils avaient peur que leur grand homme ne soit déçu, que le grand espoir s'effondre. En 1981, ils faisaient déjà le calcul, Mitterrand aurait soixante-cinq ans, l'âge de la retraite, et qui pourrait dire quand il retrouverait des circonstances aussi favorables ?, et ce qui allait se passer d'ici là ? Par moments aussi, ils pensaient que le soir même « François » allait entrer à l'Élysée, que ça allait être un retour triomphal sur Paris, que Mitterrand allait enfin avoir le pouvoir, qu'un monde nouveau allait commencer. Les autres, les amis de plus fraîche date, affichaient déjà une certaine morgue, celle des vainqueurs ou celle des vaincus. Une attachée de presse faisait savoir à l'envoyé spécial du *Figaro* que j'étais qu'il « allait falloir changer de ton » (Je n'avais alors encore jamais écrit une seule ligne sur Mitterrand). Entre confrères nous frémissions à l'idée d'avoir peut-être dorénavant à affronter cette maladroite imbécile.

Mitterrand, lui, s'en sortait très bien. Il avait déjeuné au milieu de quelques amis à l'hôtel du Vieux Morvan, son P.C. nivernais traditionnel, puis pris un peu de repos. Quelques minutes avant l'heure fatidique, il était allé rendre visite à un sénateur de la Nièvre dans un bourg voisin. Il allait chez lui attendre et entendre les résultats, ou du moins les premières « fourchettes ». Nous étions des dizaines de journalistes devant la porte de la maison. A 20 heures et quelques secondes, la radio nous annonça que Giscard d'Estaing était élu. Mitterrand sortit, nous fit un petit sourire qui avait beaucoup d'allure et regagna l'hôtel du Vieux Morvan où c'était, bien sûr, la déception. Mitterrand venait d'être battu par 0,67 % des voix. Il avait obtenu 49,33 % des suffrages, Giscard, lui, en avait 50,66 %. Il avait manqué au candidat de la gauche 300 000 bulletins !

On a très, trop longuement commenté les causes de cette défaite. Les plus grands experts y ont trouvé des raisons et ont tenté de faire croire alors qu'il était prévisible, voire inévitable, que Mitterrand soit battu, parce que la France n'était pas prête à basculer, parce que l'expérience que proposait Mitterrand était trop dangereuse pour la majorité des Français, parce que, etc. Tous ces experts ne se seraient pas risqués à avancer leurs savantes démonstrations la veille du scrutin !

En fait, personne ne peut définir la France à 0,67 % près ! Mitterrand a été battu parce que... il n'a pas eu de chance, parce qu'il n'était pas « en forme » ce soir du 10 mai 1974 au moment où il est entré sur le plateau de la télévision dans le studio 101, parce que Giscard, lui, a eu de la chance... Mais Mitterrand aurait parfaitement pu « passer ».

Mitterrand sut tirer avec élégance la conclusion de son échec. Dans le *Nouvel Observateur* de la fin mai, il écrivit : « De quoi me plaindrais-je ? Nous avons lutté, nous luttons avec joie et ferveur. J'ai senti battre le cœur du peuple français d'une manière privilégiée. Je me suis senti soudain dans une situation à la fois simple et pathétique, représentant les forces populaires contre les forces de l'argent. C'est une situation historique, comparable aux grands moments du passé. Une ligne de partage nette pour chacun, visible pour tous, sépare ceux qui détiennent le pouvoir de ceux qui sont dominés par lui. Quand je vois les hommes, hier si divisés, aujourd'hui encore si différents se regrouper, quand je reçois de tous les coins de France les témoignages de ceux pour qui l'échec n'est pas la défaite et pour qui la fin du scrutin n'est pas la démobilisation, quand enfin et surtout j'aperçois la jeunesse de France rejoindre nos rangs au moment même où le pouvoir semble s'en éloigner, — alors je me dis que notre combat sans pause ni trêve est plus important que tout le reste. »

C'est sûrement là un texte sincère. Mitterrand, nous l'avons vu souvent, s'avoue lui-même dans les moments difficiles, et il est toujours meilleur en battu qu'en vainqueur (il est vrai que depuis bien longtemps on ne peut plus savoir ce qu'il « donnerait » en vainqueur). Et comment ne pas remarquer, une fois encore, ce ton étonnamment gaullien. L'échec qui n'est pas la défaite rappelle par trop une autre célèbre formule, la lutte, la joie, la ferveur, les grands moments du passé, les témoignages qui arrivent de tous les coins de France, la jeunesse de France qui rejoint nos rangs, en quelques lignes aussi quatre termes militaires : défaite, démobilisation, les rangs, le combat. Le capitaine Morland n'a pas perdu la guerre.

20. EN GUISE DE CONCLUSION...

Les événements récents (la rupture de l'union de la gauche au cours de la réactualisation du programme commun en septembre 1977) sont trop proches de nous pour que nous ayons besoin de les rappeler. Ils sont surtout encore, il faut bien l'avouer, trop difficiles à analyser. Une chose est sûre cependant : en apparence, Mitterrand n'a pas joué là le grand rôle. Ce n'est pas lui qui a annoncé la rupture, ce n'est pas lui qui a évoqué de nouvelles nationalisations, ce n'est pas lui qui avait souhaité la réactualisation.

Dans toute cette affaire, il s'est présenté comme l'élément modérateur. Mitterrand était satisfait de l'équilibre qu'il avait mis au point. Il ne souhaitait pas qu'on y touchât. Il voulait, en fait, aller jusqu'aux élections législatives de 1978 dans les mêmes conditions que celles dans lesquelles il avait affronté les présidentielles de 1974. Au lendemain de sa défaite, il était d'ailleurs persuadé que la « revanche » pourrait avoir lieu plus tôt que prévu et que la législature ne parviendrait pas à son terme, car, écrivait-il alors : « Il n'y a plus de véritable majorité. Les gaullistes de bonne souche sont à terre et leurs voisins, qui sont aussi leurs adversaires, s'apprêtent à les écraser. » Analyse qu'il tirait sans doute de « l'opération Chirac » pendant la campagne présidentielle et que devaient par la suite confirmer les élections municipales (on se souvient des duels fratricides entre gaullistes et giscardiens).

Il fallait donc, pour lui, tenir son « attelage » jusqu'aux législatives. Les résultats de deux scrutins nationaux (cantonales de mars 1976 : opposition, 55 % des voix ; municipales de mars 1977 : opposition, 52 %) lui démontraient, ainsi que le succès que le P.S. remportait dans l'opinion (150 000 adhérents le 1er janvier 1976, près de 200 000 en 1977) ou dans certaines législatives partielles, que la victoire allait arriver d'elle-même pour peu qu'on ne touchât à rien. Tous les sondages confirmaient d'ailleurs son optimisme.

Si Mitterrand tenait tellement à ce qu'on ne touchât à rien c'était peut-être bien parce qu'il n'était pas sûr de la cohésion de son équipe. Il savait parfaitement qu'avec le programme commun il avait réussi l'exploit d'aller aussi loin qu'il le pouvait. Un pas de plus et les radicaux (sa vieille famille personnelle et surtout sa caution démocratique indispensable) ne pouvaient que sursauter. Or, ce pas de plus, il était évident que les communistes allaient le réclamer, et d'autant plus qu'ils sentaient, eux aussi, la victoire prochaine. Mais 1974 avait sans aucun doute été un moment particulièrement privilégié, comme on en retrouve peu. Mitterrand aurait donc voulu que l'histoire s'arrêtât là, du moins pour son alliance, et que, pendant ce temps, la majorité continuât à se dégrader. Ça n'a pas été le cas. Devant le danger, la majorité s'est ressaisie ; à la veille de la victoire, la gauche, qui vendait déjà la peau de l'ours, a jeté le masque de l'union. On sait aujourd'hui où elle en est...

Ce qu'il nous faut maintenant c'est tirer, en quelques lignes, les conclusions qui s'imposent après une telle rencontre avec François Mitterrand.

Oublions les erreurs qui auraient dû être mortelles (gouvernement Laniel, gouvernement Mollet, surtout mai 68, etc.). Elles ne l'ont pas été. Oublions aussi les paroles malheureuses (sur l'Algérie notamment). Tout le monde en a prononcé. Que reste-t-il ? Un personnage fourbe, machiavélique, prêt à tout, comme on le dit souvent ? Non, sûrement pas. Au contraire même.

Mitterrand est désespérément simple. Pour ce qui est important, il n'a pas changé d'un iota en plus de trente ans. Il suffit de relire ses textes comme nous l'avons fait ici (trop rapidement) pour en être frappé. Mitterrand est un nationaliste farouche qui rêve encore à une France forte, respectée et qui aurait une mission. En même temps, il a une conception très exigeante de l'État. Il veut un gouvernement fort et, qui plus est, qui aurait un « style ». Bref, il est une caricature du personnage gaullien.

Mais comme tout bon gaullien – et ils sont rares –, il ne pouvait que s'opposer, et dès sa première rencontre, à de Gaulle lui-même. Alors il n'a plus eu le choix. Si l'opposition au pouvoir personnel du Général avait été de droite, ce radical aurait basculé à droite en s'écriant : « Ce n'est pas à moi de faire le tri des bulletins de vote », comme il l'a dit quand il a bénéficié des voix de Tixier-Vignancour ou de Soustelle.

Mais l'opposition à de Gaulle était de gauche, alors il est devenu le dirigeant de cette gauche parce qu'il était le seul à pouvoir affronter le général (Mendès France s'y refusant). Il est certain que ces hasards de la vie lui permirent ici de rencontrer un monde qu'il ignorait et qui l'émut, le monde des Jaurès et des Blum. Ces forces qui se mettaient à sa disposition pour son combat l'impressionnèrent. Elles avaient impressionné aussi de Gaulle.

Mais faisant sans cesse le décompte de ses voix, ce nationaliste s'aperçut qu'il devait aller encore plus loin. Il n'avait pas le choix, c'était une question d'arithmétique. Il fallait arriver aux 50 % ! Il pensa, un instant, qu'il serait le plus fort. Et il l'aurait sans doute été s'il l'avait emporté en 1965. Mais le temps passait et les troupes recrutées au fil de la marche se montrèrent de plus en plus exigeantes. Le capitaine promu général était prisonnier d'un de ses régiments. Il fallait, puisque l'assaut était imminent, se soumettre aux volontés de ces troupes de choc, quitte, plus tard, à tout faire pour les renvoyer, très vite, dans leurs casernements. La première bataille a été une défaite. Mais, alors qu'on préparait déjà la revanche, le régiment dissident a haussé le ton. Le capitaine-général n'a trop rien dit pour ne pas compromettre toutes les chances de la nouvelle bataille. Il fallait gagner. Mais l'esprit de corps n'y était plus.

Peut-on reprocher audit capitaine-général d'avoir engagé de telles troupes ? Sans aucun doute. Une armée doit être cohérente. Faire le nombre ne suffit pas. Et puis surtout, le mot victoire doit, pour une troupe, avoir la même signification. L'ennemi doit être le même. Il ne doit pas y avoir imposture sur le combat.

L'histoire ne jugera Mitterrand que, s'il parvient au pouvoir et s'y maintient, et cette fois au premier rang. Elle sera sans doute alors sévère pour lui, quel que soit l'avenir. Non seulement il l'aura emporté avec une coalition parfaitement hétéroclite et sur des slogans savamment fabriqués de bric et de broc, mais surtout, pour l'emporter, il sera livré à ses mercenaires.

S'il n'y parvient pas, il restera alors sans doute l'homme d'une curieuse expérience dont on ne saura jamais ce qu'elle aurait donné. Ce sont les plus belles. Homme étonnant, talentueux, attachant par ses excès subits de franchise et obsédé par une idée fixe : celle d'être fait pour servir la France – et non pas en cause –, idée fixe qui l'avait entraîné à embrasser jusqu'à l'étouffement (mais le sien) cette cause, mais qui malgré tout était resté un enfant de Jarnac...

BIBLIOGRAPHIE

• Ouvrages de François Mitterrand :

Les prisonniers de guerre devant la politique, 1945, Rond-Point Éd.
Aux frontières de l'Union française, 1953, Julliard.
Présence française et abandon, 1957, Plon.
La Chine au défi, 1961, Julliard.
Le coup d'État permanent, 1964, Plon.
Ma part de vérité, 1969, Fayard, éd. Le Livre de Poche.
Un socialisme du possible, 1970, Le Seuil.
La rose au poing, 1973, Flammarion.
La paille et le grain, 1975, Flammarion.
Auxquels il faut ajouter *Politique*, 1977, Fayard, qui regroupe de nombreux extraits de ces livres mais aussi et surtout des discours et des articles souvent difficiles à trouver.

• Ouvrages sur François Mitterrand :

Claude MANCERON : *Cent mille voix par jour pour Mitterrand*, 1966, R. Laffont.
Roland CAYROL : *François Mitterrand (1945-1967),* 1967, Fondation des Sciences Politiques.
Jean-Marie BORZEIX : *Mitterrand lui-même*, 1973, Stock.
Franz-Olivier GIESBERT : *François Mitterrand ou la tentation de l'histoire,* 1977, Le Seuil.

Les ouvrages historiques sur la Résistance, la IVe et la Ve sont, bien sûr, trop nombreux pour être tous cités. Cependant on peut rappeler :

• Pour la Résistance :

Claude BOURDET : *L'aventure incertaine*, 1975, Stock.
Henri FRENAY : *Quand la nuit finira*.
Léon BLUM : *A l'échelle humaine*, 1945, Gallimard.
Charles de GAULLE : *Mémoires de guerre*, Plon.
Raymond ARON : *De l'armistice à l'insurrection nationale*, 1945, Gallimard.
Robert ARON : *Histoire de la libération de la France*, 1959, Fayard.
Henri MICHEL et Boris MIRKINE-GUÉTZÉVITCH : *Les idées politiques et sociales de la Résistance*, 1954, P.U.F.

• Pour la IVe République :

Jacques FAUVET : *La IVe République*, 1959, Fayard.
Jacques JULLIARD : *La IVe République*, 1972, Calmann-Lévy.
Pierre LIMAGNE : *L'éphémère IVe République*, 1977, France-Empire.
Georgette ELGEY : *Histoire de la IVe République*, 1964, Fayard.
Vincent AURIOL : *Journal d'un septennat*, 1970, Colin.
Michel DEBRÉ : *La République et ses problèmes*, 1952, Nagel.
François MAURIAC : *Bloc-notes*, 1958, Flammarion.
Pierre MENDÈS FRANCE : *Gouverner, c'est choisir*, 1953, Julliard.
Jean-Raymond TOURNOUX : *Carnets secrets de la politique*, 1958, Plon.
Philippe DEVILLERS : *Histoire du Vietnam*, 1952, Le Seuil.
Jean SAINTENY : *Histoire d'une paix manquée*, 1967, Fayard.
Habib BOURGUIBA : *La Tunisie et la France*, 1954, Julliard.
Charles-André JULIEN : *L'Afrique du Nord en marche*, 1952, Julliard.
Yves COURRIÈRE : *La guerre d'Algérie*, 1968, Fayard.
Henri ALLEG : *La torture*, 1958, Éd. de Minuit.
Pierre-Henri SIMON : *Contre la torture*, 1957, Le Seuil.
Général MASSU : *La vraie bataille d'Alger*, 1971, Plon.
Guy MOLLET : *Bilan et perspectives socialistes*, 1958, Plon.
André PHILIP : *Le socialisme trahi*, 1957, Plon.

• Pour la Ve République :

Pierre VIANSSON-PONTÉ : *Histoire de la République gaullienne*, 1971, Fayard.
Paul-Marie de la GORCE : *De Gaulle entre deux mondes*, 1964, Fayard.
Eugène MANNONI : *Moi, De Gaulle*, 1964, Le Seuil.
André MALRAUX : *Les chênes qu'on abat*, 1971, Gallimard.
Claude MAURIAC : *Un autre de Gaulle*, 1971, Hachette.

François MAURIAC : *Bloc-notes,* 1970, Flammarion.
Jean-Raymond TOURNOUX : *Secrets d'État,* 1960, *La tragédie du général,* 1967, Plon.
Raymond BARRILLON : *La gauche française en mouvement,* 1967, Plon.
Claude ESTIER : *Journal d'un fédéré,* 1970, Fayard.
Jacques DEROGY et Jean-François KAHN : *Les secrets du ballottage,* 1967, Fayard.
Pierre SAINDERICHIN et Joseph POLI : *Histoire secrète d'une élection,* 1966, Plon.
Georges SUFFERT : *De Defferre à Mitterrand,* 1966, Le Seuil.
Alain SAVARY : *Pour un nouveau parti socialiste,* 1970, Le Seuil.
Philippe ALEXANDRE : *L'Élysée en péril,* 1969, Fayard.
Maurice GRIMAUD : *En mai fais ce qu'il te plaît,* 1977, Stock.
Gaston DEFFERRE : *Si demain la gauche...,* 1977, Laffont.
Jean-Pierre CHEVÈNEMENT : *Les socialistes, les communistes et les autres,* 1977, Aubier-Montaigne.
Robert FABRE : *Quelques baies de genièvre,* 1976, Lattès.
Catherine CLESSIS : *La dangereuse illusion,* 1977, Plon.

TABLE

L'impression de ce livre
a été réalisée sur les presses
des Imprimeries Aubin
à Poitiers/Ligugé

pour les Éditions Hachette

Achevé d'imprimer le 10 février 1978
N° d'édition 5701. — N° d'impression L 10400.
Dépôt légal 1er trimestre 1978.

23.43.289.01
ISBN 2.01.00.4437.1

23.2894.6